D1001433

L'hydrographie au Canada (1883-1983)

Ce livre s'adresse d'abord et avant tout aux hommes et aux femmes
du Service hydrographique du Canada
à ceux qui font les levés
comme à ceux qui produisent les cartes et les autres publications marines
à ceux qui naviguent sur les bateaux et sur les vedettes
à ceux qui offrent les services de génie, de techniques et de soutiens
administratifs ainsi qu'à tous ceux qui, à la maison,
gardent bien vivant le feu du foyer

L'hydrographie au Canada (1883-1983)

L'histoire de l'hydrographie au Canada

STANLEY FILLMORE

R.W. SANDILANDS

Photographies originales : Michael Foster

Traduction : Michèle Deslauriers; révision : Lucien Parizeau

Une publication : N.C. Press Limited

en collaboration avec le Service hydrographique du Canada

du ministère des Pêches et des Océans

L'hydrographie au Canada (1883-1983) Numéro de catalogue du gouvernement du Canada : FS72-21/1983F

Publié au Canada par N.C. Press Limited
31, rue Portland
Toronto (Ontario), Canada M5V 2V9

Titre anglais : **The Chartmakers**, par Stanley Fillmore et R.W. Sandilands

ISBN 0-660-91079-9

Imprimé au Canada

En vente au Canada par l'entremise de nos

agents libraires agréés
et autres librairies

ou par la poste au :

Centre d'édition du gouvernement du Canada
Approvisionnements et Services Canada
Ottawa, Canada, K1A 0S9

ou auprès du

Bureau de ventes et de distribution
Cartes marines et publications
1675, Chemin Russell
B.P. 8080
Ottawa (Ontario)
Canada K1G 3H6

Canada : $34.95
à l'étranger : $41.95

Prix sujet à changement sans avis préalable

Conception graphique : Maher et Murtagh

Photographies de la jaquette : Michael Foster
Couverture : Le *Baffin* alors qu'il effectue des levés dans le passage du Labrador, dans l'Arctique canadien
Endos : en haut à gauche : Une vedette remorque une ligne de sonde
en bas à gauche : Planification des levés
en haut à droite : Souvenir des premiers jours : en doris sur les eaux glacées de l'Arctique
en bas à droite : À voile autour de l'île Vancouver

Dépôt légal : 1er trimestre 1984
Bibliothèque nationale du Canada

Table des matières

L'introduction

L'histoire de tout pays maritime est inextricablement liée aux activités des hommes qui ont cartographié ses eaux côtières. Il ne peut en être autrement.

Le pays situé en bordure de la mer peut considérer ses eaux uniquement comme une source d'alimentation et d'autres ressources: l'océan peut lui sembler uniquement une route commerciale vers d'autres pays; la mer peut être pour lui une source et un moyen d'approvisionnement. Dans tous les cas, la présence de la mer en bordure de ses côtes oblige un pays à se poser certaines questions et à y répondre : peut-on naviguer sans danger dans les eaux côtières et, dans la négative, quels sont les secteurs dangereux? En cas de guerre, pourrait-on défendre les côtes de façon appropriée? Quels sont les endroits les plus propices pour trouver du poisson et toute une multitude d'autres ressources naturelles?

Le destin d'une nation peut dépendre des réponses à ces questions : c'est aux hommes qui cartographient les côtes, aux hydrographes, qu'il revient d'y répondre.

Le présent ouvrage, *L'hydrographie au Canada (1883-1983)*, retrace l'histoire de cent années de cartographie de trois océans et de milliers de milles de voies navigables intérieures d'un des plus grands réseaux de voies navigables au monde. C'est l'histoire d'hommes et des instruments utilisés dans le cours de leur travail. On y traite également de la nature fondamentale de ce pays et de son peuple.

Près de trois cents ans avant la création du Service hydrographique du Canada, Samuel de Champlain cartographiait le fleuve Saint-Laurent pour que les bateaux de colons qui arrivaient trouvent des ports sûrs. Pendant la première moitié du dix-huitième siècle, les missionnaires jésuites français ont enseigné l'hydrographie aux pilotes du fleuve pour que les riches récoltes de fourrures canadiennes puissent être expédiées en toute sûreté vers l'Europe. C'est James Cook et ses compagnons de la

Marine royale qui ont cartographié ce même fleuve pour la Couronne britannique et c'est le protégé de Cook, George Vancouver, qui en cartographiant les côtes du Pacifique du Canada, a amené les limites occidentales du pays sous la domination de l'Union Jack.

Entre eux, les hydrographes sont assez volubiles; en public, ils sont plus taciturnes. Non pas qu'ils soient liés au secret, loin de là; ils sont tout simplement peu loquaces. Comme l'expliquera plus loin le texte du présent ouvrage, l'un des plus grands succès de l'hydrographie repose sur l'absence de publicité, quand il n'y a pas de naufrage ou quand les journaux et la télévision n'ont pas à rapporter de pertes de vies humaines en mer.

Il est bon que le travail du Service hydrographique du Canada et des hommes et des femmes qui y ont oeuvré soit mieux connu. J'espère que la publication du présent ouvrage servira à faire connaître la contribution de ces milliers de personnes dévouées. Leurs efforts pour l'avancement de l'hydrographie au Canada et leur contribution inestimable au développement du pays méritent d'être reconnus et appréciés.

STEPHEN B. MACPHEE
Directeur général
Service hydrographique du Canada
Ottawa, octobre 1983

L'héritage

Colomb a trouvé un monde; pourtant, il n'avait pas de carte,
sauf celle que sa foi lui dictait dans le ciel;
savoir se fier aux conjectures invincibles de son âme,
tels étaient toute sa science et son seul art

George Santayana
O World Thou Choosest Not
1894

VOILÀ SANS DOUTE UN QUATRAIN BIEN TOURNÉ, MAIS CE N'EST malheureusement pas une fidèle présentation des faits. Christophe Colomb, lors de son premier voyage en 1492, *disposait* de quelques notions scientifiques et de quelques instruments scientifiques: un compas, un quadrant, une table de point. Les ''conjectures invincibles de son âme'' — en réalité incorrectes puisqu'il croyait naviguer vers la Chine — n'étaient pas ''son seul art''. De fait, il avait une carte ou tout au moins ce qui, au quinzième siècle, constituait une carte. En réalité, l'un des ''arts'' de Colomb, c'était la cartographie, une occupation à laquelle il excellait et ce, avant et après les voyages au cours desquels il découvrit ce qui allait un jour devenir les Amériques.

Il n'y a pas de terre qui ne puisse être habitée, ni de mer qui ne puisse être naviguée.

Sir Hugh Willoughby
Marin, soldat et explorateur britannique du seizième siècle

Nous connaissons presque tous Christophe Colomb le grand explorateur, le découvreur du ''Nouveau Monde'' (bien que ce titre lui ait été contesté ces derniers temps). Si on l'avait aussi présenté aux écoliers comme un grand cartographe et un précurseur des hydrographes d'aujourd'hui, il ne paraîtrait pas aussi pressant de préparer notre ouvrage. Tous sauraient ce qu'est un hydrographe, et le grand public connaîtrait aussi bien l'histoire et l'importance de l'hydrographie en Amérique du Nord et au Canada que celle de sa proche parente, la géographie.

D'après le Grand Larousse encyclopédique, l'hydrographie a deux domaines différents: elle étudie les cours d'eau et les lacs; elle détermine aussi la configuration des côtes, les profondeurs de la mer, les eaux marines, l'amplitude des marées, des courants océaniques, etc.

C'est là une définition très large, mais quand on sait que l'eau recouvre les deux tiers de la surface terrestre, et que le Canada lui-même a un littoral plus long (en bordure de trois océans) et plus de cours d'eau navigables, de lacs et de baies que n'importe quel autre pays, la tâche des hydrographes et, particulièrement, des hommes qui ont

Pour l'hydrographe, l'intérêt est constamment soutenu. Chaque jour apporte du neuf. La précision du travail de chaque assistant, lorsqu'elle est établie, est pour lui une source de grande satisfaction, tout comme le sentiment qu'il restera de tout ce qu'il fait un document permanent, la carte marine qui guidera des centaines d'autres marins sur leur route.

Contre-amiral Sir William James Lloyd Wharton
Hydrographe de l'Amirauté, 1884-1904

travaillé pour le Service hydrographique du Canada, semble toucher à l'impossible. Si l'on ajoute à cela l'énormité de la tâche à accomplir et le fait que l'existence du Canada, son développement et le maintien de sa souveraineté, notamment dans les îles de l'Arctique, a dépendu et continue, de bien des façons, de dépendre du travail de ses hydrographes, il apparaît important de tirer l'histoire de l'hydrographie du monde de l'ésotérisme où on semble l'avoir placée pour la mettre au rang des connaissances essentielles.

Notre ouvrage, *L'hydrographie au Canada (1883-1983)*, souligne un siècle d'hydrographie au Canada, à partir du moment où, en 1883, le gouvernement du Dominion a accepté pour la première fois la charge financière d'un levé des eaux canadiennes jusqu'à maintenant, où l'avenir économique du pays demeure, de bien des façons, lié au travail de son Service hydrographique du Canada. Mais pour bien comprendre les réalisations de ces cent dernières années, il convient d'abord d'examiner et de reconnaître le travail des hommes qui, les premiers, ont cartographié les voies navigables du Canada, ces hommes qui, au service des rois du Portugal, de France, d'Espagne et de Grande-Bretagne, ont jeté les bases de la formation d'un groupe d'hydrographes canadiens dont les propres normes d'excellence constitueront un legs tout aussi important pour les hydrographes du siècle à venir.

Le premier Européen à naviguer dans les eaux canadiennes et à recueillir des renseignements hydrographiques pour la préparation d'une carte, c'est-à-dire une sorte de plan d'une voie navigable, fut Giovanni Caboto, mieux connu sous le nom de Jean Cabot. Comme Christophe Colomb, Cabot était un navigateur italien, naviguant par commission d'un monarque étranger, dans ce cas, Henri VII d'Angleterre. Quittant le port de Bristol en 1497, Cabot atteignit l'Amérique du Nord pour la première fois en juin, soit à Terre-Neuve, soit au Cap-Breton. Tout comme Colomb, il était à la recherche de la Chine et croyait que ces îles qu'il venait de découvrir se trouvaient juste au large de la côte de Cathay†.

Cabot revient dans les eaux canadiennes en 1498, puis il disparaît avec ses quatre navires et leur équipage, sort assez fréquent à cette époque des premiers explorateurs qui naviguaient dans des eaux inconnues à bord de petits voiliers sans grande stabilité. La preuve que Cabot avait tracé une sorte de carte indiquant les découvertes faites au cours de son premier voyage se trouve dans la plus ancienne carte existante où figure une partie de l'Amérique du Nord: le fameux portulan du monde de Juan de la Cosa, qui date de l'année 1500. Ce portulan indique clairement les côtes, évidemment

†Cathay est le nom donné par Marco Polo à cette partie du monde que nous appelons aujourd'hui la Chine.

mal définies, de Terre-Neuve et du Labrador, ainsi que les eaux qui les entourent et qui sont désignées comme "les mers découvertes par l'Anglais" (c'est-à-dire Jean Cabot).

Les portulans étaient, à l'époque de la Renaissance, l'équivalent des cartes marines perfectionnées d'aujourd'hui. Ils étaient préparés par des navigateurs marins et destinés à l'usage d'autres navigateurs: c'est aux treizième et quatorzième siècles qu'ils ont été plus répandus, au moment où les navigateurs de la Méditerranée se sont familiarisés avec l'utilisation du compas magnétique, invention importée du monde arabe. Avant l'introduction du compas, les marins européens hésitaient à s'aventurer en pleine mer; ils limitaient leurs voyages et leurs cartes aux côtes de la Méditerranée et de l'Atlantique, autour de l'Europe et de l'Afrique du Nord. C'est en tombant dans les mains des grands navigateurs portugais du quinzième siècle, tel le prince Henri et Vasco de Gama, que le compas ouvrit les mers à l'exploration. Son utilisation entraîna la découverte et la cartographie de la côte ouest de l'Afrique, subséquemment le passage autour du cap de Bonne-Espérance jusqu'aux Indes et, bien sûr, la découverte des Amériques et, par la suite, de l'océan Pacifique.

Les portulans utilisés par Cabot et Colomb se caractérisaient par l'utilisation d'un système de droites tirées à partir du centre des roses des vents étalées un peu partout sur la carte. Ces lignes, indiquant le nord, l'ouest, le sud, l'est et les points intercardinaux, n'indiquaient sur les portulans (avec les renseignements sur les côtes, les courants, les ports, les hauts-fonds et les vents) que des directions, constituant une aide primitive à la navigation en haute mer. Les coordonnées de latitude et de longitude n'existaient pas sur les portulans.

La latitude et la longitude sont à l'hydrographe moderne ou, de fait, à tout autre cartographe ce que la langue et la syntaxe sont au poète, la justice et la loi au juriste, le diagnostic et le traitement au médecin. Il s'agit des concepts, des idées qui régissent le travail de chacun. Sans latitude et longitude, le cartographe est virtuellement perdu. C'est à l'hydrographe qu'il appartient d'indiquer à un autre navigateur, au moyen d'une carte marine, l'emplacement exact d'un port, d'un récif, d'un haut-fond, d'un rocher; ces emplacements sont marqués par le point d'intersection des parallèles de latitude, lignes horizontales imaginaires qui encerclent le globe, et des méridiens de longitude, lignes imaginaires qui longent verticalement la surface du globe, d'un pôle à l'autre.

Contrairement au mythe populaire, Colomb et Cabot n'étaient pas les seuls à croire que le monde n'était *pas* plat et qu'en naviguant vers l'ouest on ne ferait *pas* nécessairement une chute du bord de la terre. Comme le mentionnait John Noble Wilford dans son ouvrage intitulé *The Mapmakers*, l'idée de la sphéricité de la terre a probablement vu le jour indépendamment dans de nombreuses cultures, mais autant que nous sachions, c'est sous l'influence des philosophes grecs Platon et Aristote que l'idée s'est

Le travail de l'hydrographe a toujours été et devra toujours être le précurseur du commerce.

Contre-amiral G.H. Richards
Hydrographe de l'Amirauté, 1863-1874

implantée dans la pensée occidentale. En effet, Aristote écrit dans *Les Météores*, pendant la seconde moitié du quatrième siècle avant Jésus-Christ, que la sphéricité de la terre est mise en évidence par nos sens: il suffit de constater les changements de position des étoiles dans le ciel de la nuit, à mesure qu'on se déplace vers le nord ou vers le sud, la disparition des navires au-delà de la ligne d'horizon et le reflet incurvé de la terre sur la lune au cours d'une éclipse lunaire.

Quand on sait que, pour être hydrographe, il faut d'abord savoir naviguer (c'est-à-dire pouvoir déterminer où l'on se trouve sur la terre, pouvoir déterminer où on veut aller et savoir comment s'y rendre), on peut alors comprendre que, pour être navigateur, il fallait, jusqu'à l'introduction très récente des appareils électroniques d'établissement de position. Il fallait avoir une bonne connaissance de l'astronomie, la première des sciences. Aristote n'était pas le seul homme de son temps à observer les étoiles, la lune et le soleil.

Pendant au moins cinq mille ans, à compter des Babyloniens, l'homme a étudié le ciel et tracé la route du soleil et des étoiles. Au cours des siècles, d'autres peuples anciens ont ajouté à cette base de connaissances et, malgré les faux départs et en dépit des notions erronées qui ont prévalu pendant un certain temps, mais se sont révélées fausses par la suite, les connaissances et la science se sont accumulées et améliorées.

Au deuxième siècle après Jésus-Christ, l'homme de l'Occident possédait un atlas du monde et un manuel d'instructions sur les principes d'astronomie, de navigation et de cartographie. Pourquoi a-t-il donc fallu alors attendre le quinzième siècle pour que soient découverts deux continents et un océan?

La principale raison est l'influence du Moyen Âge, époque dominée par la superstition et la croyance que toutes les sciences et les études scientifiques étaient de l'hérésie ou, pire encore, de la sorcellerie. Le milieu académique d'Alexandrie, centre scientifique d'importance, fut détruit peu après la publication de l'atlas. Noble Wilford rapporte qu'en 391 apr. J.-C., les Chrétiens saccagèrent la bibliothèque, en brûlèrent le précieux contenu et convertirent le bâtiment en une église. C'était là une victoire symbolique de la foi sur la raison.

Cependant, par un ironique renversement des choses, c'est la chrétienté qui finit par rouvrir la porte à l'exploration du monde. Pendant les Croisades des douzième et treizième siècles vers la Terre sainte, au Moyen-Orient, les Européens, par leurs contacts avec les Arabes, découvrirent le compas et l'astrolabe, dispositif servant à observer la position des astres et du soleil et à mesurer leur hauteur, et qui permettait de calculer la latitude. Avec ces instruments, les Arabes avaient pu établir des cartes marines sommaires des côtes qu'ils avaient visitées lors de leurs expéditions de commerce.

C'est aussi à cette époque que l'essor de la Renaissance européenne, cet épanouissement de l'art et de la science, est favorisé par la redécouverte des écrits des Grecs et des Romains anciens. L'invention, en Allemagne, de l'imprimerie par caractères mobiles, permet la diffusion de ces écrits. Au quinzième siècle, la semence de la science de l'hydrographie avait été transportée loin de sa terre méditerranéenne d'origine et avait commencé à fleurir dans les pays — Portugal, Espagne, Grande-Bretagne et France — qui allaient dominer l'exploration et la cartographie du monde en général et du Canada en particulier.

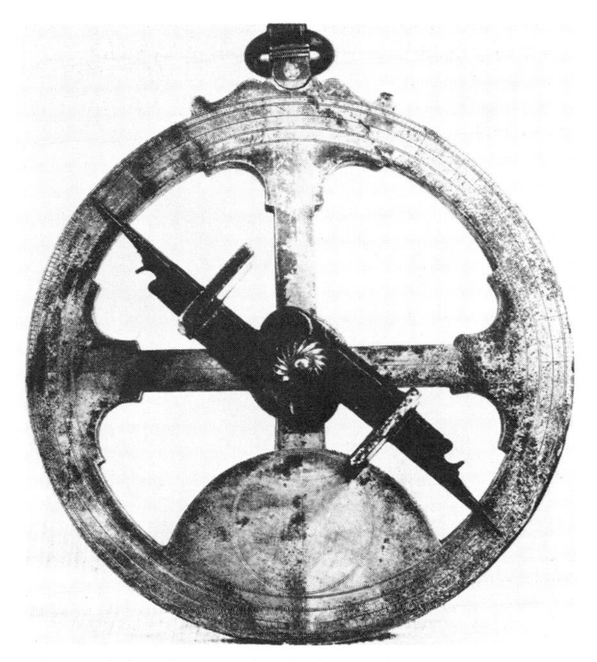

L'astrolabe du marin était un instrument primitif servant à mesurer l'angle d'élévation du soleil ou d'un astre au-dessus de l'horizon, mesure qui permettait au navigateur de calculer sa latitude. Le lourd cercle de laiton était gradué en degrés et la règle d'observation pivotait sur le centre. Un anneau sur le dessus servait à tenir l'instrument en position verticale, soit sur le pouce du marin ou fixé à un cordage.

En 1415, le prince Henri du Portugal, dit le Navigateur, éleva un arsenal à Sagres et y attira les meilleurs navigateurs, mathématiciens, astronomes, géographes, cartographes et fabricants d'instruments pour y former ses capitaines et ses pilotes. Ses élèves entreprirent des expéditions qui permirent de rapporter des cargaisons inestimables, rendant ainsi l'exploration profitable. En retour, cette situation amena l'accroissement de l'activité commerciale maritime et une demande parallèle de cartes marines plus détaillées et plus exactes. Les éditeurs et les princes rassemblaient les descriptions; les cartographes compilaient les cartes marines et terrestres et les plans de voyage, puis les distribuaient de façon privée à titre de *routiers*, de même que par la suite les portulans utilisés par Colomb et Cabot.

En fin de compte, la plus grande motivation des expéditions vers l'ouest à la recherche des épices et des soies orientales était la bonne vieille cupidité.

De fait, la motivation de la plupart des travaux hydrographiques au cours des siècles fut et demeure la découverte et la cartographie de routes maritimes sûres et rapides vers la source de matières premières exploitables et le retour vers les marchés pour les échanger contre des pièces d'or. Pour les Européens de la fin du quinzième siècle, il fallut faire quelque chose quand les Ottomans achevèrent leur conquête de l'est de la Méditerranée, qui leur assura la domination des territoires que traversaient les routes établies pour les caravanes, privant ainsi l'Europe chrétienne de son approvisionnement d'épices, de soieries et d'autres produits de l'Orient.

Voilà! Les Portugais firent donc une poussée vers le sud, le long de la côte ouest

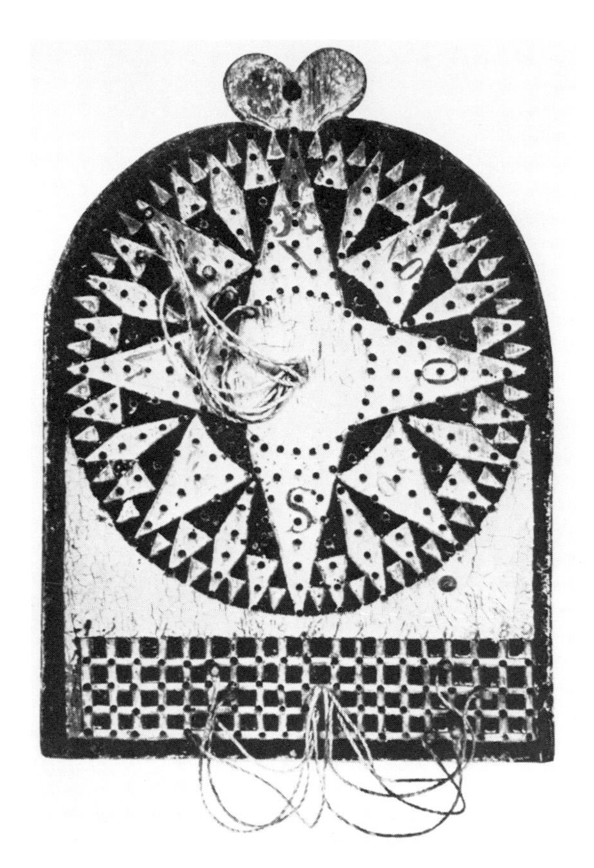

La table de point est un ancien instrument servant à noter le cheminement d'un navire. Une rose des vents était peinte sur la table et un certain nombre de trous forés dans chacun de ses points. Toutes les demi-heures, durant chaque quart, le timonier insérait une cheville dans le trou qui se rapprochait le plus de la route moyenne vraie des trente dernières minutes. À la fin de chaque quart, la route moyenne était calculée à l'aide des chevilles.

de l'Afrique, à la recherche de la route maritime qui devait les mener aux Indes (Vasco de Gama s'y rendit en 1498) et les Espagnols y envoyèrent Colomb.

Quand la nouvelle de ces découvertes atteignit l'Europe, les Espagnols et leurs rivaux portugais firent appel aux bons offices du Vatican pour qu'il arbitrât le partage des possessions qu'ils prévoyaient avoir dans les territoires récemment découverts. Le pape Alexandre VI, par sa bulle de 1493, fixa à 370 lieues à l'ouest des îles du Cap-Vert la ligne de démarcation entre les possessions, toutes celles qui se trouvaient à l'est revenant au Portugal et celles qui se trouvaient à l'ouest passant à l'Espagne. Cette décision fut sanctionnée l'année suivante par le traité de Tordesillas. Aujourd'hui, la conséquence la plus évidente de ce traité est que le portugais est la langue du Brésil, pays de l'Amérique latine situé le plus à l'est, tandis que l'espagnol est parlé partout ailleurs en Amérique centrale et en Amérique du Sud.

Ainsi, sur le planisphère de Cantino de 1502, la carte la plus ancienne indiquant les possessions portugaises au Canada, on remarque que Terre-Neuve est située bien à l'est de son emplacement réel. De fait, elle semble tout juste à la limite de la ligne de démarcation du pape Alexandre, une erreur commode et, de toute évidence, un expédient politique.

Pendant les vingt à trente années qui suivirent, les Portugais continuèrent d'explorer et de cartographier la côte est du Canada. Les nouveaux territoires attirèrent non seulement ces navigateurs, cartographes et protohydrographes compétents, mais aussi des pêcheurs qui traversaient l'océan à la recherche des grandes populations de morue dans les eaux des bancs de Terre-Neuve. Les Portugais firent même un essai de colonisation. Seymour Schwartz, dans *The Mapping of North America*, révèle qu'en 1520, Joaõ Alvares Fagundes, propriétaire de navires portugais, navigua le long de la côte sud de Terre-Neuve et entra probablement dans le golfe du Saint-Laurent. Cinq ans plus tard, Fagundes établissait une colonie portugaise au Cap-Breton, mais la nouvelle colonie fut détruite au cours de l'année par des Indiens autochtones et par des pêcheurs français. Fagundes aura néanmoins laissé sa marque sur cette terre nouvelle en découvrant et en cartographiant un endroit auquel, par la suite, il légua une déformation de son nom: la baie de Fundy.

Les plans et cartes publiés du Nouveau Monde changèrent peu au cours de cette période. Sur bon nombre, le Labrador était encore relié à Cathay. Sur d'autres, la côte est de l'Amérique du Nord était indiquée comme une ligne continue allant de la Floride jusqu'à Terre-Neuve. Le seul progrès important apparut sur une carte de 1504, préparée par le Gênois Nicolas de Caneiro, qui était le premier à remplacer les lignes de direction incertaines de la rose des vents par une échelle régulière de parallèles de latitude. Ce n'est pas avant les expéditions des grands explorateurs français et britanniques du seizième et du dix-septième siècles que les cartes marines et terrestres des eaux et des terres canadiennes commencèrent à ressembler à la réalité du vaste territoire qu'elles prétendaient représenter.

À cause du traité de Tordesillas de 1494, l'exploration du Nouveau Monde fut laissée principalement aux Espagnols et aux Portugais. Cependant, l'idée qu'il existait un passage vers la Chine soit à travers les terres du Nord-Ouest (Terre-Neuve, Labrador et Provinces maritimes), soit autour de ces territoires, persistait et retenait de plus en plus l'attention des gouvernements de l'Angleterre, de la Hollande et particulièrement de la France. Ces pays firent donc des pressions auprès du Vatican et, après un certain temps, le pape Clément VII déclara qu'aux yeux de Dieu et de l'Église tout au moins, l'ancienne ligne de démarcation ne s'appliquait qu'aux continents connus. Le signal du départ venait d'être donné.

En avril 1534, Jacques Cartier quittait Saint-Malo en France pour le cap Bonavista à Terre-Neuve, puis il s'aventura dans l'entrée nord du golfe du Saint-Laurent, remontant le détroit de Belle-Isle, pour revenir dans le golfe jusqu'au Nouveau-Brunswick et le long de la péninsule gaspésienne. C'est là qu'il rencontra des Indiens hurons, dont il ramena en France deux des fils du chef.

Au cours de son deuxième voyage, toujours à la recherche d'un passage vers l'Est, Cartier navigua avec trois navires et cent douze hommes jusqu'à la rive nord du golfe du Saint-Laurent, puis jusqu'à l'embouchure du fleuve Saint-Laurent où il rencontra des Indiens qui lui décrivirent le fleuve comme le "chemyn de Canada†". Cartier continua de remonter le Saint-Laurent, accompagné du chef des Hurons, jusqu'à ce qu'il arrivât au village d'Hochelaga, où il nomma mont Réal la montagne qui surplombait l'endroit. Au cours de son deuxième voyage, la progression de Cartier vers l'ouest dans le fleuve fut bloquée par des rapides qu'un explorateur français (Champlain) allait plus tard nommer les rapides de Lachine, se moquant ainsi de la ferme croyance de

†Canada: dans la langue des indigènes, ce mot désigne un rassemblement de maisons; il a fait son apparition sur les cartes pour désigner le village de Stadaconé, à l'emplacement actuel de la ville de Québec. (Schwartz)

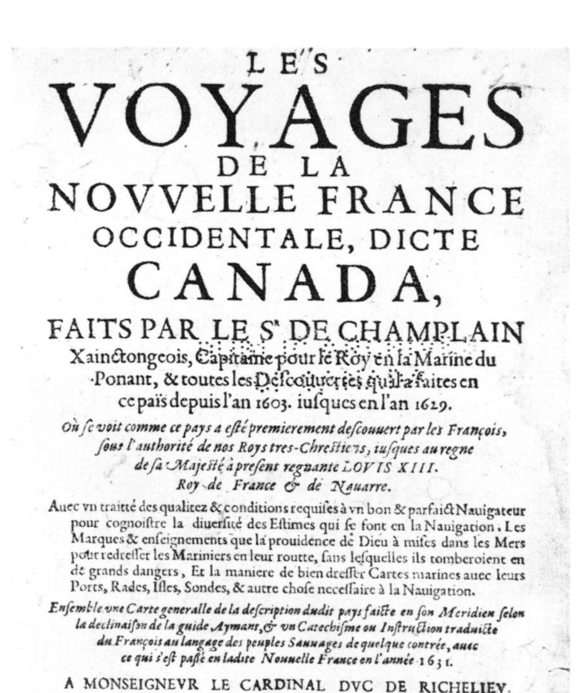

LES
VOYAGES
DE LA
NOVVELLE FRANCE
OCCIDENTALE, DICTE
CANADA,
FAITS PAR LE S^r DE CHAMPLAIN
Xainctongeois, Capitaine pour le Roy en la Marine du Ponant, & toutes les Descouuertes qu'il a faites en ce païs depuis l'an 1603. iusques en l'an 1629.

Où se voit comme ce pays a esté premierement descouuert par les François, sous l'authorité de nos Roys tres-Chrestiens, iusques au regne de sa Majesté à present regnante LOVIS XIII. Roy de France & de Nauarre.

Auec vn traitté des qualitez & conditions requises à vn bon & parfaict Nauigateur pour cognoistre la diuersité des Estimes qui se font en la Nauigation. Les Marques & enseignements que la prouidence de Dieu à mises dans les Mers pour redresser les Mariniers en leur routte, sans lesquelles ils tomberoient en de grands dangers, Et la maniere de bien dresser Cartes marines auec leurs Ports, Rades, Isles, Sondes, & autre chose necessaire à la Nauigation.

Ensemble vne Carte generalle de la description dudit pays faicte en son Meridien selon la declinaison de la guide Aymant, & vn Catechisme ou Instruction traduicte du François au langage des peuples Sauuages de quelque contrée, auec ce qui s'est passé en ladite Nouuelle France en l'année 1631.

A MONSEIGNEVR LE CARDINAL DVC DE RICHELIEV.

A PARIS.
Chez PIERRE LE-MVR, dans la grand' Salle du Palais.

M. DC. XXXII.
Auec Priuilege du Roy.

Compte-rendu des voyages de Champlain en Nouvelle France, de 1603 à 1629, publié en 1632 et dédicacé au Cardinal Richelieu.

Cartier selon laquelle la Chine se trouvait juste de l'autre côté.

Au cours de son troisième voyage, en 1541, Cartier tenta de créer un établissement permanent à Cap-Rouge, à quelques milles en amont de Québec. Malheureusement, cette tentative échoua en moins d'un an et les Français, découragés par cet échec et l'incapacité de Cartier de trouver un passage vers la Chine, abandonnèrent leurs territoires du Nouveau Monde aux pêcheurs de la côte est. Cependant, tout au cours de ses explorations le long du Saint-Laurent, Cartier avait cartographié le fleuve et ses rives et c'est son travail d'hydrographie et de cartographie qui, selon Seymour Schwartz, a fini par avoir une grande influence sur la cartographie contemporaine. La carte de l'Amérique du Nord a enfin pris forme à la fin du seizième siècle. Bien que les Européens n'eussent encore eu aucune idée de la vaste étendue des terres vers le nord-ouest, ils commençaient à pressentir que, s'il y avait véritablement un passage vers l'Orient, on y accéderait probablement mieux en contournant les nouveaux territoires qu'en tentant de trouver une route par les rivières du continent.

C'est à ce moment qu'arrivèrent les Anglais sous les bannières de la Compagnie des Indes orientales et de la Muscovy Trading Company, et sous la protection de la reine Elizabeth I. En 1576, Sir Martin Frobisher levait l'ancre avec trois navires et une copie de la nouvelle carte du monde de Mercator, à la recherche du passage du nord-ouest. À cause d'erreurs sur la carte de Mercator, Frobisher, lorsqu'il atteignit l'île Baffin, crut qu'il s'agissait du Groenland et prit le Groenland pour l'une des îles Friesland imaginaires. Ainsi, il tenta de revendiquer au nom de sa reine non pas l'île Baffin, mais la côte du Labrador qu'il nomma l'Angleterre occidentale. Quand ils apprirent la nouvelle, les Portugais, dans une dernière tentative en vue d'établir une quelconque souveraineté en Amérique du Nord, s'empressèrent d'apporter une petite modification à leurs cartes. Ils avaient précédemment revendiqué le Groenland sous le nom de Lavrador, mot portugais signifiant ''propriétaire foncier''; ils transférèrent donc simplement cette désignation à la terre se trouvant à l'ouest de Terre-Neuve et de l'île Baffin. À la déception de Frobisher, cette petite querelle porta fruit. Malheureusement pour les Portugais, seul le nom (modifié avec le temps par les Français en Labrador) a persisté. Cependant, Frobisher avait navigué jusqu'à l'extrémité nord-ouest de l'île Baffin et avait jeté l'ancre dans la baie qui porte encore son nom.

L'année suivante, au cours de son second voyage, Frobisher retourna à Baffin, procéda à l'extraction de 200 tonnes de minerai de fer qu'il pensait être de l'or et qu'il ramena avec lui en Angleterre. Il fit un autre voyage, mais ne se rendit jamais à l'ouest de la baie Frobisher.

Les expéditions anglaises qui suivirent, en 1585, 1586 et 1587, furent dirigées par John Davis, qui se rendit jusqu'à la baie de Cumberland et au détroit de Davis. Par la suite, Henry Hudson fit quatre expéditions dans l'est de l'Arctique, entre 1607 et 1611. Au cours de son dernier voyage, son équipage l'abandonna dans une embarcation dans la baie d'Hudson où on présume qu'il mourut. William Baffin, au cours de cinq expéditions qu'il entreprit entre 1612 et 1616, pénétra jusqu'à l'extrémité nord de la baie qui porte son nom. Cette période d'exploration à la recherche du passage du nord-ouest se termina avec les voyages de Luke Fox et de Thomas James, en 1631, à une époque où les Britanniques jugeaient qu'on avait réussi à prouver qu'il n'existait pas de passage à travers le continent à partir des rives occidentales de la baie d'Hudson.

En 1603, Samuel de Champlain faisait son premier voyage en Amérique du Nord. C'est là que tout a réellement commencé. Voilà l'homme qui allait enfin apporter un peu d'ordre et de méthode à la cartographie des régions sauvages du Canada, de ses rivières et de ses lacs. Comme d'autres avant lui, il gardait toujours présente à l'esprit la possibilité de trouver un passage vers l'Orient. Mais, comme futur lieutenant-gouverneur de la Nouvelle France, de fait le premier nommé en 1633, il s'appliqua à lever et à cartographier de façon aussi détaillée que possible les terres et les eaux relevant de la France.

Champlain savait que pour véritablement posséder un territoire il fallait d'abord en connaître la géographie afin d'être en mesure de déclarer avec autorité, carte à l'appui, "Ceci m'appartient". Ardent défenseur de la colonisation, Champlain comprenait que des cartes efficaces étaient des aides essentielles aux futurs colons. Les

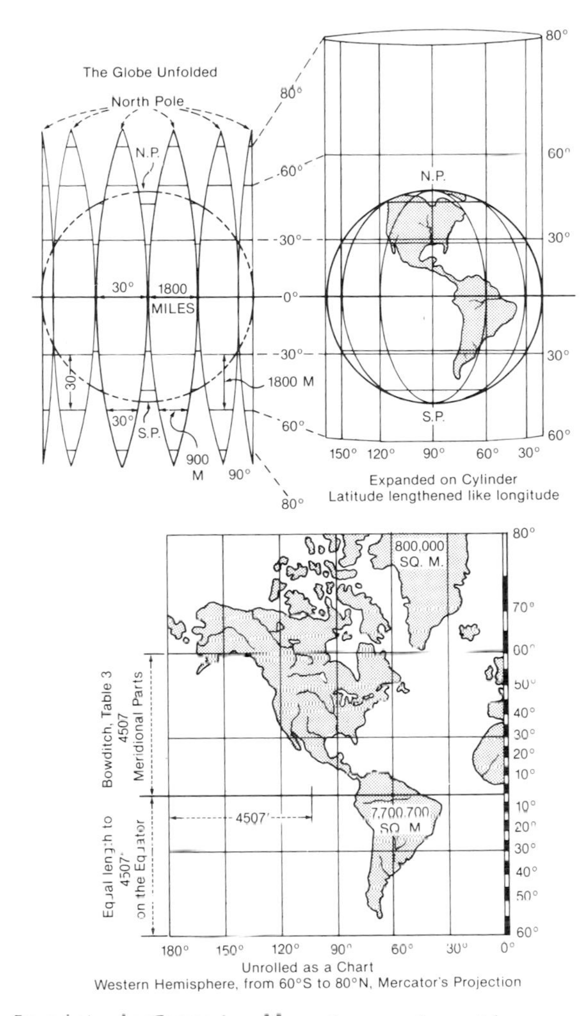

Le génie de Gerardus Mercator, cartographe flamand du seizième siècle, a été de réussir à "aplanir" la surface sphérique de la Terre de façon à pouvoir l'illustrer par une carte en deux dimensions. Sa technique consistait à prendre des sections de la surface du globe et à tracer les méridiens de longitude convergents comme des lignes parallèles. La projection de Mercator fausse bien sûr la taille apparente des masses terrestres, la distorsion devenant de plus en plus grande à mesure qu'on s'éloigne de l'Équateur. L'invention de Mercator s'est révélée tellement valable pour les voyageurs que la plupart des cartes l'utilisent encore pour illustrer la surface de la Terre.

navires qui amenaient des colons avaient besoin de ports connus et sûrs. Les commerçants de la fourrure devaient avoir le moyen de trouver les cours d'eau et les lacs navigables.

Les levés de Champlain portaient principalement sur les terres; mais il avait été marin, et lui-même écrivait à un moment donné que "de tous les arts des plus utiles et excellents, celui de la navigation m'a toujours semblé occuper la première place... C'est l'art auquel j'ai consacré l'enthousiasme de mes jeunes années".

Pendant les trente années qui suivirent, jusqu'à sa mort le jour de Noël 1635, Champlain cartographia la Nouvelle France à partir des eaux de marée du golfe du Saint-Laurent jusqu'aux rives de la baie Georgienne. Et bien que sa principale contribution fut à titre d'arpenteur, la cartographie des rives de la côte est du Canada et du Saint-Laurent, depuis l'embouchure du Saguenay jusqu'à Québec, constitue un exemple de précision qui dépasse de loin tout ce qui s'était fait avant lui dans les eaux de l'Amérique du Nord. Son travail allait mener à l'établissement officiel de l'hydrographie française au Canada.

Dès 1632, les cartographes français avaient imprimé la première carte des Grands lacs, la "mer douce" de Champlain, et dès 1650, Sanson, géographe du roi à Paris, avait publié les cartes de la Nouvelle France couvrant la côte est, de la baie de Fundy vers le nord jusqu'à la baie James, la baie d'Hudson et la baie Baffin. Mais il s'agissait de cartes géographiques plutôt que de véritables cartes marines, et ce n'est pas avant 1678 environ que des *cartes avec sondes*† furent publiées pour une partie de la côte de Terre-Neuve, entre les 41e et 51e degrés de latitude Nord.

Peu après que Louis XIV eut assuré l'autorité royale sur la *Nouvelle France* en 1663, un programme fut institué pour former un groupe de capitaines et de pilotes de navires dans la colonie. Ce plan avait deux objectifs: former des hydrographes capables de préparer des cartes marines précises et former des capitaines et des pilotes pouvant utiliser ces cartes pour naviguer en toute sécurité sur le Saint-Laurent.

En 1681, Colbert, alors ministre français de la Marine, décrétait que tous les pilotes de rivière et les capitaines de mer devaient observer les sondages et autres activités hydrographiques dans les Provinces maritimes et au Québec, et en faire rapport. Quatre ans plus tard, le roi nommait le premier hydrographe du roi au Canada, le sieur J.-B. Franquelin.

Franquelin, qui avait fait son apprentissage de la cartographie au ministère de la Marine à Paris, était sans l'ombre d'un doute le cartographe le mieux formé en

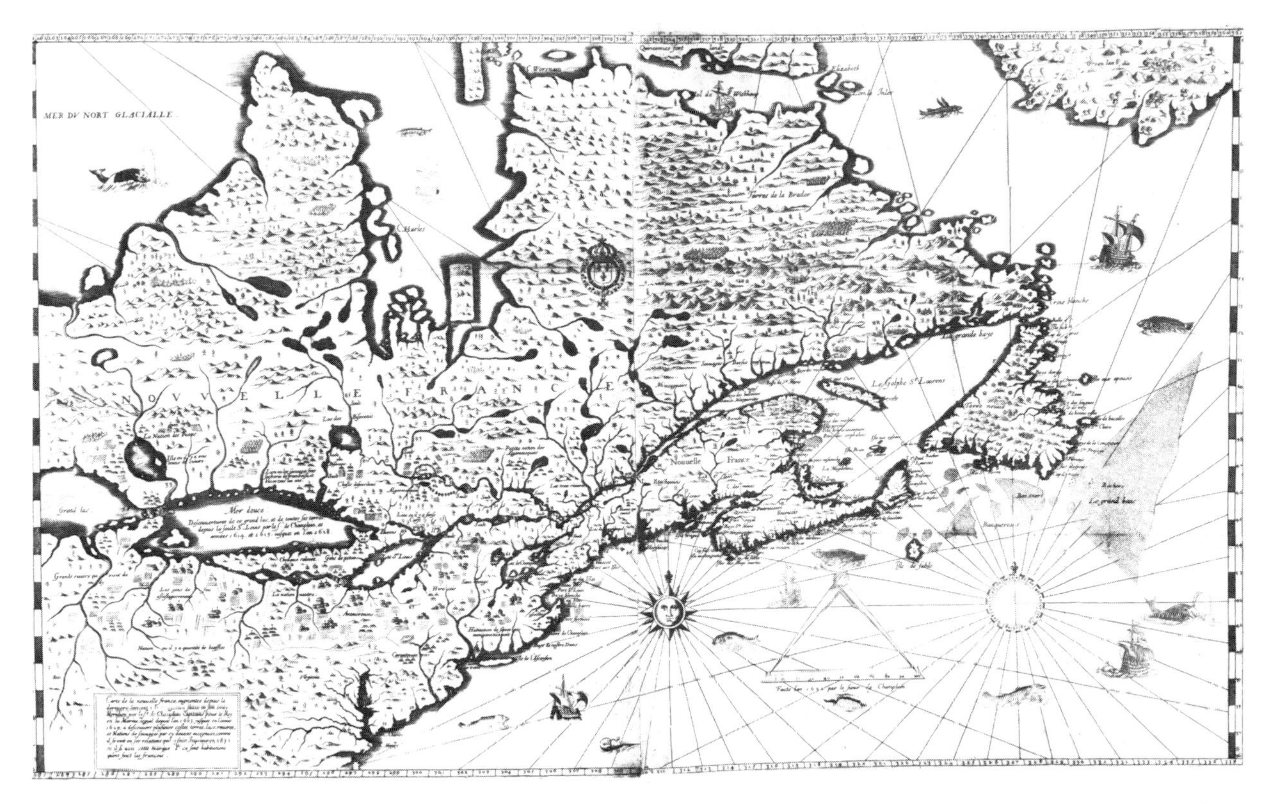

La carte que dressa Champlain de l'est du Canada, bien qu'inadéquate selon les normes modernes de la cartographie, représente quand même une production remarquable, étant donné les instruments et la méthode qui avaient cours au début du XVIIe siecle.

Nouvelle France. Mais il n'était pas très bon professeur et, avec le temps, il devint évident qu'il n'était pas à l'aise dans ce rôle. Détail qui n'a certainement pas aidé les choses: ce n'est que douze ans après avoir été nommé à ce poste qu'il fut payé pour ses fonctions d'enseignement. Le Gouverneur de la Nouvelle France, le marquis de Denonville, qui avait à l'origine recommandé Franquelin, écrivit enfin au ministre français de la Marine pour lui demander de relever Franquelin de ses fonctions d'enseignant et de l'employer exclusivement à la cartographie et à l'hydrographie. On pensait alors que les Jésuites pourraient s'occuper plus efficacement de la formation des hydrographes et des pilotes; cependant, à ce moment (1687), la suggestion resta lettre morte.

Au retour en Nouvelle France, en 1689, de Louis de Buade, comte de Frontenac, pour un deuxième mandat de gouverneur, Franquelin exprima encore une fois son désir d'être relevé de ses fonctions pédagogiques; Frontenac le fit donc rappeler à Paris, où on lui confia un poste de cartographe. Le poste de Québec était donc laissé vacant pour son successeur, Louis Jolliet, un Canadien né au pays, qui avait été candidat pour le poste en 1685. Cependant, à la mort subite de Jolliet en 1700, les bateaux-courriers portèrent des demandes et des recommandations pour un nouveau titulaire du poste. À la grande déception des autorités canadiennes, la réponse fut que Franquelin avait été nommé de nouveau au poste. Mais il n'est jamais revenu au Canada et Jean Deshayes, qui fut probablement le meilleur hydrographe du Québec à la fin du dix-septième siècle et au début du dix-huitième, était désigné pour le poste en 1702.

Entre-temps, les Jésuites avaient commencé à dispenser une formation dans les domaines de la navigation et du pilotage, et avaient demandé d'être officiellement chargés de cette fonction. De fait, pendant le peu de temps que le Québécois Jolliet avait été titulaire du poste, il avait été associé de quelque façon en qualité de laïc avec la Société de Jésus. Cependant, ce n'est pas avant que les prêtres eussent donné au gouvernement l'assurance qu'un jeune séminariste, et non pas un missionnaire âgé, dirigerait les instructeurs, qu'on leur accorda cette charge en 1706. Ils la conservèrent d'ailleurs à leur collège de Québec jusqu'à la fin du régime français au Canada. Ces instructeurs jésuites devaient avoir fait preuve de leur compétence théorique par une application pratique, en effectuant des levés du fleuve Saint-Laurent. Mais l'enseignement prenait tellement de leur temps qu'ils produisirent peu de résultats concrets sous forme de cartes. D'autre part, les levés de Jean Deshayes furent enfin compilés pour la publication de la première carte marine du fleuve Saint-Laurent. Selon l'historien naval James Pritchard, cette oeuvre était le précurseur de la carte hydrographique moderne.

Deshayes avait été nommé, en 1681, ingénieur en hydrographie de Sa Majesté; il était mathématicien et hydrographe avant d'être capitaine ou pilote de navire. Il était très connu dans le milieu scientifique français avant d'arriver au Canada en 1685 comme hydrographe du roi. Son levé du fleuve Saint-Laurent qui l'occupa de mai à novembre 1686 n'était pas encore terminé lorsqu'il rentra en France avec l'intention de revenir à Québec l'année suivante pour terminer son travail. Mais il ne devait pas revoir le Canada avant 1702, alors qu'il fut nommé professeur d'hydrographie à Québec.

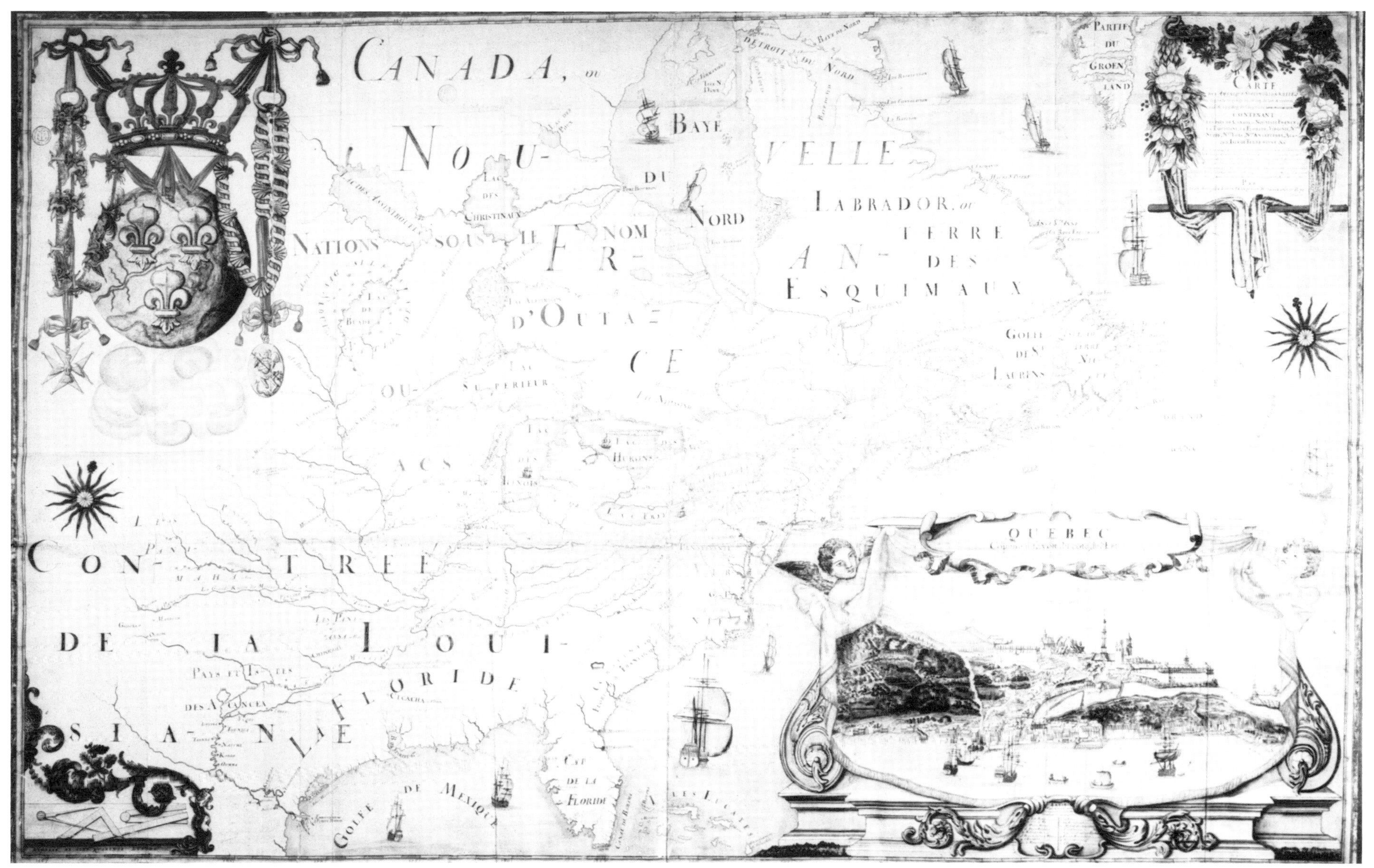

Le sieur J.B. Franquelin, premier hydrographe royal français posté en Nouvelle France, était un cartographe des plus talentueux. Il a produit cette carte détaillée de l'Amérique du Nord en 1688. Bien qu'on y trouve des distorsions, particulièrement dans les dimensions horizontales, elle constitue néanmoins un point marquant de l'art de la cartographie.

Deshayes se distinguait des hydrographes français qui l'avaient précédé par l'attention qu'il portait aux détails et à la précision, par l'utilisation des techniques et des instruments les plus avancés du temps, et par son culte de la méthode. Il commença son levé à pied (à raquettes) pendant l'hiver, et traça ainsi la côte de la rive sud du Saint-Laurent jusqu'à la rivière Ouelle en aval, à soixante-dix milles de Québec, et jusqu'à Cap-Tourmente sur la côte nord. Il orientait ses dessins au moyen d'un compas d'habitacle, et comptait ses pas pour vérifier les distances qu'il avait évaluées. Plus tard, pendant l'été, il faisait ses tracés à bord d'un canot au large de la côte, évaluant approximativement ses distances encore une fois et débarquant pour des vérifications périodiques là où les dangers pour la navigation exigaient des mesures plus précises.

Deshayes souffrait de ne pas avoir d'adjoints compétents. Lorsqu'il laissait l'équipage d'un bateau faire le sondage tandis qu'il faisait son tracé, il arrivait qu'il dût retourner pour le refaire à plusieurs endroits parce que les marins embauchés avaient inventé les données plutôt que de risquer le danger de sonder des hauts-fonds. Deshayes en vint à cartographier les sondages des équipages en chiffres romains afin de les distinguer de ses propres données, plus exactes et plus fiables†. Bien qu'il fit de nombreux sondages, sa carte ne montrait en fin de compte que les zones dangereuses, les contours des bancs de sable et quelques profondeurs au milieu du chenal. La version préliminaire de la carte mesurait environ cinq pieds de long, comprenait deux cartons détaillés et était accompagnée d'instructions nautiques écrites, dont les variations de compas, des tableaux donnant les heures des marées, les jours de pleine lune pour vingt-quatre endroits de la côte nord, ainsi que d'autres conseils pour les navigateurs.

Jean Deshayes mourut à Québec en 1706. Bien qu'il travaillât seulement quatre ans au Canada, sa carte demeura la carte type, le long du Saint-Laurent, jusqu'à la fin du régime français. De fait, la première carte préliminaire du fleuve produite par les Britanniques en 1757 reposait sur les levés de Deshayes.

En 1714, à bord du navire *Afriquain*, le sieur de Voutrain, un autre hydrographe

†L'histoire, c'est bien connu, se répète et, plus de deux cents ans plus tard, l'Amirauté britannique adoptait une technique semblable permettant de faire la distinction entre les sondages faits à la ligne de sonde et ceux faits au nouveau sondeur à écho. Aux yeux des lords de l'Amirauté, ce nouveau dispositif n'avait pas la précision de la ligne de sonde. Avec le temps, cependant, le sondeur à écho a fait ses preuves, et la distinction sur les cartes britanniques entre les deux genres de sondages a été éliminée.

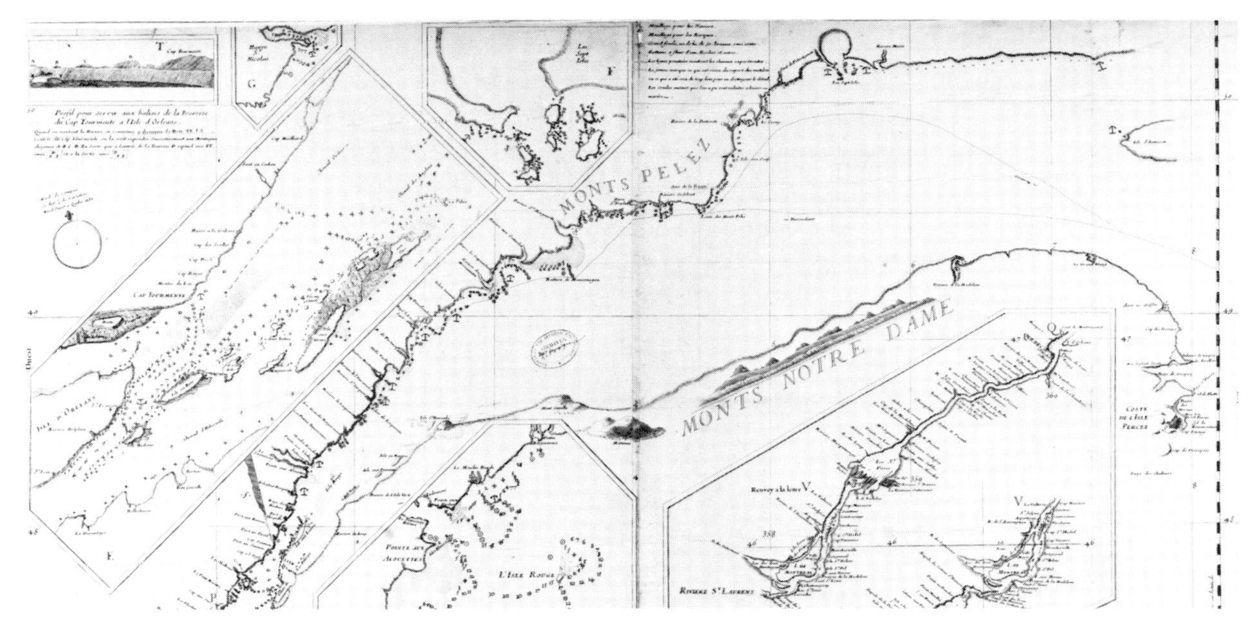

Au Canada, l'hydrographie est devenue une profession avec l'arrivée de l'hydrographe royal Jean Deshayes en 1685. Il a été le premier à appliquer les normes rigoureuses d'exactitude nécessaires en cartographie et à utiliser pleinement toute la gamme d'instruments dont il disposait. Sa carte du Saint-Laurent, de Québec jusqu'au golfe, a été considérée comme le précurseur de la carte hydrographique moderne.

français, fit un levé expéditif du Saint-Laurent, de l'île d'Orléans à Kamouraska. En outre, à peu près à la même époque, le duc d'Orléans approuvait le projet d'utiliser une frégate et deux petites embarcations sur le fleuve pendant deux ans à des fins hydrographiques. Malheureusement, le fardeau financier que constituaient la construction et le maintien de la forteresse de Louisbourg le contraignit à renoncer à cette entreprise.

Puis, en 1720, le bureau hydrographique français, alors appelé Dépôt des cartes, plans et journaux, était créé à Paris. Cela révélait, chez les Français, une prise de conscience de l'importance de recueillir et de publier les données de levés et les cartes pour la navigation sûre de la flotte de la Marine et de la flotte marchande. On fit donc des plans de levés du golfe du Saint-Laurent et des eaux côtières canadiennes du côté de l'Atlantique pour favoriser l'expansion des pêches et des postes de traite. Encore

Dans le sens le plus profond, c'est le capitaine James Cook, dont on voit ici le portrait officiel par Sir Nathaniel Dance, qui a établi les lignes directrices qui ont fait passer l'hydrographie au Canada et dans tout le monde de l'état d'art à celui de science. Lors de ses travaux dans le sud du Pacifique et sur les côtes est et ouest du Canada, Cook a codifié et normalisé les pratiques rigides que suivent les hydrographes.

une fois, ces plans n'eurent à peu près pas de suite.

Cependant, la perte du bateau de transport l'*Éléphant* sur les hauts-fonds au large de Cap-Brûlé en 1729, relança la question et les Français entreprirent un nouveau programme de levés. De fait, le programme avait déjà commencé en 1727 avec la nomination de Richard Testu de la Richardière au poste de capitaine du port de Québec. Ce dernier était en outre chargé de la navigation sur l'ensemble du Saint-Laurent. Par conséquent, chaque année, un ou deux des navigateurs qui amenaient le convoi annuel d'approvisionnement de France étaient laissés à Québec pour aider aux levés et se familiariser avec la navigation sur le fleuve. Ces levés et les cartes qui résultèrent ne furent jamais officiellement publiés, mais on en fit de nombreuses copies destinées à l'usage des stratèges de l'armée française. La Richardière fit aussi des levés du détroit de Belle-Isle, de l'île Saint-Jean (Île-du-Prince-Édouard), de la baie des Chaleurs et du détroit de Canso. À la mort de La Richardière en 1741, les cartes étaient suffisamment complètes pour permettre le commerce de la France avec la colonie.

Si l'on avait nommé un successeur à La Richardière immédiatement après sa mort et maintenu l'élan du programme de levés, on aurait pu disposer de meilleures cartes françaises. Mais le poste de capitaine de port a été laissé vacant pendant plusieurs années et, quant aux trois derniers titulaires du poste, le premier mourut peu après son arrivée, le deuxième ne mit jamais les pieds à Québec, et le troisième considérait le poste comme une sinécure de retraite qu'il avait bien méritée. Pendant le mandat de ce dernier, Gabriel Pellegrin, qui avait travaillé avec La Richardière, est nommé en 1751 maître de port. Toutefois, étant donné la léthargie et la jalousie de son supérieur, ses efforts donnèrent peu de fruits.

Enfin, en 1759, pendant les derniers mois du régime français à Québec, Pellegrin aida à mettre au point les plans de défense du fleuve Saint-Laurent. Cependant, les Français n'avaient aucune véritable intention d'utiliser la marine dans les batailles qui allaient venir, et les recommandations de Pellegrin ne furent jamais mises en oeuvre. Dans une dernière tentative de contribuer à l'effort de guerre, il fit retirer les bouées de la "Traverse" du Saint-Laurent, où les navires anglais devaient passer, les remplaçant par de fausses aides à la navigation. Comme nous le verrons plus loin, ce subterfuge ne réussit pas.

Shakespeare écrivait que le destin de l'homme est comme la marée: prenez-le à marée montante, il vous mènera à la fortune. La marée du destin devait amener deux hommes à Louisbourg en 1758. Ils faisaient tous deux partie des forces britanniques rassemblées pour enlever aux Français cette importante forteresse.

Samuel Holland était un ingénieur militaire sous le commandement du général James Wolfe. Il avait toutes les compétences nécessaires pour préparer des cartes de la région.

L'autre homme était James Cook, capitaine du *Pembroke*, un des navires chargés de faire blocus. Il devait entrer dans l'histoire comme le père de l'hydrographie moderne.

Or, James Cook n'était pas un homme de son époque. Fils d'un ouvrier agricole écossais et d'une villageoise du Yorkshire, il naquit à Marton-in-Cleveland, dans le nord du Yorkshire, en 1728. Il reçut les rudiments de son instruction en retour de ses services comme valet de ferme et, par la suite, il fut employé par un épicier et marchand de vêtements. Cependant, la vie de commerçant ne l'attirait pas, et on le retrouva plus tard à Whitby où il a fait son apprentissage avec un propriétaire de navires et exportateur de charbon.

Au cours de cette période, il y avait plus d'un millier de charbonniers transportant le charbon de Tyneside. En même temps, ce commerce servait d'école pour les marins britanniques. C'était évidemment une dure école, mais il en sortait des marins accomplis, avec une excellente connaissance des navires et de la mer. Les élèves les plus doués apprenaient tous les dangers de la navigation le long de la dangereuse côte est d'Angleterre qui était sans phare, sans bouée, et pour laquelle on ne possédait que des cartes sommaires. Ils apprenaient à "lire" les eaux pour repérer les hauts-fonds mouvants de l'estuaire de la Tamise et reconnaître les dangers des bancs et rochers hauturiers de la mer du Nord avec ses tempêtes, ses brouillards, ses marées et ses courants imprévisibles.

Au cours de ses déplacements commerciaux et de ses traversées de la mer du Nord, Cook apprit les quatre éléments de base de la navigation: l'observation, l'utilisation du plomb de sonde (ce poids à l'extrémité d'une ligne de sonde) et du loch†, et la

†Le sondage à la ligne plombée est une ancienne technique encore utilisée; elle consiste à jeter par-dessus bord une ligne plombée graduée. La profondeur de l'eau est calculée quand le poids touche le fond et que la ligne est verticale. Samuel Clemens, auteur américain du dix-neuvième siècle qui a écrit sous le pseudonyme de Mark Twain, tirait son nom de plume d'une complainte des sondeurs des bateaux du Missisipi, "by the mark — two" (à la marque — deux), c'est-à-dire deux brasses d'eau sous le navire tel qu'indiqué par la marque sur la ligne de sonde; avec le temps, cette expression s'est modifiée pour devenir "mark twain".

détermination de la latitude. Ces principes allaient lui être très utiles pour les trois grandes expéditions de découverte qu'il entreprit plus tard dans sa vie.

Son apprentissage terminé, il fut promu au niveau de second, puis on lui offrit un poste de commandement promettant un revenu et un avenir aisés. Chose surprenante, il refusa cette offre pour s'engager dans la Marine royale à Wapping, le 17 juin 1755. La vie dans la marine britannique du dix-huitième siècle n'était pas facile. L'amiral Edward Vernon, lorsqu'il parle de cette époque, mentionne que la violence et la cruauté étaient monnaie courante dans la vie de la flotte. Les équipages étaient souvent des gangs de malfaiteurs dont l'activité se résumait essentiellement à kidnapper des jeunes hommes pour les embarquer sur les navires à court de personnel de manoeuvre, car peu de marins déjà formés se portaient volontaires. Les possibilités d'avancement à partir du pont inférieur étaient à peu près inexistantes si l'on n'avait pas un protecteur, et les parents et amis de Cook ne comptaient ni seigneur ni duc qui aurait pu glisser un mot à l'oreille du premier lord de l'Amirauté.

La compétence de Cook fut cependant vite reconnue et, en moins d'un mois, il accédait au rang de lieutenant. L'un des avantages que Cook trouva dans la Marine royale était la possibilité d'obtenir une formation structurée dans l'art de la navigation. Pendant le règne de la reine Anne, des règlements officiels avaient été établis par l'Amirauté pour l'enseignement de la théorie de la navigation aux jeunes hommes volontaires ou aux élèves-officiers à bord des bateaux de la Marine royale. Cook commença donc à étudier en vue d'obtenir son brevet de capitaine tandis qu'il naviguait pour la Marine. C'est au cours de ces études qu'il apprit les rudiments de l'hydrographie. En un temps remarquablement court, soit en deux ans seulement, Cook obtenait son certificat des examinateurs de la Marine de Trinity House. Il était ensuite nommé Master d'un navire de la Marine royale, le *Pembroke*, portant 64 canons et jaugeant 1 250 tonnes.

Le poste de *Master* ou capitaine de l'un des navires de Sa Majesté était celui de marin professionnel en chef, comptable au commandant pour la navigation du navire, l'administration générale, les sondages et la prise de levés qui corrigeaient ou complétaient les cartes disponibles, et le rassemblement de données pour publication dans les *instructions nautiques*, renseignements publiés qui complétaient l'information portée sur les cartes.

La valeur d'un bon *Master* dans la Marine royale était inestimable. C'est pour cette raison qu'il tenait à rester où il était. On a dit de Cook qu'il s'était vu refuser un commandement pendant de nombreuses années à cause de son origine plébéienne, mais c'était probablement surtout à cause de ses grandes qualités professionnelles. Pourquoi, en effet, perdre un excellent capitaine d'équipage en lui donnant de l'avancement en dehors de sa sphère de compétence reconnue?

Les talents de Cook ne font aucun doute. Pourtant, tout grand homme a sa part de chance: ce sera une rencontre fortuite, le fait de se trouver au bon endroit au bon moment; et s'il est devenu un grand homme, c'est parce qu'il a su se préparer pour l'occasion et la saisir lorsqu'elle s'est présentée.

Ce fut la chance de Cook d'être assigné au *Pembroke*, dont le commandant était John Simcoe, l'un des officiers de la Marine les plus intellectuels, un érudit scientifique qui possédait une collection d'ouvrages de navigation, modeste, mais très choisie qu'il emportait en mer avec lui.

Louisbourg capitula le 26 juillet 1758, et la rencontre décisive entre Cook et Holland eut lieu le jour suivant à Kennington Cove.

Cook s'était rendu à terre, et sa curiosité fut alors piquée par un officier qui transportait une petite table carrée montée sur un trépied; il posait son attirail par terre, faisait des observations le long du dessus de la table dans de nombreuses directions, et les notait dans un calepin. Les deux hommes entamèrent une conversation et Cook découvrit que son compagnon de hasard était Samuel Holland, occupé à faire un levé à la planchette du secteur de campement. Cook exprima le désir d'en savoir davantage sur les levés et Holland rapporte:

> Je lui fixai rendez vous pour le lendemain afin de lui montrer tout le processus; il s'y rendit avec un message particulier du commandant Simcoe, indiquant qu'il aurait aimé se joindre à nous, mais qu'il s'en voyait incapable, ne pouvant quitter son navire; il m'invitait toutefois à dîner avec lui à bord, et me priait d'apporter la planchette. C'est avec grand plaisir que j'acceptai l'invitation, qui me permit de connaître un véritable scientifique (Simcoe), et j'en serai toujours reconnaissant au capitaine Cook. Ce soir-là, je passai la nuit à bord et, le matin, je retournai à terre continuer mon levé à White Point (à l'autre extrémité de la baie de Gabarus), aidé du capitaine Cook et de deux jeunes hommes.

L'apprentissage initial dura probablement plus d'une journée. Le *Pembroke* mouilla à Louisbourg pendant presque tout le mois d'août avant de se rendre dans la baie de Gaspé et le golfe du Saint-Laurent pour mener des raids contre les établissements français de ces régions. Mais Cook ne perdit pas de temps pour mettre en application ses nouvelles connaissances. Sa première carte gravée et imprimée fut celle de la baie et du port de Gaspé, dédicacée "par James Cook, capitaine du navire de Sa Majesté, le *Pembroke*", au maître et aux gardiens de Trinity House de Deptford.

À l'arrivée de l'hiver, la flotte se retira à Halifax et, chaque fois qu'Holland n'était pas de service, il se rendait à bord du *Pembroke* où Simcoe, Cook et lui compilaient une carte du golfe et du fleuve Saint-Laurent. Ils établirent aussi une seconde carte du fleuve, comprenant la baie de Gaspé et la baie des Chaleurs, qu'ils ont envoyée en Angleterre pour publication.

Citons encore une fois Holland, qui écrivait au fils du commandant Simcoe, John Graves Simcoe, qui devint le premier lieutenant-gouverneur du Haut-Canada:

> Ces cartes étaient très utiles, certains exemplaires ayant été publiés avant notre départ d'Halifax pour Québec en 1759. En traçant ces plans sous la direction d'un instructeur aussi compétent, M. Cook ne pouvait faire autrement que s'améliorer et, de fait, il avait une main très sûre pour le dessin et la réduction à l'échelle, etc. En outre, votre père avait trouvé les latitudes et les longitudes le long de la côte de l'Amérique, principalement à Terre-Neuve et dans le golfe du Saint-Laurent, qui portaient tellement d'erreurs jusque-là; il était convaincu de la nécessité de faire des levés précis de ces endroits. Par conséquent, il confia au capitaine Cook que, comme il avait fait part à plusieurs de ses amis haut placés de la nécessité de faire des levés de ces endroits et des observations astronomiques aussitôt la paix restaurée, il le recommanderait pour qu'il apprît la trigonométrie sphérique et la partie pratique de l'astronomie; il lui remit à ce moment l'ouvrage de Leadbitter, une grande autorité en astronomie, etc., à cette époque, dont M. Cook, aidé par ses explications des passages difficiles, fit un usage très fréquent, et répondit aux attentes de votre père par son levé de Terre-Neuve..

Mais d'abord, les services de Cook étaient requis pour une expédition de quatre cent milles de navigation le long du Saint-Laurent avec des cartes inappropriées aux besoins d'une flotte de la taille de celle qui était nécessaire pour vaincre Montcalm, et prendre Québec.

Bien qu'on sût se procurer certaines cartes françaises, on ne se fiait pas beaucoup à leur exactitude. On fouilla donc les prisons d'Angleterre pour trouver des prisonniers de guerre canadiens-français qui avaient des connaissances du pilotage sur le fleuve. Ces hommes furent engagés de force avec dix-sept autres pilotes connaissant le golfe et le fleuve Saint-Laurent, de Louisbourg à Gaspé, Mont-Louis et Grande-Rivière.

La carte établie par Holland et Cook, cet hiver-là, serait considérée aujourd'hui comme une carte provisoire, mais elle suffisait pour le moment. On ne prévoyait aucun problème dans le détroit de Cabot et le golfe du Saint-Laurent jusqu'à ce qui est aujourd'hui Pointe-au-Père. De là à Tadoussac, la profondeur était suffisante à condition qu'on évitât les rives de chaque côté. Mais à partir de cet endroit, les dangers se multipliaient et, après avoir passé l'embouchure du Saguenay, il y avait de plus en plus de hauts-fonds, de bancs et de courants déroutants. Le chenal passait en deçà de l'Île-aux-Coudres, près de la rive de la côte nord quoique le bras le plus large du fleuve se trouve au sud de l'île. Il se prolongeait ensuite en diagonale vers le nord-est de l'île d'Orléans, pour enfin passer entre la rive est de cette île et la petite île Madame, contournant le rocher d'Orléans pour entrer dans le bassin de Québec.

C'est cette traversée en diagonale, appelée la Traverse, qui constituait le plus grand danger. Elle n'était pas bien cartographiée, et les Français n'y avaient jamais navigué avec de gros navires. Les pilotes français en connaissaient les dangers; elle était sommairement marquée par des bouées, mais ces aides à la navigation avaient été retirées ou déplacées par Pellegrin devant la menace de l'assaut britannique.

L'amiral Durrell, commandant de la flotte, quitta Halifax le 5 mai 1759 et se fraya un chemin dans la glace et remonta le Saint-Laurent à la faveur d'un vent favorable. Il laissa quelques-uns de ses navires au Bic, mais entraîna la majorité jusqu'à l'Île-aux-Coudres. Quatre bateaux, dont le *Pembroke*, étaient envoyés en éclaireurs jusqu'à l'île d'Orléans et, le 8 juin, ils se trouvaient à l'extrémité d'aval de la Traverse. Tous les bateaux ont passé les deux jours suivants à sonder le passage. L'histoire attribue à Cook le rôle principal dans la réalisation de ce levé, mais tous les capitaines y ont participé.

Pendant ces préparatifs, l'amiral Charles Saunders, qui commandait toutes les forces navales avec sa grande flotte, remontait lentement le Saint-Laurent et, le 18 juin, ses neufs vaisseaux de ligne, treize frégates et cent dix-neuf bâtiments de transport atteignaient le Bic. Une semaine plus tard, ils passaient la Traverse. Au 25 juin est inscrit dans le livre de bord de Cook: "...à 11 heures du matin, le signal est donné

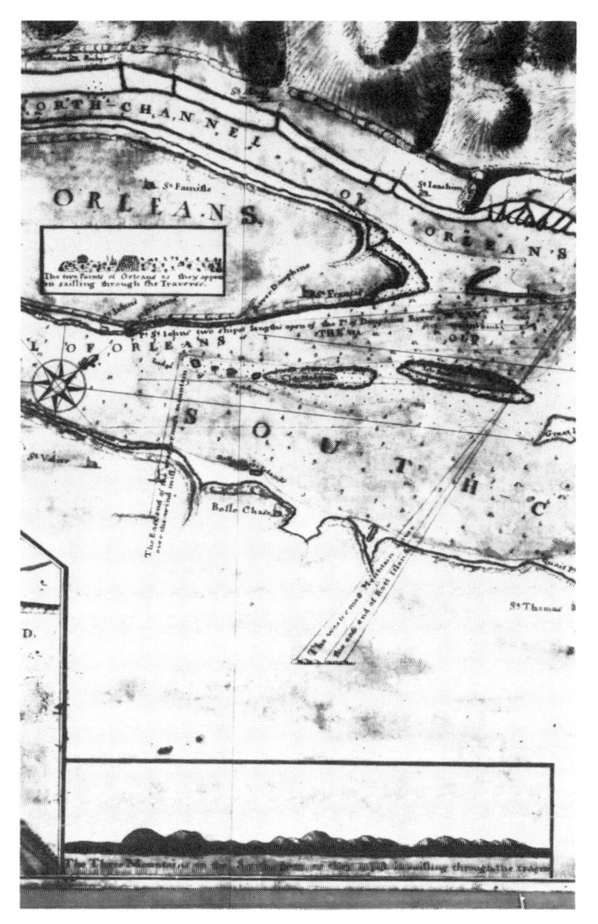

La carte du Saint-Laurent à Québec, particulièrement de la dangereuse Traverse, préparée par Cook, a permis à Wolfe d'amener ses troupes en amont et de gagner la bataille des plaines d'Abraham. On attribue généralement à Cook la production du levé ayant servi à faire cette carte mais, en fait, tous les capitaines de la flotte y ont contribué.

pour tous les bateaux, avec équipage et armes, d'aller se placer dans la Traverse comme bouées pour les navires qui s'en viennent''.

La marine avait réussi à amener en toute sûreté le général Wolfe et ses troupes devant la forteresse de Québec.

Il fallait maintenant faire un levé des plages de débarquement. Ce travail se faisait fréquemment sous le feu des canons. Cook lui-même évita de justesse les blessures au cours de reconnaisances sur la plage lorsqu'une équipe de canots français et indiens coupèrent son bateau sondeur.

Wolfe lança son assaut le 13 septembre 1759: la bataille des Plaines d'Abraham allait mettre fin au régime français au Canada.

Plus tard, au cours du même mois, Cook fut transféré sur le *Northumberland* et, les mois suivants, il se trouvait encore une fois à Halifax pour l'hiver, passant les longues heures à parfaire ses études de mathématiques et d'astronomie. Il employait aussi son temps à tracer des cartes marines et à écrire des *instructions nautiques*; c'est d'ailleurs à cette période qu'on attribue ses trois cartes manuscrites de la région qui existent toujours.

L'été suivant, Cook se retrouva de nouveau à Québec, et l'arrivée des navires de renfort brisa le siège français. C'est grâce à la progression du lieutenant-colonel Jeffery Amherst qui, de New-York, a remonté la rivière Mohawk, traversé le lac Ontario et descendu le Saint-Laurent, que l'on a obtenu la reddition de Montréal, le 7 septembre 1760.

Une inscription dans le journal du Commodore, le 17 janvier, au moment où Cook est de retour à Halifax pour l'hiver de 1760-1761, signale que le capitaine du *Northumberland* reçut cinquante livres pour son inlassable zèle à se rendre maître du pilotage du fleuve Saint-Laurent. Il s'agissait d'une récompense importante, quand on sait qu'un capitaine de son type de vaisseau recevait une rémunération d'environ six livres par mois. C'est aussi la preuve que Cook commençait à attirer l'attention de ses supérieurs.

Dans un dernier élan en Amérique du Nord, les Français saisissent St. John's (Terre-Neuve) en juillet 1762, de sorte qu'un escadron britannique doit être envoyé pour reprendre le port. La manoeuvre s'accomplit rapidement, mais son importance, en ce qui a trait à Cook, est qu'il fit une autre bonne rencontre au bon moment de sa carrière. L'homme se nommait Joseph Des Barres, un autre topographe militaire du personnel d'Amherst. Cook travailla avec lui, apprenant encore davantage de la topographie et ensemble, ils tracèrent une carte de la baie de la Conception, où les pêches britanniques devaient être réétablies et élargies.

Des Barres, membre d'une famille huguenote connue, était Suisse; il avait étudié les mathématiques puis s'était engagé comme cadet au Collège militaire royal de Woolwich (Angleterre), où il a pu appliquer ses connaissances mathématiques à l'arpentage et au génie des fortifications. Dans le cas qui nous intéresse, l'échange de connaissances se faisait dans les deux sens: tandis que Cook parfaisait ses connaissances des levés terrestres, Des Barres apprenait l'hydrographie pour devenir quelques années plus tard un hydrographe compétent sous la direction générale de l'Amirauté, le Bureau hydrographique britannique n'étant pas encore créé. Entre 1777 et 1784, il a compilé et présenté un ensemble de cartes *"The Atlantic Neptune"* comprenant les levés du littoral est de l'Amérique du Nord.

En 1763, quand le Traité de Paris mettant fin à la Guerre de Sept Ans fut signé, la France perdit la plupart de ses colonies d'Amérique du Nord, mais on lui permit d'occuper à nouveau les îles hauturières de Saint-Pierre-et-Miquelon.

Un peu plus tard au cours de la même année, à la demande du capitaine Graves, Cook était choisi pour diriger des levés hydrographiques à Terre-Neuve. Il fut nommé Hydrographe du roi et, avec un petit bateau, le *Grenville*, une goélette de 68 tonnes construite au Massachusetts, ayant à son bord un équipage de sept hommes, il passa les quatre années suivantes sur les côtes de Terre-Neuve où il produisit ses meilleurs levés hydrographiques.

Cook n'a rien inventé ni rien innové; il est simplement entré en scène à une époque où les progrès dans le domaine des connaissances scientifiques et de la mise au point d'instruments étaient immenses. Il s'est appliqué à très bien comprendre les plus récentes méthodes de navigation, y compris l'utilisation du sextant et du chronomètre de bord qui venait d'être inventé par Harrison. Il s'est assuré qu'il était accompagné par des astronomes de formation au cours de ses trois grandes expéditions dans le Pacifique et il a appris d'eux tout ce qu'il pouvait. Cook avait un grand avantage sur les autres élèves qui ont obtenu leur brevet de capitaine en même temps que lui, car

Persistance de la présence gauloise

La victoire des Britanniques à Québec n'a pas mis fin à la présence des Français dans les eaux canadiennes. Le Traité d'Utrecht en 1713 et le Traité de paix de Versailles (1783) avaient donné aux Français des droits de pêche le long d'une bande de la côte nord de Terre-Neuve, secteur qu'on a appelé par la suite "le rivage français". Après la bataille des plaines d'Abraham, la flottille de pêche française a continué d'exercer ses droits. Mais, en 1825, quelque soixante ans et plus après la bataille de Québec, le gouvernement français avait envoyé un navire de levé pour cartographier les ports le long du rivage français. Ces levés se sont poursuivis pendant à peu près quarante ans. Les quelque cent cinquante cartes produites étaient destinées à l'usage des pêcheurs français, mais elles furent considérées comme assertion de la souveraineté française sur une partie de Terre-Neuve. La question devint une source de frictions entre la Grande-Bretagne, la France et Terre-Neuve qui ne furent pas réglées avant 1904 quand la France renonça à ses droits en vertu du Traité d'Utrecht en échange de concessions coloniales en Afrique. Les cartes de Terre-Neuve du SHC portent encore des traces de ces premiers levés français. En effet, les Britanniques utilisèrent certaines des données des Français pour améliorer les cartes de l'Amirauté. Après l'entrée de Terre-Neuve dans la Confédération, les cartes britanniques ont été remises au Canada et reproduites ici. Certaines des cartes de Terre-Neuve du SHC sont encore établies à partir des tracé des levés français.

il pouvait se servir de l'expérience pratique de la navigation qu'il avait acquise dans la marine marchande.

La contribution de Cook à l'hydrographie en tant qu'art se définit simplement: par l'application de normes rigides de précision, il a fait passer l'hydrographie de la simple technique à la science.

Par exemple, la plupart des capitaines considéraient comme nécessaire, mais néanmoins secondaire, la détermination de la position exacte d'un navire, face aux difficultés que posait le simple fait de bien gouverner le navire. À l'époque de Cook, il existait un certain nombre de méthodes et divers instruments pour déterminer la position exacte d'un navire, mais la plupart des marins choisissaient la plus simple et la plus facile; non pas nécessairement par paresse, mais parce que, au dire de bon nombre d'entre eux, les incertitudes de la navigation étaient tellement nombreuses (dérive, courants, difficulté de calculer la longitude) qu'on perdait son temps à chercher à atteindre une grande précision.

Cook n'était pas de cet avis. Il croyait qu'un de ses devoirs d'explorateur-navigateur était de produire les cartes exactes des eaux dans lesquelles il naviguait. En tant qu'hydrographe, il a déployé beaucoup d'efforts pour établir avec précision sa position en latitude et en longitude.

Par exemple: la méthode courante utilisée pour faire le levé d'une côte, avant les innovations de Cook, était le levé en route. Tandis que le navire se déplaçait le long de la côte, sa route était prise en note et reproduite graphiquement. La position des points remarquables de la côte était ensuite établie par relèvement à partir du navire, tandis qu'on dessinait attentivement la forme de la côte entre ces points. On faisait aussi des sondages, du genre "pas de fond à X brasses". Quand on avait le temps, on mettait à l'eau les embarcations pour faire d'autres sondages et noter d'autres détails de la côte. Il ne s'agissait tout au plus que de levés de reconnaissance, les erreurs qu'ils contenaient étant attribuables à la difficulté d'établir exactement la position et la vitesse du navire.

Grâce à ses connaissances récemment acquises de la cartographie et de l'arpentage, Cook allait changer ces méthodes pour son levé de Terre-Neuve.

Il débarqua à terre et fit ses observations à partir de cette position stable au lieu du pont roulant du navire. Il mesura avec précision ses bases de levé et traça un réseau de triangulation, de la même façon que l'aurait fait un arpenteur. Il grimpa sur les collines pour obtenir une meilleure vue d'ensemble d'une côte sinueuse. Quel meilleur point d'observation qu'une haute colline? Peu de marins auraient pu grimper autant de collines que Cook. À partir des points précis qu'il avait observés, il traçait la côte. Puis, grâce aux points observés et au tracé précis de la côte, il pouvait placer le navire et les embarcations en position appropriée pour sonder les eaux.

La goélette *Grenville* se déplaçait de port en port à Terre-Neuve, les bateaux effectuant les sondages et Cook, avec ses instruments à terre, mesurant, observant, mesurant de nouveau et plaçant ses marqueurs à pavillon, utilisés comme balises et dispositifs d'établissement de position pour les sondages.

L'amiral et Hydrographe de la Marine royale de 1884 à 1904, Sir William James Lloyd Wharton, écrivait plus tard au sujet des sondages faits à Terre-Neuve par Cook:

> Les cartes marines qu'il a tracées pendant ses années sur la goélette *Grenville* étaient admirables. La meilleure preuve de leur excellence est qu'elles n'ont pas encore été remplacées par les levés plus détaillés des temps modernes. Comme tous les levés d'une côte presque inconnue et, particulièrement, quand ces côtes sont semées de rochers et de hauts-fonds et sont très accidentées, ils sont imparfaits en ce sens qu'on y relève beaucoup d'omissions. Mais quand on pense à la distance qu'ils couvrent ainsi qu'à la fréquence des brouillards et du mauvais temps sur cette côte, sans compter que Cook avait au plus deux assistants, leur exactitude est véritablement étonnante.

Les levés que Cook a réalisés à Terre-Neuve étaient sans doute parmi ses plus "purs". Il avait le temps et le matériel nécessaires pour donner son plein rendement. Ses autres levés effectués un peu partout dans le monde constituent des exemples de levés expéditifs menés de main de maître, mais les objectifs qui lui étaient fixés lors de ces expéditions étaient différents. Par exemple, lors de son voyage sur la côte ouest du Canada, il avait été envoyé d'abord comme explorateur à la recherche du passage du nord-ouest, toujours insaisissable, mais toujours aussi séduisant.

En 1778, naviguant par vent d'ouest, ponctué par des rafales du sud accompagnées de pluie et de neige fondue, ses deux navires se rapprochent de la terre. La vue qui s'offre à eux leur montre des collines et des montagnes très boisées aux sommets enneigés. Telle est la première image qu'eut Cook de l'île Vancouver, au large de la côte ouest du Canada, si différente des Maritimes et de Terre-Neuve de l'autre côté

> Je me réjouis... que nous, hommes d'origine insulaire, soyons sur le point de recouvrer un de nos sens perdus: celui de la compréhension de la mer
>
> Thomas D'Arcy McGee, 1864

du continent, où il avait acquis ses connaissances d'hydrographie et fait sa première impression sur les autorités navales de l'époque.

Après une traversée de cinq semaines sur un océan Pacifique désert, où il était même rare d'apercevoir un oiseau de mer, Cook avait hâte de trouver de l'eau douce et de faire des réparations au mât de misaine du *Resolution*.

Il avait parcouru bien des distances et s'était gagné une renommée internationale depuis le temps où il oeuvrait sur la côte est du Canada. Lors de son premier grand voyage (1768-1771), il avait navigué à bord de l'*Endeavour* autour du monde, en direction ouest, avec l'objectif principal d'observer le transit de Vénus à partir de Tahiti, île du Pacifique récemment découverte. En quittant Tahiti, il s'était dirigé vers le sud à la recherche d'un grand continent du sud. Il avait atteint 60° de latitude sud sans avoir aperçu aucun signe de ce prétendu continent, puis il avait fait le tour de la Nouvelle-Zélande et, suivant la côte est de l'Australie, avait traversé l'océan Indien; après avoir fait escale à Cape Town en Afrique du Sud, il était ensuite retourné en Angleterre.

Au cours de son deuxième voyage (1772-1775) à bord du *Resolution*, un charbonnier de 100 pieds remis en état, Cook avait navigué de l'est à l'ouest, faisant escale à l'île Kerguelen, dans le sud de l'océan Indien, avant de poursuivre sa route vers la Nouvelle-Zélande et Tahiti. C'est au cours de ce voyage qu'il s'aventura plus au sud que tout homme avant lui, dépassant le 71e parallèle. À ce point, quand il remit le cap vers le nord, un jeune élève-officier, George Vancouver, courut jusqu'à l'extrémité du beaupré, lançant avec allégresse le cri de ''nec plus ultra'', indiquant qu'il avait été celui qui, à bord, était allé le plus au sud.

Le *Resolution* venait à peine de revenir en Grande-Bretagne qu'on annonçait une troisième expédition. À l'origine, le commandant Charles Clerke avait apparemment été choisi pour commander l'expédition, mais Cook, qui venait d'être nommé capitaine, se porta volontaire pour un autre voyage. Son offre fut acceptée, et il se mit à préparer ses navires. Comme bateau-annexe au *Resolution*, il choisit le charbonnier de 80 pieds construit à Whitby, le *Bloodhound*. Clerke prit le commandement de ce navire. William Bligh, qui devait plus tard devenir commandant du *Bounty* — bien connu pour la fameuse mutinerie — était capitaine sur ce navire. Avant de partir, Cook fit rebaptiser le *Bloodhound*, l'appelant *Discovery*, un nom déjà célèbre dans l'histoire de l'exploration, puisque c'était celui du bateau d'Henry Hudson au cours de son quatrième et dernier voyage à la recherche du passage du nord-ouest. Peut-être le second *Discovery* fut-il baptisé ainsi à cause du premier, car l'un des principaux objectifs de ce troisième voyage était la recherche d'un passage du nord-ouest qui permettrait l'accès à l'Arctique en venant de l'ouest.

Au cours de son deuxième voyage, Cook avait réfuté la théorie d'un continent habitable plus au sud, mais les cartographes croyaient encore fermement à la théorie de l'existence d'un passage du nord-ouest et cette théorie avait d'ailleurs été encouragée par la récente expédition de Samuel Hearne, qui avait suivi la rivière Coppermine jusqu'à l'océan Arctique.

Les probabilités d'un tel passage étaient fondées sur le principe pseudo-scientifique selon lequel l'eau de mer ne gèle pas, de sorte que la glace de l'Arctique devait être un produit de rivières d'eau douce. Les défenseurs de l'existence du passage du nord-ouest ne pouvaient concevoir le caractère infranchissable des glaces de l'Arctique.

Il était stipulé, dans la charte de la Compagnie de la Baie d'Hudson, créée en 1670, que celle-ci devait tenter de résoudre la question de l'existence d'un passage. Mais la Compagnie se consacra plutôt au commerce très lucratif de la fourrure. Une expédition menée par James Knight, un des gouverneurs de la Compagnie, se rendit dans la baie d'Hudson en 1719, mais on n'en entendit plus jamais parler. L'expédition de Hearne, de Fort Churchill jusqu'à l'océan Arctique, n'avait traversé ni eau salée ni grande rivière, ce qui ajoutait à l'hésitation des gouverneurs de la Compagnie à dépenser des sommes pour une recherche qui, si elle réussissait, ne ferait qu'amener plus de monde dans un territoire où ils avaient un monopole très lucratif.

On n'avait trouvé aucune indication de l'entrée d'un passage à l'est, mais peut-être la clé du succès se trouvait-elle à l'ouest

Le 6 juillet 1776, Cook recevait donc ses instructions et la Royal Society, ayant examiné toutes les données connues et lu les nombreuses théories et rapports de voyages dont l'authenticité n'avait pas été établie, arrêtait le plan final de l'expédition. Le calendrier établi était assez précis, mais Cook y avait vraisemblablement souscrit. Il devait quitter Tahiti au début de février 1777 et naviguer sans tarder jusqu'à la côte de New Albion, au 45ᵉ degré de latitude nord. Ainsi, il devait atteindre la côte de l'Amérique avant le printemps et l'été, lui donnant le temps de naviguer le long de la côte jusqu'au 65ᵉ parallèle nord ou plus loin s'il n'était pas retardé par la terre ou les glaces et s'il prenait soin de ne pas perdre de temps à explorer des rivières ou des baies ou à toute autre activité. . . jusqu'à ce qu'il atteigne le 65ᵉ degré.

Le choix du 65ᵉ degré de latitude nord venait du fait que c'était à peu près à cette latitude que le continent russe faisait une saillie vers l'ouest, donc c'était sans doute à peu près vis-à-vis cet endroit que le continent nord-américain s'ouvrait vers l'est s'il devait communiquer avec les eaux libres de l'Arctique visitées par Hearne.

Arrivé dans ce secteur, Cook devait faire des recherches intensives et explorer les rivières ou baies qui lui semblaient très vastes et qui pointaient vers la baie d'Hudson ou la baie Baffin.

Bien que le pilote grec Apostolos Valerianos, naviguant pour les Espagnols sous le nom de Juan de Fuca, eut revendiqué en 1592 la découverte d'un large passage menant vers l'est qu'il disait avoir suivi pendant plus de vingt jours entre le 47e degré de latitude nord et le 48e, la Royal Society ajoutait peu de foi à ce témoignage, et l'atterrissage de Cook était fixé à environ 45° de latitude nord dans l'unique but de lui permettre de faire des réparations et de s'approvisionner après sa traversée du Pacifique.

Comme il était prévu, Cook repéra la côte ouest de l'Amérique aux environs du cap Foulweather sur la côte de l'Oregon. Le mauvais temps le força à demeurer bien au large et quand il finit par atteindre le 48e parallèle où le détroit, maintenant appelé Juan de Fuca, est situé, il en dépassa l'embouchure de nuit. Il l'avait manqué et il écrivit dans son journal: "C'est à cette même latitude où nous nous trouvons maintenant que les géographes ont placé le prétendu détroit de Juan de Fuca, mais nous n'avons rien vu de tel et il y a très peu de probabilités qu'il ait jamais existé". Ses navires poursuivirent leur route jusqu'à la côte ouest de l'île Vancouver sans se rendre compte qu'elle n'était pas reliée à la terre ferme.

Ainsi, le 29 mars 1778, les navires arrivèrent par hasard à Nootka, une entrée de peu d'importance pour Cook si ce n'était qu'un endroit de refuge, de réparation et de ravitaillement.

Cook vint s'ancrer dans le Ship Cove, le Resolution Cove d'aujourd'hui, où il passa un mois, jusqu'au 26 avril, à réparer ses navires et à commercer avec les indigènes.

Pendant les réparations, comme il en avait l'habitude chaque fois que c'était possible, Cook établit son observatoire à terre. Il observa la longitude en faisant quatre-vingt-dix séries d'observations lunaires, toutes corrigées au moyen des chronomètres du bord. Il observa aussi la variation du compas et prit des mesures de la marée.

Cook était un dur maître au travail, comme l'atteste l'un de ses élèves-officiers à Nootka:

Ô Nootka! tes rives sont témoins de notre labeur
(car 30 milles par jour, ce n'est pas un jeu)
Dès les premiers rayons de soleil, nous nous engageons dans ta baie
Pour ne cesser nos levés tout autour qu'à son coucher,
Ô dure journée de labeur!

La référence à des randonnées de trente milles concorde avec la réalité géographique du contour du groupe d'îles se trouvant au milieu du Sound Nootka, l'île principale ayant été par la suite nommée île Bligh avec la longue presqu'île Clerke formant son extrémité sud-ouest et le groupe d'îles Spanish Pilot se trouvant à l'ouest.

Ces dures journées de labeur ont produit un levé sommaire du Sound Nootka, bien que ce nom n'ait été utilisé que plus tard. Cook s'efforçait habituellement de trouver un nom local, mais dans ce cas il choisit le nom de Sound du Roi George, tout en notant que le nom indien semblait être Nootka. C'est ce dernier nom qui sera plus tard utilisé par l'Angleterre.

Les travaux hydrographiques de Cook dans les eaux à l'ouest du Canada furent limités au Sound Nootka et à certains travaux côtiers; les réparations terminées, il se rendit rapidement dans les eaux de l'Alaska (le 17 août 1778, il traversa le cercle arctique, devenant le premier explorateur à traverser les deux extrémités du globe) pour trouver son passage obstrué par les glaces arctiques de la mer de Béring. S'il y avait un passage du nord-ouest, il n'allait pas le trouver. Ses navires et ses équipages devant subir le froid et les grains rigoureux, Cook mit le cap vers le sud pour retourner aux îles hawaïennes, qu'il avait découvertes plus tôt au cours de la même expédition; c'est là, le 21 février 1779, au cours d'une dispute avec les indigènes, que le capitaine Cook fut tué.

Les principaux effets de sa visite à l'île Vancouver se firent sentir après sa mort lorsque les peaux de loutre de mer, obtenues en commerçant avec les indigènes, ont rapporté d'importantes sommes d'argent sur la côte de la Chine. La publication, en 1784, des journaux de Cook et leur mention de l'abondance de la loutre et de la volonté des indigènes d'échanger les fourrures pour des étoffes, donnèrent naissance à un commerce très actif avec les indigènes de la côte ouest du Canada récemment découverte.

La cartographie détaillée de la côte ouest du Canada allait être réalisée par l'un

Le capitaine Cook s'engage dans le Sound Nootka.

Pourquoi appelle-t-on les britanniques les "Limeys"

En 1753, un médecin britannique publiait un traité du scorbut dans lequel il prouvait qu'on pouvait guérir la maladie en mangeant des oranges et des citrons. Après cette découverte, la Marine royale ordonna à tous ses navires de transporter du jus de citron lors de leurs voyages au long cours. Cependant, au dix-neuvième siècle, au milieu de la vague d'exploration dans l'Arctique, on a remplacé le jus de citron par le jus de limette, en anglais *lime*. Les Nord-Américains se servaient donc du terme "Limey" pour désigner les marins britanniques d'abord, puis, plus tard, tous les Britanniques. Quand le jus de limette a remplacé le citron, le scorbut redevint épidémique; aujourd'hui, on sait que la limette n'a que la moitié de l'efficacité du citron pour prévenir la maladie. Quand les vitamines ont été découvertes au début du vingtième siècle et qu'on a reconnu l'efficacité de la vitamine C contre le scorbut, la distribution des pilules de vitamines est devenue pratique courante dans la Marine royale.

des jeunes officiers de Cook, George Vancouver qui, comme nous l'avons déjà mentionné, l'accompagnait au cours de sa deuxième expédition comme élève-officier à bord du *Discovery* avec le commandant Clerke, et au cours de sa troisième expédition à bord du *Resolution*.

Vancouver quitta l'Angleterre en avril 1791, avec ordre de naviguer jusqu'à la côte nord-ouest de l'Amérique, de faire des levés de la côte entre les 30ᵉ et 60ᵉ degrés de latitude nord et de résoudre deux questions en suspens. Premièrement, indiquent ses instructions, acquérir des données exactes sur la nature et l'étendue de toute voie d'eau qui pourrait, dans une large mesure, faciliter la traversée, aux fins du commerce, de la côte nord-ouest jusqu'au pays se trouvant du côté opposé du continent habité ou occupé par des sujets de Sa Majesté (bien que la langue du dix-huitième siècle soit quelque peu obscure, les instructions données à Vancouver indiquaient clairement que l'objet principal de son expédition était de trouver une route dans l'Arctique qui faciliterait le commerce). Le deuxième point était de déterminer les revendications espagnoles de souveraineté sur le territoire entourant le Sound Nootka, soit l'île Vancouver, précédemment levé par Cook.

Bien qu'on attribue à Cook la découverte de la côte ouest du Canada, les Espagnols avaient fait plusieurs expéditions d'exploration le long de la côte. Ils n'avaient cependant jamais réussi à y débarquer, et leurs rapports et leurs cartes n'étaient pas publiés, car elles tombaient sous le sceau du secret que les autorités espagnoles imposaient normalement à ce genre de documents.

Le 10 août 1775, Bodega y Quadra, commandant du *Sonora*, atteignait les rives de l'île Vancouver, probablement aux environs de la baie Wickaninnish, sur la côte de ce qui est aujourd'hui le parc national Pacific Rim. Il se rendit jusqu'au 57ᵉ parallèle vers le nord, là où la côte de l'Alaska tourne vers l'ouest, Puisque, pour aller plus au nord, il fallait naviguer vers l'ouest avec les difficultés que cela comportait, il décida de revenir vers le sud et, le 8 septembre, avec un vent favorable, revenait vers la côte, observant la présence des îles Reine-Charlotte à huit ou neuf heures au large. Il ne s'aventura pas plus près, car bon nombre des membres de son équipage déjà restreint souffraient du scorbut et il ne jugeait pas prudent de s'approcher de la terre avec un nombre insuffisant d'hommes pour manoeuvrer le bateau dans les eaux côtières.

On ne sait pas vraiment quelle étendue des îles Reine-Charlotte et de l'île Vancouver Quadra a pu voir et cartographier, puisque ses registres montrent une côte continue entre les îles, mais sans trait particulier. Un peu plus au sud, il se fit très peu d'observations car, à ce point, Quadra et son premier officier Juan Pérez étaient aussi atteints par le scorbut. Ils arrivèrent enfin à Monterey le 7 octobre et, accompagnés du *Santiago*, mirent, le 1er novembre, les voiles sur San Blas. Pérez est décédé avant d'avoir atteint ce port.

Les Espagnols avaient prévu un troisième voyage pour 1776 ou l'année suivante, mais ce voyage n'eut pas lieu avant 1779, Cook ayant alors déjà visité la côte avec ses navires mieux équipés, ses hydrographes expérimentés et son équipage bien formé. En outre, les autorités britanniques et les Espagnols ne voyaient pas les choses du même oeil: en effet, Londres publiait les cartes et les comptes-rendus de voyages, alors que Madrid gardait la politique du secret. Cette politique réussit tellement bien, négativement parlant, que ce n'est que ces dernières années que certains documents espagnols ont pu être étudiés par les spécialistes et qu'on a pu connaître l'étendue des explorations des Espagnols.

Quoi qu'il en soit, grâce aux expéditions de Cook, le commerce des peaux de loutre sur la côte ouest était déjà florissant à l'époque du voyage de Vancouver. John Meares, un commerçant britannique, avait formé une société qui établit un poste dans le Sound Nootka. En 1789, les Espagnols, qui revendiquaient toute la région en invoquant le traité de Tordesillas de 1494, alors périmé, s'emparèrent du poste et de plusieurs navires britanniques qui se trouvaient dans le port de Nootka. Les deux pays en vinrent presque aux armes, mais le conflit fut évité par la signature, à Madrid, de la Convention du Sound Nootka de 1790 par laquelle l'Espagne reconnaissait la souveraineté britannique et faisait une offre de restitution. Vancouver reçut alors la mission de s'arrêter à Nootka pour recevoir cette offre en personne.

D'abord, il fit le levé de la côte nord-ouest de l'Amérique à partir d'un point situé à cent dix milles au nord de San Francisco jusqu'aux détroits Juan de Fuca et de Puget. Pendant qu'il faisait des sondages dans le détroit de Géorgie, Vancouver fut témoin de la scène suivante qu'il relata: "Comme nous ramions un vendredi matin (en juin 1792) vers la pointe Grey, en nous proposant d'y débarquer pour y prendre le petit déjeuner, nous découvrîmes deux bateaux à l'ancre... un brick et une goélette

Le scorbut: maladie redoutable

Du seizième au dix-neuvième siècle, le scorbut était le fléau ultime des marins. Ses effets étaient désastreux. Voici ce qu'en dit une victime qui s'en est rétablie, ce qui était rare: "Le scorbut a fait pourrir mes gencives, d'où s'écoulait du sang noir et infect. Mes cuisses et mes jambes étaient noires et gangreneuses, et je devais me servir de mon couteau chaque jour pour couper la chair afin de laisser s'écouler un sang noir et nauséabond. Je me servais aussi de mon couteau pour couper mes gencives, qui étaient livides et qui tendaient à recouvrir mes dents... Quand j'avais coupé cette chair morte et fait couler beaucoup de sang, je rinçais ma bouche et mes dents avec mon urine, en les frottant très fort... Le pire, c'était que je ne pouvais pas manger, ayant plus envie d'avaler que de mâcher... Beaucoup de nos hommes sont morts... La plupart expirant derrière une caisse ou un coffre, les yeux et la plante des pieds grignotés par les rats". La cause du scorbut était le manque de vitamine C dans les viandes salées et autres denrées que les bateaux devaient apporter pour les longs voyages. La maladie a d'ailleurs cessé d'être un problème quand la vapeur a remplace les voiles, accélérant les traversées, et quand les fruits et les légumes en conserve ont fait leur apparition. Au cours de ses voyages, le capitaine Cook a réussi à éviter de grandes épidémies en stockant, chaque fois que c'était possible, des agrumes et des jus d'agrumes.

portant les couleurs des bateaux de guerre espagnols.'' Les navires participaient à une mission pacifique de cartographie et Vancouver se joignit à eux pendant un certain temps. Il nota dans son journal une découverte: ''Je dois avouer que, à cette occasion, j'ai été grandement mortifié d'apprendre que les rives extérieures du golfe avaient été visitées et déjà observées quelques milles au-delà de l'endroit où s'étaient arrêtées mes recherches pendant l'excursion, révélant que la terre à propos de laquelle je n'étais pas certain est une île.'' Vancouver continua sa cartographie et fit le tour de l'île, la nommant ''île Vancouver et Quadra'', mais elle n'est connue aujourd'hui que sous le nom d'île Vancouver. Il se rendit ensuite à Nootka, où les négociations avec les Espagnols en vinrent au point mort (la question fut finalement résolue en 1795 en faveur des Britanniques).

S'étant rendu compte que l'île Vancouver était bien une île et que les détroits Juan de Fuca ne menaient pas à un passage du nord-ouest, Vancouver passa les deux années suivantes à terminer ses levés le long de la côte ouest jusqu'aux îles Reine-Charlotte et à l'inlet Cook (Alaska). Quand il retourna en Angleterre, son navire, le *Discovery* (qui n'était pas le même que celui de Cook) avait navigué 65 000 milles, soit 10 000 milles de plus que le plus long voyage du capitaine Cook. Ses cartes étaient les plus exactes jamais faites dans les eaux canadiennes, en fait tellement précises que certaines sont demeurées en usage pendant une bonne partie du vingtième siècle. Les réalisations de Vancouver sont d'autant plus remarquables quand on sait qu'il était extrêmement malade pendant les années au cours desquelles il fit ses levés au Canada. Il mourut en mai 1798, moins de trois ans après son retour en Angleterre.

Si l'on considérait l'hydrographie dans les eaux canadiennes comme une sorte de mouvement religieux, Cook serait alors le dieu véritable et Vancouver son prophète. Leurs méthodes et les instruments qu'ils employaient sont demeurés en service, virtuellement inchangés, pendant tout le dix-neuvième siècle et une bonne partie du vingtième. Leur vénération pour la méthode et leur attachement à la précision des positions et des sondages ont fixé la norme pour toutes les générations d'hydrographes qui ont suivi, devenant la règle avec la formation, le 12 août 1795, du Bureau hydrographique de l'Amirauté britannique. De ce bureau, au cours du dix-neuvième siècle, des douzaines d'hommes — souvent appelés ''les hommes de l'Amirauté'' — ont à l'exemple de Cook et de Vancouver envahi les rivages ainsi que les grandes rivières et les lacs des possessions britanniques en Amérique du Nord. C'était l'époque de la consolidation de l'Empire britannique. Il ne s'agissait plus de découvrir et de revendiquer de nouvelles terres, mais plutôt d'établir des cartes suffisamment précises pour permettre la colonisation, l'exportation des produits récoltés par les coloniaux et l'importation des biens nécessaires de la mère-patrie.

Aucun autre facteur n'a contribué aussi largement à la cartographie des côtes et des voies navigables du Canada que la recherche du passage du nord-ouest. Cabot et Cartier dans l'est, ainsi que Cook et Vancouver dans l'ouest avaient été envoyés d'Europe expressément pour trouver ce passage dont la découverte, espérait-on, ouvrirait une route rapide de l'Orient vers les marchés de l'Europe. Plus tard, presque tout l'Arctique devait être exploré et cartographié uniquement dans le cadre des recherches pour trouver cette route vers l'Est.

Les premières grandes explorations dans l'Arctique étaient dirigées par Sir John Ross et Sir William Edward Parry (nommé Hydrographe de l'Amirauté en 1823) qui, au cours de leurs voyages pendant les deux premières décennies du dix-neuvième siècle, avaient découvert et cartographié une grande partie des côtes de l'Arctique et bon nombre des îles à partir de Baffin vers l'ouest jusqu'à la mer de Beaufort. Mais ils n'y ont trouvé aucun passage.

Vers les années 1840, grâce aux efforts des hydrographes de l'Amirauté et au travail des hydrographes à l'emploi de la Compagnie de la baie d'Hudson, presque tout le littoral nord du Canada avait au moins été sillonné, si ce n'est cartographié. Les expéditions s'étaient rendues dans l'Arctique à partir de l'est, à l'île Baffin, à partir de l'ouest par le détroit de Béring et, à partir du sud par la baie d'Hudson ou le delta du fleuve Mackenzie dans les Territoires du Nord-Ouest. Personne n'avait encore réussi à traverser l'Arctique par voie d'eau. Ainsi, en 1845, l'Amirauté de plus en plus déçue de ces insuccès envoya Sir John Franklin avec "instructions explicites, selon Don W. Thomson, sur la route qu'il devait suivre pour trouver et parcourir le passage du nord-ouest".

On comprenait, à ce point, que le passage avait une importance commerciale négligeable, mais sa découverte apporterait quand même un prestige considérable au pays. Qui plus est, les sociétés savantes de l'Angleterre appuyaient l'initiative, car elles y voyaient la possibilité d'obtenir des données d'observation de l'Arctique; c'est

Les hydrographes ont souvent trouvé les rochers et les hauts-fonds de la dure méthode, c'est-à-dire en les frappant. Cette peinture du lieutenant Bedwell montre le Plumper *échoué au large de l'île Waldron (Colombie-Britannique).*

pourquoi les navires de l'expédition avaient à leur bord une quantité considérable d'instruments scientifiques.

Franklin lui-même était un explorateur expérimenté qui avait navigué dans l'Arctique canadien depuis 1819. Ce voyage fut cependant frappé par la tragédie: Franklin et ses deux navires, l'*Erebus* et le *Terror*, ainsi que leurs équipages de cent vingt-neuf hommes disparurent. L'expédition de Franklin avait été aperçue pour la dernière fois à l'entrée du détroit de Lancaster le 26 juillet 1845. Elle avait tout ce qu'il fallait pour passer trois ans dans l'Arctique, de sorte que ce n'est pas avant 1848 que le public et les autorités commencèrent à s'inquiéter et organisèrent les premières équipes de recherche. Dans son livre *Men and Meridians*†, Thomson note que l'étendue et la persistance des nombreuses expéditions qui s'aventurèrent dans des eaux dangereuses et à peu près inconnues (à la recherche de Franklin) n'ont pas d'égales dans l'histoire maritime du monde. Pendant la décennie des recherches (1849-1859), trente-trois navires passèrent l'hiver dans l'Arctique canadien. Des centaines d'hommes d'équipage et de nombreux officiers participaient à tous ces projets et le coût total assumé par le gouvernement britannique s'élevait à des millions de livres sterling. D'autre part, bien que l'objectif principal de ces expéditions fût la recherche de Franklin, elles ont largement contribué à améliorer la cartographie de l'Arctique canadien.

En 1859, la recherche de Franklin avait cessé à toutes fins utiles. On découvrit finalement un monument contenant des lettres qui décrivaient de façon détaillée la mort de Franklin et la perte de ses navires et de ses hommes dans la glace. Ainsi prenait fin cette période de levés intensifs de l'Arctique canadien. La plupart des découvertes avaient été faites et, en particulier, la côte de la mer de Beaufort (nommée d'après Sir Francis Beaufort, Hydrographe de l'Amirauté de 1829 à 1855), où l'on a maintenant découvert beaucoup de pétrole et de gaz naturel, avait été presque entièrement cartographiée. D'autre part, pendant les recherches pour retrouver Franklin, le commandant R. M'Clure de la Marine royale et l'équipage de son navire, l'*Investigator*, avaient enfin prouvé l'existence d'un passage du nord-ouest navigable† et reçu la récompense

†En français, *L'homme et les méridiens*

††Ironiquement, M'Clure et sept marins découvrirent le passage tandis qu'ils faisaient route à terre pour trouver un abri, après avoir abandonné leur navire pris dans les glaces de la baie. Plus tard, après la découverte du cairn contenant les lettres de Franklin, il est apparu que Franklin avait déjà fait cette découverte au cours de sa dernière expédition.

L'Investigator *prisonnier des glaces.*

de 10 000£ de l'Amirauté. Cependant, les applications commerciales du passage étaient devenues inutiles.

Entre-temps, sur la côte ouest, les cartes de Vancouver étaient jugées suffisamment précises et détaillées pour la plupart des besoins, mais le capitaine Henry Kellett et Sir Edward Belcher entreprirent, à la demande de l'Amirauté, des levés du fleuve Columbia, de l'île Vancouver et du détroit Juan de Fuca jusqu'en 1848, au moment où l'Amirauté avait affecté la plupart de ses navires, de ses fonds et de ses énergies à la recherche de Franklin.

En 1857, le capitaine G.H. Richards, commandant le *Plumper*, arrivait sur la côte ouest, à l'origine pour faire les levés nécessaires au règlement du conflit concernant l'établissement exact d'une frontière canado-américaine dans le secteur maintenant

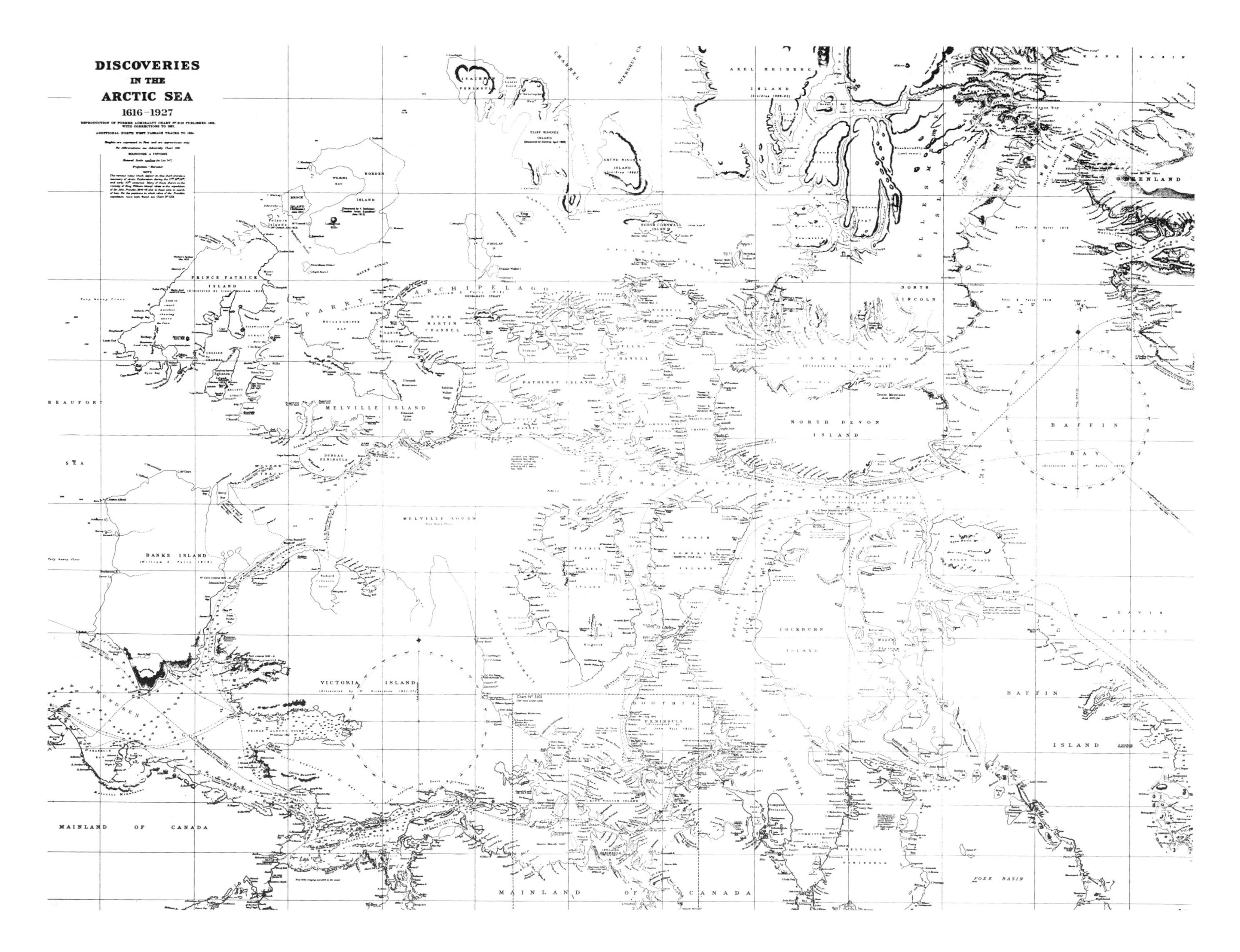

DISCOVERIES
IN THE
ARCTIC SEA
1616–1927
SOUNDINGS in FATHOMS
NOTE
BEAUFORT
SEA
PRINCE PATRICK
ISLAND
BROCK ISLAND
BORDEN
ISLAND
PARRY ARCHIPELAGO
MELVILLE ISLAND
DUNDAS PENINSULA
BYAM MARTIN CHANNEL
ELLEF RINGNES ISLAND
AMUND RINGNES ISLAND
AXEL HEIBERG ISLAND
NORTH CORNWALL ISLAND
BATHURST ISLAND
CORNWALLIS ISLAND
NORTH LINCOLN
JONES SOUND
GREENLAND
NORTH DEVON ISLAND
BAFFIN BAY
BARROW STRAIT
LANCASTER SOUND
MELVILLE SOUND
BANKS ISLAND
PRINCE OF WALES ISLAND
NORTH SOMERSET ISLAND
PRINCE REGENT INLET
COCKBURN ISLAND
DAVIS STRAIT
BAFFIN ISLAND
VICTORIA ISLAND
Chart No 5101
BOOTHIA PENINSULA
GULF OF BOOTHIA
KING WILLIAM ISLAND
MELVILLE PENINSULA
FOXE BASIN
MAINLAND OF CANADA
MAINLAND OF CANADA

bordé par l'État de Washington et la Colombie-Britannique. Richards centra d'abord ses efforts sur la zone de conflit puis, pendant les saisons de 1858 et 1859, il orienta ses travaux vers les îles Gulf et le fleuve Fraser, l'inlet Burrard, la région d'Esquimalt et de Victoria. Il fit un levé systématique autour de l'île Vancouver dans le sens contraire des aiguilles d'une montre. Suivant ses directives, un système de bouées fut installé sur le fleuve Fraser, et le premier "Avis aux navigateurs" pour la côte ouest du Canada décrivait les détails de ce système.

La Marine royale rappela Richards en Angleterre; il venait d'être promu Hydrographe de l'Amirauté. Ainsi, de 1863 à 1870, l'établissement des cartes de la côte ouest s'est poursuivi sous les ordres du capitaine Daniel Pender. Celui-ci affréta l'ancien vapeur de la Compagnie de la Baie d'Hudson, le *Beaver*, et se mit au travail, d'abord dans les eaux situées au sud du sound Reine-Charlotte. En 1866, cette région ayant été assez bien cartographiée, il passa le plus clair de son temps dans les eaux un peu plus au nord, dont celles qui baignent les îles Reine-Charlotte. En 1869, Pender fit un levé de l'inlet Burrard, examinant les emplacements possibles pour les bouées, les phares et les balises, à la demande du gouvernement de la Colombie-Britannique qui voulait encourager l'établissement de scieries dans la région. La ville de Vancouver n'était pas encore fondée.

En 1870, grâce aux efforts de Richards et de Pender, la navigation sur la côte ouest était enfin sûre; il faudra attendre presque trente ans avant qu'un autre navire hydrographique britannique soit affecté à la station du Pacifique.

Pendant la première moitié du dix-neuvième siècle, un homme remarquable, l'amiral Henry Wolsey Bayfield, a dominé les travaux hydrographiques de l'Amirauté dans l'est du Canada pendant quarante ans, de 1817 à 1856, dans les Grands lacs, le long du Saint-Laurent, dans le golfe du Saint-Laurent et le long des côtes de la Nouvelle-Écosse, de l'île du Prince-Édouard et du Nouveau-Brunswick.

O.M. Meehan, ancien hydrographe canadien et, depuis de nombreuses années, chroniqueur infatigable du Service hydrographique du Canada, a noté ce qui suit:

> Des 215 éditions de cartes de l'Amirauté publiées jusqu'en 1867, environ *114*, soit *53 pour cent* du total, ont été attribuées à Bayfield en tout ou en partie... Après quarante années de service sur le terrain, il a pris sa retraite en 1856 avec la satisfaction personnelle de savoir qu'il y avait peu de sections des principales routes de navigation des vapeurs entre Halifax (Nouvelle-Écosse) et Fort William au lac Supérieur, qu'il n'eût contribué à cartographier.

Dans l'ensemble, je crois que la mer, lorsque j'y suis sans être malade, est l'un des endroits les plus merveilleux du monde.

Contre-amiral Sir Francis Beaufort
Hydrographe de l'Amirauté, 1829-1855

J. G. Boulton
Retired Captain and
Hydrographical Surveyor
R.N.

Quand le gouvernement canadien a fondé le Levé de la baie Georgienne en 1883 comme premier service hydrographique national, il a nommé le chef d'état-major John George Boulton à sa tête avec pour première tâche de mettre à jour les cartes de Bayfield.

Le commandant J.G. Boulton, qui en 1883 fut nommé à la tête de ce qui allait devenir le Service hydrographique du Canada, fit plus tard l'éloge de Bayfield en soulignant que le Service hydrographique de l'Amirauté avait produit des hommes de valeur tels que Cook et ses successeurs, mais qu'il doutait que la Marine britannique eut jamais eu dans ses rangs un hydrographe aussi talentueux et enthousiaste que Bayfield.

Bayfield est entré dans la Marine royale à l'âge de dix ans et a vu le Canada pour la première fois en 1810, à l'âge de quinze ans, lorsque son navire fit escale à Québec et à Halifax. En 1814, à la fin de la Guerre de 1812, il a été nommé capitaine suppléant dans la flottille britannique du lac Champlain.

En 1816, il fut recruté par le capitaine William Fitzwilliam Owen, officier supérieur commandant dans les Grands lacs et hydrographe naval, comme adjoint dans le cadre du Levé des Grands lacs pour cartographier le lac Ontario et les Mille-Îles. C'est alors que Bayfield apprit très rapidement les rudiments de l'hydrographie. En effet, l'année suivante, Owen était rappelé en Angleterre et Bayfield se trouva, à vingt-deux ans, chargé des levés des lacs Érié et Huron. Il ne s'agissait cependant pas d'une sinécure, car la tâche à laquelle il s'attaquait était considérable et il ne disposait que d'un adjoint et de deux petites embarcations.

Néanmoins, ils réussirent à terminer le levé du lac Érié en 1818, puis ils se rendirent à Penetanguishene où ils commencèrent la cartographie du lac Huron. Ruth McKenzie, dans sa monographie de Bayfield, donne quelques exemples des difficultés inhérentes à ce genre de travail:

> Dix semaines ont été nécessaires pour hydrographier seulement 45 milles de la rive nord. Bayfield explique que, pour cette seule distance, ils ont dû déterminer la forme, la dimension et l'emplacement de plus de 6 000 îles, bancs et rochers et que, de plus, il y avait de nombreuses baies et anses du côté de la rive principale... Il a passé maintes nuits sur le bateau ou sur la rive, quand le thermomètre indiquait presque 0°F et parfois moins. Mais cela n'était pas aussi accablant que d'essayer de dormir pendant les nuits chaudes de l'été dans la fumée d'un feu nécessaire pour repousser les nuées de moustiques qui noircissaient le ciel. Les hydrographes et l'équipage souffraient parfois d'accès de fièvre ou de scorbut et ne disposaient d'aucune aide médicale.

En 1822, Bayfield rapporte enfin qu'il a complété le levé du lac Huron jusqu'aux rapides de la Neepish, à l'entrée du lac George. L'année suivante, il entreprit donc le levé du lac Supérieur. La cartographie de ce lac, à l'époque connu à peu près seulement des Indiens et des commerçants en fourrures, a exigé trois étés de travail et deux autres années passées en Angleterre à l'établissement des cartes.

En 1827, Bayfield exprima le souhait de retourner au Canada pour cartographier le fleuve Saint-Laurent, depuis les côtes occidentales de Terre-Neuve jusqu'à Montréal, indiquant dans sa demande que, à son avis, il existait peu de régions au monde où il arrivait plus d'accidents aux navires que dans les eaux dangereuses du golfe du Saint-Laurent et du fleuve Saint-Laurent. Son souhait fut exaucé: Bayfield passa donc les quatorze années suivantes à faire le levé du Saint-Laurent, son bureau principal étant établi à Québec. Il s'agissait d'une entreprise monumentale et l'Amirauté, reconnaissant l'importance de la mission pour l'expansion et le maintien de ses intérêts coloniaux, fournit à Bayfield le *Gulnare*, un navire de 140 tonnes conçu spécialement suivant ses spécifications.

C'est ce navire que Bayfield et ses adjoints quittaient, à bord d'embarcations de vingt-cinq pieds, six jours par semaine et parfois sept, du lever au coucher du soleil, pour faire le levé des côtes et des sondages pendant l'été. Quand le temps, à l'automne, devenait trop mauvais pour continuer à travailler dans le golfe, Bayfield et ses hommes remontaient le fleuve pour aller travailler dans les eaux abritées entre Montréal et Québec. En hiver, ils compilaient leurs plans et leurs cartes et les envoyaient à l'Amirauté à Londres pour qu'ils y soient gravés. Les épreuves étaient retournées à Bayfield pour inspection finale avant impression et publication.

En 1841, Bayfield déménagea ses quartiers de Québec à Charlottetown (Île-du-Prince Édouard), port dont la saison de navigation était plus longue que celle de Québec et dont la situation était certainement plus centrale pour les activités projetées (McKenzie). De là, Bayfield compléta son levé de la côte est et du golfe du Saint-Laurent, terminant ses travaux par le levé du port d'Halifax en 1855.

Outre ses levés et ses cartes, Bayfield travailla de 1828 à 1855, à son ouvrage intitulé *Sailing Directions for the Gulf and River St. Lawrence*, soumettant chaque chapitre, à mesure qu'il était terminé, à l'Amirauté pour qu'il soit imprimé. L'ouvrage qui fut publié en trois étapes: 1837, 1847 et 1857, parut finalement en deux volumes

Pendant près de quarante ans, Henry Wolsey Bayfield a travaillé comme Hydrographe de la Marine royale au Canada. Il a d'ailleurs été promu au rang d'amiral pour ses réalisations. Malgré la supériorité des cartes de Bayfield, l'amélioration constante des navires et de leurs moteurs a rendu ses sondages de moins en moins fiables.

en 1860, sous le titre *The St. Lawrence Pilot*. En outre, Bayfield compila une liste des latitudes et longitudes, laquelle fut publiée en 1857 sous le titre *Maritime Positions in the Gulf and River St. Lawrence and on the South Coast of Nova Scotia*. Il compléta également ses écrits par *The Nova Scotia Pilot*, publié en deux volumes en 1856 et 1860.

Bayfield prit sa retraite en 1856, et fut promu amiral en 1867. Il continua de vivre paisiblement à Charlottetown jusqu'à sa mort, le 10 février 1885, à l'âge de quatre-vingt-dix ans. Étant donné le nombre de ses années de service dans les eaux canadiennes et l'étendue de son travail, ne serait-ce qu'en milles cartographiés, la renommée de Bayfield prit après sa retraite des proportions presque mythiques. Compte tenu de sa persévérance en quête d'exactitude et de sa dévotion envers les exemples que lui avaient donnés Cook, Vancouver et les idéaux du bureau hydrographique de l'Amirauté, une carte de Bayfield avait quasi l'autorité d'une bible. Parallèlement et, parfois malheureusement, il a fallu beaucoup de temps dans certains cas pour que les responsables du Service hydrographique du Canada soient convaincus de la faillibilité des cartes de Bayfield et de la nécessité de les mettre à jour conformément aux normes modernes.

Entre-temps, l'Amirauté continuait ses travaux sur la côte est, dans le cadre du Levé de Terre-Neuve. La charge de Bayfield dans les Maritimes avait d'abord été transmise à son ancien adjoint, le capitaine John Orlebar qui, jusqu'à sa retraite en 1864, dirigea les travaux de l'Amirauté à Terre-Neuve, dans le golfe du Saint-Laurent et sur le fleuve Saint-Laurent.

C'est à cette époque qu'on entreprit les sondages pour la mise en place du premier câble transatlantique. En 1858, l'étude du terminal de ce câble commençait dans la baie de la Trinité (Terre-Neuve). Un des derniers levés importants réalisés par Orlebar avant qu'il prît sa retraite fut celui du terminal du second câble en 1864. C'est J.H. Kerr, commandant d'état-major, qui succéda en 1865 au capitaine Orlebar, passant à son tour, en 1872, les rênes du commandement du Levé de Terre-Neuve à W.F. Maxwell, alors lieutenant de vaisseau. En 1891, Maxwell fut remplacé par W. Tooker, commandant d'état-major.

Entre-temps, bien sûr, l'Acte de l'Amérique du Nord britannique avait fait des provinces du Canada, c'est-à-dire l'Ontario et le Québec, la Nouvelle-Écosse et le Nouveau-Brunswick, le Dominion du Canada et, avec la fin du régime britannique

Levé du détroit de Fury et Hecla Bateaux hydrographiques de fortune de l'île Melville et de la Petite île Cornwallis

Pour faire le levé du détroit de Fury et Hecla dans l'est de l'Arctique, entre l'extrémité nord de la presqu'île Melville et l'île Baffin, le *Baffin*, comme les bateaux des premiers explorateurs de l'Arctique, navigue dans des eaux non cartographiées. Le détroit de Fury et Hecla avait été considéré comme une route possible pour le transport du pétrole et du gaz de l'Arctique canadien. L'équipe de levé a fait face aux dangers que constituent la glace, le froid et l'hostilité de l'environnement.

Le navire de la Garde côtière *Louis St. Laurent* et d'autres brise-glaces de Transports Canada servent fréquemment de navires hydrographiques aux hydrographes dans l'Arctique. Le *Louis St. Laurent*, au large de la petite île Cornwallis, aide le navire de ravitaillement *Arctic Tide* à se frayer un chemin jusqu'à Polaris Mine, dans l'île. Au cours de ces traversées, on fait des sondages qui complètent les données obtenues au cours des levés officiels.

BAFFIN

2 MINUTE

sur le territoire, venait la fin officielle, sinon réelle, de la cartographie des eaux canadiennes par l'Amirauté. Après 1867, les Britanniques commencèrent à retirer graduellement leurs navires des activités de cartographie au Canada, sauf dans les secteurs où la navigation, le commerce et les communications de l'Empire étaient directement concernés, comme dans les eaux de Terre-Neuve et de l'Île-du-Prince-Édouard (le bureau principal du Levé de Terre-Neuve fut maintenu à Charlottetown même après l'entrée de l'Île-du-Prince-Édouard dans la Confédération en 1873) et sur la côte de la Colombie-Britannique.

Le gouvernement fédéral, cependant, jugea qu'il n'avait ni le personnel compétent ni les ressources financières nécessaires pour entreprendre et financer lui-même des levés, et l'hydrographie ne figurait pas au nombre des priorités dans les plans généraux.

Les Canadiens firent toutefois certains travaux hydrographiques à cette époque. La création de la Province du Canada par l'union du Haut-Canada et du Bas-Canada en 1841 avait aussi permis la création d'une Commission canadienne des travaux. L'une des tâches de cette commission était de construire des canaux. Thomson, dans un de ses ouvrages, affirme que "les premières indications de levés hydrographiques canadiens, distincts de ceux de l'Amirauté britannique, se trouvent dans les rapports et les cartes des ingénieurs provinciaux, préparés pour des travaux publics. La Commission des travaux peut donc être considérée comme un lien important (pendant une période de transition générale) entre les levés de l'Amirauté et les travaux de mesures hydrographiques canadiens, contribuant particulièrement à améliorer la navigation dans le bassin du fleuve Saint-Laurent". Mis à part l'entretien et l'amélioration des voies de navigation et des canaux existants, une grande partie du temps des hydrographes des travaux publics était consacrée à des levés d'une route de navigation possible entre la baie Georgienne et Montréal par les rivières des Français et des Outaouais. Mais ce projet fantastique ne s'est jamais matérialisé.

Ce n'est donc pas avant 1882 que le gouvernement canadien se rendit compte de la nécessité pressante d'obtenir les services d'un hydrographe qualifié pouvant refaire un levé moderne complet des grandes voies maritimes des Grands lacs. Incapable de trouver un tel homme au Canada, le Dominion se tourna, évidemment, vers l'Amirauté britannique. Une demande d'aide pour l'établissement d'un levé hydrographique canadien fut donc envoyée à l'Amirauté par le ministre de la Marine et des Pêcheries.

Cette demande faisait directement suite au naufrage, au cours de la tempête du 14 septembre 1882, du paquebot à vapeur *Asia*, qui avait entraîné la perte de quelque cent cinquante vies humaines. Il ne s'agissait pas du premier incident maritime important dans les Grands lacs, mais il s'agissait du plus gros incident au niveau des pertes de vies humaines. Il contribua à prouver sans l'ombre d'un doute, ajouté à la longue liste d'incidents maritimes antérieurs, particulièrement dans la baie Georgienne qui était alors le centre d'activité de l'industrie canadienne du commerce maritime, que les cartes de Bayfield établies dans les années 1820 ne répondaient plus aux besoins des nouveaux navires.

Les bateaux à vapeur, munis d'une coque en bois et de roues à aubes, avaient fait leur introduction dans les Grands lacs pendant la guerre de 1812. En 1838, certains de ces bateaux étaient mus par des hélices. Ce n'est que pendant les années 1870 que le caractère des activités maritimes dans les Grands lacs a radicalement changé avec l'introduction des bateaux à vapeur à fort tirant et à coque de fer: les cargos et les transporteurs. Ces bateaux étaient beaucoup plus rapides et pouvaient naviguer beaucoup plus près de la côte que les grands voiliers de l'époque de Bayfield. La baie Georgienne, avec les grands ports et centres de construction navale d'Owen Sound et de Collingwood était dangereuse; sa côte accidentée, avec de nombreux hauts-fonds non cartographiés, commença à faire des victimes. Le nombre croissant de naufrages, finissant par le désastre de l'*Asia*, ne passa pas inaperçu du public, de la presse et enfin des hommes politiques qui étaient soumis aux pressions des manchettes et des éditoriaux et au mécontentement de leurs commettants et des hommes d'affaires des milieux de l'exploitation minière, de la marine marchande et des chemins de fer, tous dépendant d'une façon ou d'une autre de l'obtention de cartes précises de la baie Georgienne.

À la suite du naufrage de l'*Asia*, on fit évidemment des enquêtes et on décida enfin de consulter les Britanniques dans l'espoir qu'un ''homme de l'Amirauté'' serait détaché pour refaire des levés de la baie Georgienne selon les normes modernes.

En février 1883, l'Hydrographe de la Marine royale donna instruction au capitaine d'état-major William Maxwell du Levé de Terre-Neuve de quitter ses quartiers d'hiver situés à Charlottetown pour aller s'entretenir avec le ministre de la Marine et des Pêcheries, à Ottawa. Concluant de ces entretiens que les exigences du gouvernement fédéral en matière de levés visaient pour le moment les centres de marine marchande de la baie Georgienne et du lac Huron, Maxwell recommanda immédiatement à l'Amirauté de détacher quelqu'un de Londres. Le 13 août 1883, le commandant John George Boulton arrivait à Ottawa. Le Service hydrographique du Canada, sous le nom de Levé de la baie Georgienne, financé par le gouvernement du Dominion du Canada, venait de naître.

Boulton, qui avait quarante et un ans en 1883, était un officier de marine expérimenté et un hydrographe qui avait servi l'Amirauté depuis l'âge de quinze ans. Il avait navigué comme adjoint de Maxwell au cours du Levé de Terre-Neuve, de 1872 à 1881, avant de retourner en Angleterre avec sa famille pour y passer ses examens de pilotage de navire de première classe.

Ayant réussi ses examens, il fut affecté à un levé sur la côte ouest de l'Angleterre. Insatisfait de cette affectation, il avait demandé plusieurs fois de retourner dans les eaux canadiennes, mais on le lui avait refusé. Toutefois, peut-être avait-il eu vent de ce qui se préparait au Canada, mais Boulton mentionna dans sa dernière demande son désir de faire des levés dans la baie Georgienne, si les Canadiens en voyaient la nécessité. Ainsi, en juillet 1883, compte tenu du souhait de Boulton et de ses années de service antérieures sous la direction de William Maxwell, l'homme qui recommandait le détachement d'un hydrographe de l'Amirauté dans la baie Georgienne, Boulton fut nommé responsable du Levé de la baie Georgienne.

À son arrivée à Ottawa, Boulton découvrit bientôt qu'il allait être largement laissé à lui-même. Les seules directives qui lui furent données étaient de limiter ses levés aux principales routes des navires entre la baie Owen, dans la baie Georgienne, et Sault-Sainte-Marie, dans le chenal nord du lac Huron; en outre, il devait adopter les côtes déjà cartographiées par l'amiral Bayfield pour ses levés. Par cette dernière directive, le gouvernement entendait économiser, mais Boulton se rendit vite compte que les travaux de Bayfield ne répondaient plus aux besoins des nouveaux transporteurs de lacs, et il finit pas convaincre le ministère de lui donner le temps et l'argent nécessaires pour faire de nouveaux levés des côtes.

À ce point, il fallait maintenant déterminer où allait commencer le levé. À cette fin, Boulton se rendit à Collingwood, passant une semaine à s'entretenir avec des capitaines, des pilotes et des autorités de la marine marchande au sujet des hauts-fonds, rochers, récifs non cartographiés et de l'intensité de la circulation dans la baie. Tenant compte de tous ces renseignements et du fait que le *United States Geodetic Survey* avait bien défini l'emplacement du phare de Cove Island dans l'entrée est de la baie, Boulton quitta Collingwood pour le port de Killarney, dans l'entrée est de ce que

*C'est le naufrage de l'*Asia*, en 1882, entraînant la perte de plus d'une centaine de vies humaines, qui a mené directement à la formation du Service hydrographique du Canada. Christy Ann Morrison, que l'on voit ici, fut l'une des deux personnes que cette tragédie maritime épargna.*

Le Bayfield *a été le premier navire de levés en service à temps plein pour le Service hydrographique du Canada. Acquis en 1884 pour les travaux de Boulton dans la baie Georgienne, cet ancien chaland est demeuré en service dans les Grands lacs jusqu'à son remplacement par le deuxième* Bayfield, *en 1902.*

l'on appelle le chenal Nord. C'est là, avec quelques aides embauchés temporairement et des remorqueurs de pêche loués, qu'il établit une ligne de base du levé et traça un réseau de triangulation vers le sud-ouest en direction du phare de Cove Island.

À la fin d'août, n'ayant pas reçu le navire promis par le gouvernement, Boulton prit de lui-même la décision d'affréter un remorqueur, le *Ann Long*, pendant quarante-cinq jours, soit pour le reste de la saison. C'était un bateau de soixante-douze pieds, bien inconfortable, et qui n'était pas équipé du tout pour le travail d'hydrographie. Il servit quand même à la tâche et passa dans l'histoire comme le premier navire utilisé par le gouvernement du Dominion pour les travaux hydrographiques.

Boulton, malgré les handicaps que présentait l'absence de navire hydrographique et d'adjoints qualifiés, était très heureux d'être son propre patron dans les eaux canadiennes et en même temps impatient de prouver sa valeur aux Canadiens. Par conséquent, en octobre, installé dans un bureau de l'Édifice de l'ouest sur la colline parlementaire, il avait rassemblé suffisamment de données pour commencer à écrire le premier chapitre de son ouvrage intitulé *The Georgian Bay and North Channel Pilot*. Il passa l'hiver à préparer les minutes hydrographiques des levés à venir et à établir les spécifications d'un nouveau bateau à vapeur hydrographique du gouvernement.

Boulton avait aussi pour mandat de recruter et de former des hydrographes canadiens. À cette fin, et parce qu'il avait grand besoin d'aide, Boulton embaucha William James Stewart en mars 1884. Stewart était premier diplômé et médaillé d'or du Collège militaire royal de Kingston, et futur hydrographe en chef du Canada. Au printemps de cette année-là, le gouvernement fit l'acquisition, pour la somme de $15 000, de son premier bateau à vapeur hydrographique, l'*Edsall*, un ancien remorqueur. Pour un supplément de $4 000, l'*Edsall* fut réaménagé et équipé pour les travaux hydrographiques et rebaptisé *Bayfield* en l'honneur de l'homme qui avait entrepris les travaux hydrographiques dans les Grands lacs.

Pendant les saisons qui suivirent, Boulton et Stewart étendirent leur levé vers le nord et vers l'ouest le long — pour reprendre les mots de Boulton — ''de la présente route de commerce, ne nous croyant pas justifiés d'engager des dépenses pour faire des levés d'étendues d'eau dans lesquelles, pour l'instant, les bateaux n'ont aucune raison de passer''. Boulton, cependant, au contraire de certains hydrographes qui l'avaient précédé, n'était pas sans entrevoir les besoins possibles des futurs hydrographes dans le secteur, et il notait dans le même rapport que ''si on découvrait du minerai ou si une industrie devait s'établir, il serait alors facile d'étendre le levé à un endroit particulier; c'est en songeant à cela que nous avons indiqué les centres des principales stations de triangulation par de larges flèches dans les rochers ou par des barres de fer plantées dans le sol''.

En 1886, la première carte du Levé de la baie Georgienne était publiée par l'Amirauté, un deuxième adjoint était embauché pour Boulton, et le *Bayfield* subissait de nouveaux travaux d'aménagement et d'équipement d'une valeur de $5 000. Il pouvait maintenant transporter deux petites embarcations hydrographiques et un effectif total de vingt-trois personnes, dont trois hydrographes. Cette même année, le commandant Boulton établit le premier repère permanent canadien, indiquant le plus bas niveau que peut atteindre la surface de l'eau d'un lac ou de la côte; ce repère avait la forme d'un bloc de pierre monumental près de Little Current, dans l'île Manitoulin. À ce sujet, il écrit: "le dessus nivelé étant à 6 pieds 9 pouces au-dessus du niveau moyen de la surface de l'eau en été, ces données ont été gravées sur le dessus de la pierre pour servir de repère permanent pour référence et comparaison ultérieure".

Boulton était un homme pressé, mais il se révélait aussi essentiellement un bon hydrographe par sa volonté de concéder que parfois le seul moyen de bien faire les choses était de prendre son temps. En 1889, il écrit à propos d'une section de la côte nord-est de la baie Georgienne entre l'inlet Byng, où l'*Asia* avait fait naufrage en 1882, et les îles Limestone:

> Le travail dans cette partie de la baie Georgienne doit nécessairement se faire lentement, car il est difficile de concevoir une côte aussi accidentée, sans compter que les hauts et les bas du fond s'étendent vers la mer sur deux ou trois milles, créant de nombreux dangers très difficiles à repérer au moyen des méthodes hydrographiques ordinaires.. La seule façon de naviguer le long d'une côte d'un caractère aussi exceptionnel est de se conformer exactement aux points de repère donnés sur les cartes et instructions aux navigateurs, sans prendre trop de liberté à cause de ce fond très inégal, même si la carte indique suffisamment d'eau. Sonder les eaux sombres de la côte nord-est de la baie Georgienne, où il est parfois impossible de voir un rocher couvert par seulement six pieds d'eau, c'est comme marcher à l'aveuglette dans le noir et, bien que nos lignes ne soient parfois espacées que de 100 verges, ce qui n'est pas une très grande distance comparativement à l'étendue énorme du lac qui n'a pas encore été examinée, il arrive que le plomb de sonde ne donne aucune indication de rocher. Je tiens à mentionner ce fait pour montrer que le *travail hydrographique ne peut être accéléré au risque de laisser de côté des dangers qui pourraient entraîner la perte de la réputation de l'officier en chef, sans compter celle de précieuses vies humaines.*

En 1890, le levé du chenal nord était terminé. Boulton rapporta que la saison avait été la meilleure qu'il eut connue et qu'un bateau pouvait maintenant se rendre d'Owen Sound à Sault-Sainte-Marie, soit une distance de 200 milles, dans des eaux récemment cartographiées. Après le levé du chenal Nord, il restait suffisamment de

La vedette de Quadra dut attendre la marée à Hole-In-The-Wall (Colombie-Britannique).

temps pendant la belle saison pour permettre au *Bayfield* de se rendre à Parry Sound où Boulton et le reste de son équipe ont fait des levés des chenaux menant au port. Ici encore, Boulton voit en fonction de l'avenir. Il indiqua que la circulation générale le long de la côte, les nombreuses îles et les quelques chenaux intérieurs incitent les touristes à faire de cette région un endroit de villégiature. De fait, cette partie de la baie Georgienne allait devenir, quelques années plus tard, la source d'inspiration des peintres du Groupe des Sept, devenant peu à peu au cours des cent années qui suivirent un endroit de villégiature privilégié pour de nombreux citadins de l'Ontario; c'est aussi un des lieux de navigation les plus populaires pour lequel la première carte a été publiée.

En juin 1890, le bateau à vapeur *Parthia* des chemins de fer du Canadien Pacifique toucha un haut-fond dans les eaux de l'inlet Burrard, en Colombie-Britannique. L'incident fut rapporté à l'Administration du pilotage et le secteur fut examiné par l'*Amphion*, posté à la base de la Marine royale, à Esquimalt. À l'époque, l'Angleterre tentait encore de garder la responsabilité des levés marins des eaux au large de tous les pays du Commonwealth, mais elle ne disposait pas toujours des navires hydrographiques nécessaires pour examiner tous les hauts-fonds récemment découverts dans toutes les parties de son vaste empire. Dans le cas de l'inlet Burrard, le gouvernement fédéral envoya une demande de levé au gouvernement britannique, qui lui répondit par l'affirmative, mais en suggérant que la question pourrait peut-être être résolue plus rapidement si quelqu'un de l'équipe canadienne du commandant Boulton s'en chargeait.

Les premières vedettes portaient mâts et voiles.

Apparemment, le levé du chenal Nord terminé, Boulton jugeait le travail des Grands lacs suffisamment avancé pour permettre à Stewart de quitter le Levé de la baie Georgienne, à l'été de 1891, pour se rendre sur la côte ouest effectuer un nouveau levé de l'inlet Burrard et du port de Vancouver. Il s'agissait donc du premier levé en eau salée de l'histoire du service canadien. Le prochain levé en eau salée sur la côte ouest n'aurait d'ailleurs pas lieu avant 1906, c'est-à-dire quinze ans plus tard. D'autre part, les hydrographes canadiens n'allaient pas commencer les sondages sur la côte est avant 1905.

Avec l'entrée dans la Confédération des deux dernières provinces maritimes, soit la Colombie-Britannique sur la côte ouest et l'Île-du-Prince-Édouard sur la côte est, au début des années 1870, le gouvernement du Dominion subissait des pressions accrues pour prendre en charge la cartographie de ses côtes. Cependant, le gouvernement n'avait pas les moyens de se permettre les équipes, les navires et les ressources financières nécessaires pour les travaux hydrographiques dans les Grands lacs, sans compter l'immensité de ses deux côtes. Il envoya donc des demandes d'aide occasionnelle à l'Amirauté britannique, précisant que le gouvernement canadien paierait la moitié des coûts de chaque entreprise.

Sur la côte ouest, pendant la décennie qui suivit l'entrée de la Colombie-Britannique dans la Confédération en 1871, les hydrographes de l'Amirauté firent, à la demande du gouvernement canadien, des levés de reconnaissance des inlets qui pourraient se prêter à l'établissement d'un terminal pour les chemins de fer du Canadien Pacifique. Mais il a fallu attendre 1898 pour qu'un navire hydrographique de l'Amirauté soit une fois encore posté de façon régulière à Esquimalt. Il s'agissait du *Egeria*, qui demeura sur la côte jusqu'en 1910. Sa présence s'expliquait par plusieurs raisons: en 1899, l'*Egeria* passa quatre mois à faire des sondages océaniques le long de la route du câble qu'on se proposait d'installer dans le Pacifique entre le Canada et l'Australie. L'année suivante, il commença à refaire les levés de la côte est de l'île Vancouver, selon les normes modernes, pour répondre aux besoins créés par l'accroissement du trafic maritime dans le secteur, résultant en partie de l'activité créée par la ruée vers l'or au Klondike au cours de ces années-là.

En 1906, l'orientation des levés sur la côte ouest était déplacée des régions habitées du sud vers la côte nord de la Colombie-Britannique, encore relativement vierge. Le chemin de fer Grand Tronc avançait de plus en plus vers l'ouest, et il fallait des cartes marines appropriées pour établir un nouveau terminal pour les navires de l'Orient. Prince Rupert fut l'endroit désigné pour ce terminal et le Service canadien, n'ayant pas dans ses rangs un seul hydrographe expert en eaux salées, dut se contenter d'une équipe dirigée par un ancien Arpenteur du Dominion, G.B. Dodge, qui avait travaillé au Levé de Terre-Neuve de l'Amirauté. Port Simpson, cependant, avait d'abord été choisi comme lieu du nouveau port et c'est à cet endroit que les derniers levés canadiens de l'*Egeria* ont commencé. Ils ont été terminés en 1909. En 1910, l'*Egeria* était mis hors service et vendu. La présence hydrographique de l'Amirauté sur la côte ouest du Canada cessait avec lui.

G.B. Dodge, arpenteur qui avait acquis une certaine expérience de l'hydrographie avec la Marine royale, fut désigné pour faire le levé du port de Prince Rupert choisi comme terminal du chemin de fer Grand Tronc sur la côte ouest. Il avait comme adjoints le commandant O.C. Musgrave et H.D. Parizeau. Ce dernier a terminé le levé qui allait servir à faire la première carte entièrement canadienne de la côte ouest.

*Bien après l'établissement du Service hydrographique du Canada, l'Amirauté britannique a conservé la responsabilité de certains levés de la côte est. L'*Egeria*, ayant port d'attache à Esquimalt pendant douze ans, continua ses opérations jusqu'en 1910. Le capitaine Parry et ses officiers se sont réunis ici pour la postérité, sur fond sylvestre, dans le chantier naval. A noter la présence de la mascotte du bateau, au premier plan, à gauche.*

Sur la côte est, pendant la même période, soit de 1867 à 1908, l'Amirauté a maintenu le Levé de Terre-Neuve avec son bureau principal à Charlottetown et de 1908 à 1912, à Halifax. Le commandant Maxwell, dont Boulton avait été l'adjoint, a conservé la charge du levé jusqu'en 1891. Son successeur, le commandant d'état-major William Tooker, a participé à l'un des derniers levés britanniques effectués pour les Canadiens, soit celui d'une partie de la côte au large de l'île Anticosti en 1892, lieu où s'étaient produits de nombreux naufrages. Le capitaine J.W.F. Coombe a succédé à Tooker en 1908. Le dernier travail effectué dans le cadre du Levé de Terre-Neuve a été le levé du port de Saint John's et des voies d'accès, lequel a été terminé le 31 octobre 1912; l'embarcation à vapeur *Ellinor*, affrétée pour ce travail, est partie pour les Antilles britanniques et on a fermé le bureau d'Halifax du Levé de Terre- Neuve. Ainsi prenait fin une illustre tranche de l'histoire de l'hydrographie au Canada.

Cependant, l'Amirauté a fait deux autres levés importants dans les eaux de Terre-Neuve. En 1932 et en 1933, le *Challenger* faisait un levé qui devait servir à l'origine à cartographier une route en deçà des îles d'Indian Harbour au sud jusqu'à Cape Chidley au nord. C'était là un objectif beaucoup trop ambitieux qui n'a d'ailleurs pas encore été atteint. En deux ans, en plus d'un levé l'hiver, le commandant A.G.N. Wyatt acheva le levé du Nain. Le prix payé à l'Amirauté est inscrit sur le rocher Challenger sur lequel le navire fut gravement endommagé.

Le dernier levé de l'Amirauté fut celui de l'inlet Saint Lewis, aussi sur la côte du Labrador, réalisé en 1939 par le lieutenant-commandant C.W. Sabine, à bord du *Franklin*.

Entre-temps, en 1892, le Levé de la baie Georgienne dirigé par le commandant Boulton tirait à sa fin. Le premier volume des instructions nautiques canadiennes, intitulé *The Georgian Bay and North Channel Pilot*, était publié. En outre, une loi du Parlement fédéral plaçait les observations des marées et les levés hydrographiques sous la direction du service de l'Ingénieur en chef de la Marine et des Pêcheries. C'est aussi à cette époque que le commandant Boulton entreprit sa dernière saison sur le terrain. En octobre, il pouvait affirmer sans l'ombre d'un doute et avec une certaine fierté:

> Deux autres saisons devraient suffire à terminer le levé de la baie Georgienne et du chenal Nord du lac Huron. Le nombre total de milles marins de côte inclus dans les levés a été d'environ 2 560: les sondages par bateau s'élèvent à 8 224, tandis que 9 203 milles ont été sondés avec le navire. Le coût de ces levés a été d'environ $188 000, c'est-à-dire une valeur moyenne de $73 le mille de côte levé. Les États-Unis ont à peu près la même longueur de rive le long du lac que le Canada; leur levé a été entrepris en 1841 et s'est terminé en 1881, au coût total de $2 750 000.

Le 12 avril 1893, Boulton cédait officiellement son poste de commandement du Levé de la baie Georgienne à Stewart, son adjoint depuis 1884. À son retour au bureau hydrographique de l'Amirauté à Londres, il fut nommé adjoint à l'Hydrographe en chef, poste qu'il occupa jusqu'à sa retraite en 1898 avec le rang de capitaine.

Cette même année, Boulton revint au Canada pour vivre à Québec, où il mourut en 1929 à l'âge de quatre-vingt-sept ans.

Le lieutenant W.F. Maxwell a été l'un des nombreux officiers de la Marine royale nommés pour diriger le Levé de Terre-Neuve après le détachement de Boulton dans les Grands lacs.

William J. Stewart fut le premier Hydrographe du Dominion, bien que son titre officiel ait été "Chef arpenteur hydrographe". Il avait été l'un des premiers étudiants diplômés du Collège militaire royal de Kingston et, comme finissant de cette institution, il avait reçu la médaille d'or d'excellence.

En 1893, le successeur de Boulton, William J. Stewart, suivant les ordres de l'ingénieur en chef William Anderson, s'embarqua sur le *Bayfield* avec deux nouveaux adjoints, dont l'un était Frederick Anderson, qui devait succéder à Stewart, pour terminer le Levé de la baie Georgienne. L'ingénieur en chef lui-même se rendit à bord d'un bateau loué pour faire un nouveau levé de la baie de Quinte dans le lac Ontario. Cette expédition était devenue nécessaire en raison de l'accroissement des activités maritimes dans la baie à la suite de l'achèvement, en 1889, du chenal Murray. Cependant, les cartes de la baie établies grâce aux travaux de l'ingénieur en chef n'ont pas été publiées avant 1900, à cause des retards qu'entraînait le processus exigeant que les cartes canadiennes fussent imprimées et publiées par l'Amirauté en Angleterre, situation qui n'allait pas changer avant 1903.

En 1894, le Levé de la baie Georgienne était terminé, sauf pour le milieu de la baie, qui n'allait pas être sondé avant 1964. Il avait fallu onze années et plus de $215 000 pour produire treize cartes et un volume d'instructions nautiques. Mais quand on songe aux conditions de l'époque, il faut se rappeler que les rives compliquées, les nombreuses îles et chenaux de la baie Georgienne constituaient d'imposantes difficultés, particulièrement pour réaliser un levé avec, au plus, trois hydrographes au travail. C'est pourquoi Stewart pouvait écrire avec assez d'assurance que, à l'avenir, "à l'exception possible du lac Supérieur, aucun autre lac n'allait demander autant de temps ou d'argent".

Cette remarque était particulièrement appropriée quand on sait que William Anderson, ingénieur en chef et supérieur immédiat de Stewart, allait déclarer seulement quatre mois plus tard dans son rapport annuel de janvier 1895: "le levé hydrographique de la baie Georgienne et du chenal Nord qui était très pressant étant maintenant terminé, on a décidé de continuer les travaux dans les autres eaux canadiennes des Grands lacs. Avec l'accroissement du tirant d'eau et de la vitesse des navires, il devient de plus en plus pressant d'avoir des cartes fiables". Ainsi naquit le Levé des Grands lacs, qui devait occuper Stewart et ses adjoints pendant les huit années suivantes.

Pendant les saisons de 1895 à 1897, le *Bayfield* servit au levé des rives du lac St. Clair, du lac Érié et du lac Huron. Mais en 1898, le navire retourna à Parry Sound pour refaire le levé du principal chenal de navigation en vue d'améliorer les aides à la navigation dans ce passage, principalement les feux d'alignement et les bouées à espar. Cette entreprise faisait suite à l'établissement, la même année, d'une ligne de grands cargos devant transporter des denrées vers le nouveau terminal de Parry Sound des chemins de fer Ottawa, Arnprior et Parry Sound, ou en provenance de celui-ci. Plus tard au cours de la saison, le *Bayfield* retourna au levé du reste du lac

Huron où il demeura pendant les trois saisons qui suivirent, la dernière, celle de 1901, sous le commandement du premier adjoint de Stewart, Frederick Anderson.

Stewart lui-même passa l'été de 1901 sur le *Frank Burton*, remorqueur à vapeur loué pour faire le levé des eaux de la partie sud du lac Winnipeg. Depuis la mise en place, en 1898, par le ministère de la Marine et des Pêcheries, des deux phares le long du lac, l'accroissement du trafic maritime dans ces eaux non cartographiées exigeait que l'on entreprît des levés hydrographiques.

Les travaux se sont poursuivis sur le lac Winnipeg pendant trois ans, les deux dernières années sous la surveillance des adjoints de Stewart, celui-ci étant retourné dans les Grands lacs. Finalement, le levé du lac Winnipeg a peut-être surtout tiré son importance de la carte qui en fut produite, puisqu'il s'agissait de la première carte marine *canadienne* établie à partir de levés *canadiens*, ''la première fois que les résultats d'un levé canadien n'étaient pas envoyés à l'Amirauté pour impression et publication'' (Meehan). C'est la *Carte 6240*, de la rivière Rouge à la rivière Berens. Malheureusement, l'ingénieur en chef devait plus tard rapporter que la demande pour cette carte avait été très négligeable.

En 1902, Stewart, seul hydrographe à bord du *Bayfield*, puisque ses deux adjoints étaient sur le lac Winnipeg, commença son long levé du lac Supérieur. Ayant qualifié le *Bayfield* vieillissant de ''tout à fait inapproprié'' pour ce levé et étant obligé de prendre toutes les mesures seul, la quantité de travail que pouvait accomplir Stewart pendant la saison était évidemment limitée. Mais l'année suivante, bien qu'il ait été encore sans adjoint et forcé d'embaucher des étudiants de passage, Stewart disposait d'un nouveau navire plus grand et plus puissant, le *Lord Stanley*, immédiatement rebaptisé *Bayfield*, qui lui permit de commencer les sondages au large de la rive nord, plus exposée et soumise aux vents du lac Supérieur, vers l'est jusqu'à Thunder Bay.

La saison de 1903 allait être la dernière du Levé des Grands lacs. Il s'agissait aussi de la dernière saison sur le terrain de William J. Stewart. En 1904, par décret du Conseil (C.P. 461), le gouvernement du Canada combinait en un seul service hydrographique du Canada† les activités que le ministère des Travaux publics et le ministère de la

Frederick Anderson a remplacé Stewart comme Hydrographe en chef et ce fut sous lui que le service reçut son nom de Service hydrographique du Canada. Anderson avait son brevet de capitaine pour les petits bateaux et, comme chef du Service, on ne le désignait pas autrement que comme le ''Capitaine''.

†En réalité, il existait un service hydrographique canadien depuis le Levé de la baie Georgienne de Boulton en 1883. Le décret du Conseil en 1904 élargissait le mandat du service, mais non ses fonctions de base, et en modifiait le nom, qui devenait Service hydrographique du Canada. Dans l'usage courant, le nouveau nom est devenu Levé hydrographique canadien, et ce n'est pas avant 1928 que la dénomination de Service hydrographique du Canada fut officiellement adoptée. Malgré ces changements de nom, l'objectif et les fonctions de l'organisme sont demeurés constants. Dans le présent ouvrage, nous avons utilisé le titre de Service hydrographique du Canada (SHC), pour marquer la continuité de la tradition hydrographique au Canada, même si, dans certains cas, il peut paraître anachronique.

Marine et des Pêcheries s'étaient partagées dans ce domaine.

Les hydrographes qui provenaient du ministère des Travaux publics avaient derrière eux une plus grande histoire que ceux du Levé des Grands lacs. En effet, leurs origines remontaient jusqu'en 1841 alors que l'Acte d'Union faisait du Haut et du Bas Canada (Ontario et Québec) la province du Canada. En août 1841, la Commisson du travail était créée pour la nouvelle province. Celle-ci devenait responsable des levés marins et du dragage du fleuve St-Laurent et des Grands lacs.

En vertu de l'Acte de l'Amérique du Nord britannique, la Commission du travail devenait le ministère fédéral des Travaux publics, responsable des améliorations aux ports et rivières du Canada. En 1896, une unité de levés hydrographiques était fondée et sa tâche principale était de faire le levé du fleuve Saint-Laurent en amont de Montréal afin d'établir les plans de dragage nécessaires pour creuser un canal de 27½ pi.

En mai 1879, le ministère des Chemins de fer et Canaux se détache des Travaux publics et, en 1884, crée sa propre unité hydrographique. De là jusqu'à ce qu'elle se joigne au SHC en 1904, il effectua des levés sur la rivière Richelieu, le lac Saint-Louis et en amont de la rivière des Outaouais.

Un second décret du Conseil en 1904 spécifie ceci:

> Tous les travaux hydrographiques du Dominion devraient être administrés et dirigés par un chef arpenteur hydrographe dont le bureau central serait situé en permanence à Ottawa... On constatera que M. William J. Stewart a une très vaste et longue expérience comme arpenteur hydrographe dans les Grands lacs et une certaine expérience des eaux salées, là où les courants sont très forts et les marées très grandes... Le Ministre recommande donc que M. Stewart soit nommé chef arpenteur hydrographe du Canada.

C'est ainsi que Stewart, qui préférait le titre d'Hydrographe en chef, prit la direction du Service hydrographique qui venait d'être réorganisé. Par coïncidence, en juin de la même année, l'Amirauté, assaillie de demandes de levés et de reprises de levés des colonies et des dominions britanniques dans le monde, demanda aux plus autonomes, comme l'Australie et le Canada, d'établir leur propre service de levés maritimes et de faire eux-mêmes les levés hydrographiques le long de leurs côtes. L'Amirauté mentionna également qu'elle s'attendait à ce que le Canada fût le premier à le faire. Et elle avait d'ailleurs raison. De fait, nous avions devancé la demande de quatre ou cinq mois. En réalité, les Canadiens tentaient de répondre à leurs besoins hydrographiques depuis que Boulton avait été embauché en 1883. Évidemment, celui-ci était *officier britannique*, un "homme de l'Amirauté", mais les Canadiens l'avaient rémunéré et avaient acquitté les dépenses de ses levés dans la baie Georgienne. Le fait que Boulton était Britannique nous semble maintenant une simple suite logique au legs que nous avait laissé le capitaine Cook, le père de l'hydrographie moderne, l'homme qui avait su utiliser et consolider les travaux des navigateurs français, espagnols et portugais, lesquels, pendant des centaines d'années, avaient navigué dans les eaux du Canada et les avaient cartographiées.

En dernière analyse, cependant, ce sont véritablement Boulton et son élève canadien, William J. Stewart, qui ont jeté les bases du Service hydrographique du Canada dont nous célébrons le centenaire. Meehan, dans son histoire inédite des débuts du Service, commentant l'importance des dix premières années pendant lesquelles Boulton faisait le Levé de la baie Georgienne, énumère les réalisations de Boulton en ce qui a trait aux cartes et aux instructions publiées et portant sa signature. Cependant, Meehan ajoute:

> Mais plus importantes encore ont été les *techniques* et les *pratiques* que le commandant Boulton a transmises à ses successeurs, pratiques qui sont devenues la norme pour le Service hydrographique jusqu'à l'avènement, en 1904, de la vedette à essence et, en 1929, du sondeur à écho.

Penchons-nous maintenant sur ces techniques et pratiques et leur perfectionnement au cours du vingtième siècle.

Outils et mesures

Les mesures et non les hommes

Lord Chesterfield (1694-1773)

Les mesures, non les hommes, ont toujours été ma marque

Oliver Goldsmith (1728-1795)

Non pas des hommes, mais des mesures

Edmund Burke (1729-1797)

LES MESURES, ET NON LES HOMMES'', VOILÀ UNE IDÉE PRÉDOMINANTE DU dix-huitième siècle, qu'on a appelé l'âge de la raison. Ce qui inspirait ce mot d'ordre, c'était la notion que l'homme véritablement scientifique, rationnel, et par conséquent, promis au succès faisait fond sur les observations objectives des faits, sur les ''mesures'' plutôt que sur les déductions subjectives, voire purement intuitives des ''hommes''. C'est ce credo qui a mené, entre autres choses, à l'invention des instruments et des méthodes utilisés par le capitaine Cook, instruments et méthodes qui ont transformé les *arts* de la navigation et de la cartographie marine en *science* de l'hydrographie.

Au Canada, les outils et mesures de l'époque de Cook sont demeurés en usage, relativement inchangés, presque jusqu'au milieu de notre siècle. Mais l'attitude qui avait favorisé la mise au point des instruments et des méthodes du dix-huitième siècle, et son insistance sur ''les mesures, et non les hommes'', a fini par s'atténuer. Les premières influences en faveur du changement sont nées de l'élan romantique du dix-neuvième siècle et de cet attrait pour les terres inexplorées du Canada; plus tard, ce seront l'humanisme du vingtième siècle et, enfin, les développements technologiques radicaux des trente dernières années; ces derniers, suscitant plus de questions que de réponses, ont ébranlé la croyance chancelante en l'infaillibilité de la science.

Il est donc important au début d'un chapitre sur les instruments et les méthodes de se rappeler que les cent années d'histoire du Service hydrographique du Canada ont été marquées non seulement par des mesures, par des techniques et des méthodes changeantes, mais aussi par les changements qu'ont connus parallèlement les attitudes des responsables de la mise au point et de l'utilisation des nouveaux outils hydrographiques et cartographiques, ainsi que les attitudes et les besoins des Canadiens.

La plus haute chaîne de montagnes n'est pas celle des Himalayas, des Rocheuses, des Andes et des Alpes. Le gouffre le plus large et le plus profond n'est pas celui du Grand Canyon au Colorado. La plaine la plus vaste ne se trouve pas dans les steppes de la Russie ou les grandes plaines de l'Amérique du Nord. Les montagnes les plus hautes, les gouffres les plus profonds et les plaines les plus vastes se trouvent dans les océans: une immensité invisible et, il n'y a pas si longtemps encore, non cartographiée et non cartographiable.

John Noble Wilford
The Mapmakers, 1981

Nos connaissances de la mer sont extrêmement pauvres. Nous travaillons en mer, mais nous ignorons à peu près tout de ce milieu. Nous l'utilisons pour porter nos navires, transmettre les ondes sonores, propager l'énergie de tout genre, sans avoir la moindre idée de la façon dont les ondes sonores se comportent et se déplacent dans l'eau de mer, sans pouvoir prédire les effets du vent sur la mer ou de la houle sur nos navires. Bref, nous nous targuons de connaître la profondeur de la mer et la présence ou l'absence d'épaves dans un secteur donné . . . sans rien savoir du milieu où nous recueillons cette information. Voilà une bien étrange situation qui tire son origine de l'époque où les océans et leurs frontières étaient considérés comme immuables et sans relief, une époque où l'homme avait une très haute opinion de ses connaissances scientifiques . . .

Commandant W. Langeraar,
Marine royale des Pays-Bas

À la fin du chapitre, on comprendra que, si perfectionné que soit le matériel utilisé, il ne peut remplacer le dévouement des hommes qui tendent vers des idéaux de vérité et de perfection, et qu'anime l'idée de trouver ''la réponse juste''. Ainsi, pour rendre justice à Edmund Burke, nous devrions peut-être replacer dans son contexte le commentaire cité précédemment:

> De ce même type est le jargon, non pas des hommes, mais des mesures; une sorte de sortilège par lequel bien des gens se délient de leurs engagements honorables.

Dans les chapitres qui suivent, nous nous pencherons plus précisément sur les hommes du Service hydrographique du Canada. Leur travail, dont dépendent la vie et la sécurité de tant de gens, peut sans contredit être qualifié ''d'engagement honorable''.

Pour le moment, nous donnerons un aperçu de l'histoire du SHC par un survol des instruments et méthodes employés sur le terrain, puis du développement de la cartographie marine au Canada et, enfin, des navires utilisés par les hydrographes canadiens pour leur travail.

L'hydrographie est essentiellement une science des mesures. Cependant, contrairement à la tâche de bien d'autres scientifiques, celle de l'hydrographe consiste à mesurer le plus gros objet que l'homme connaisse, la Terre elle-même ou, plus précisément, les eaux qui couvrent les trois quarts de la surface du globe.

Situons-nous pour un moment dans une partie des montagnes Rocheuses et des avant-monts de l'Alberta. Imaginons un passager à bord d'un tapis volant perfectionné qui flotterait à quelques milliers de pieds au-dessus, par exemple, de Calgary. Sa tâche, tandis qu'il est à bord du tapis, serait de faire les observations nécessaires pour produire une carte avec courbes de niveau de la région qu'il va survoler. Bien sûr, le passager du tapis a un important problème à résoudre: les nuages presque impénétrables à l'oeil nu qui lui cachent la vue du sol. Comment, précisément, s'y prendra-t-il pour produire sa carte des Rocheuses, de Calgary jusqu'à la côte?

De toute évidence, avant de prendre place sur le tapis, il lui faudra réfléchir sérieusement à son problème. Il devra probablement inventer quelque outil assez perfec-

L'instrument de base du navigateur est le compas magnétique. Au début, il s'agissait tout simplement d'une aiguille aimantée insérée dans un bouchon de liège ou dans un morceau de bois flottant dans un bol d'eau: quand l'aiguille arrêtait d'osciller, elle pointait vers le Nord. Plus tard, l'aiguille a été suspendue dans l'air, ou dans un liquide, sur un pivot; plus tard encore, une carte, sur laquelle étaient imprimés les points cardinaux, fut attachée à l'aiguille avec laquelle elle tournait pour que le marin puisse lire directement sur la carte la direction du navire.

tionné; un mètre pourra toujours lui servir s'il réussit à diriger le tapis près des sommets qui percent la couverture nuageuse, mais lorsque le sol se trouve à des milliers de pieds ou de mètres en-dessous... que faire?

Fondamentalement, les hydrographes qui ont navigué sur les océans du monde et parcouru la surface de la Terre se sont trouvés dans une situation analogue. Il leur a fallu réfléchir profondément à la tâche que constituait la cartographie des eaux de la Terre et ils ont dû inventer des instruments perfectionnés pour accomplir cette tâche. Le premier de ces instruments, et peut-être le plus simple, était le compas.

Avant que l'hydrographe commence à prendre ses mesures et avant que le navigateur puisse commencer à lire les cartes de l'hydrographe, ils doivent, l'un et l'autre, pouvoir distinguer "le haut du bas". Ils doivent pouvoir s'orienter, trouver la direction dans laquelle ils vont ou aimeraient aller; pour ce faire, il leur faut d'abord découvrir où se trouve le Nord†. Nous avons vu dans le chapitre précédent que l'introduction du compas magnétique avait permis aux premiers navigateurs européens de faire leurs

†La convention voulant que le nord soit placé au haut de la carte a été adoptée à une époque relativement récente. Les cartes médiévales plaçaient l'est, c'est-à-dire l'orient, en haut de la carte, pratique qui a donné naissance au mot *orienter*.

fameux voyages de découverte. Ce même compas magnétique, que connaissent bien les scouts et les guides, semble bien peu complexe. Une aiguille de fer suspendue est attirée par la force magnétique des pôles Sud et Nord. Malheureusement, pour la navigation sur de longues distances et une cartographie fidèle, c'est un peu plus compliqué.

Certains experts attribuent à Colomb le fait d'avoir découvert, au cours de ses traversées de l'Atlantique, que son compas ne pointait pas toujours exactement vers le Nord. Cette opinion est discutable et probablement fausse, mais que Colomb ou qu'un autre navigateur ait d'abord remarqué la différence, il reste que c'est au début de l'ère d'exploration européenne qu'on a établi la distinction entre le nord "vrai", c'est-à-dire le nord géographique, et le nord "magnétique".

Le nord géographique est synonyme du pôle Nord, point vers lequel convergent tous les méridiens de longitude; le nord magnétique est l'endroit, variable †, où pointe l'aiguille du compas magnétique. Le nord magnétique se trouve à environ 1 600 kilomètres au sud et à l'ouest du nord géographique, à mi-chemin entre Bathurst et les îles Ellef Ringnes.

Ce n'est qu'à partir de 1928 que les hydrographes canadiens ont utilisé un genre différent de compas. C'était le compas gyroscopique, inventé d'abord en Allemagne en 1906. La force gravitationnelle de la terre qui tourne est utilisée pour aligner des roues qui tournent de la même façon à bord d'un navire, de telle sorte qu'une rose des vents qui y est fixée indique *toujours* la position du nord géographique. Aux fins hydrographiques, il s'agisait d'un progrès considérable, particulièrement pour ceux qui travaillaient dans les eaux de l'Arctique, où les compas ordinaires, à proximité du pôle magnétique, sont virtuellement inutiles.

Le premier compas gyroscopique fut installé sur l'*Acadia* pendant la saison de levés de 1928, lorsque le navire travaillait le long de la rive nord du golfe du Saint-Laurent. Le compas se révéla très utile. L'expérience amena l'Hydrographe en chef du moment, le capitaine Anderson, à déclarer avec enthousiasme qu'il s'agissait là

†L'attraction de la Terre pour l'aiguille du compas est causée par la rotation de l'intérieur en fusion de la planète. La masse de cette roche liquide se déplace avec le mouvement de la Terre autour de son axe et autour du soleil; son influence sur l'aiguille du compas en est donc modifiée. Outre les variations du nord magnétique, le compas magnétique du navire subit l'influence d'un certain nombre d'autres facteurs. Le métal qui entre dans la composition de la coque ou de l'armement d'un navire peut influer sur l'exactitude du compas, et un compas magnétique est toujours plus juste quand le navire navigue généralement vers le nord ou le sud que vers l'est ou l'ouest.

d'une addition des plus précieuses et des plus satisfaisantes au matériel de navigation et de cartographie du navire. Mieux encore, Anderson reconnut immédiatement que cet instrument se révélerait d'une valeur inestimable pour l'étude de la variation magnétique et les travaux hydrographiques généraux dans la baie d'Hudson si le navire [*Acadia*] était affecté aux travaux dans les eaux du nord, comme ce fut d'ailleurs le cas l'année suivante.

Le seul commentaire défavorable au sujet du compas gyroscopique, a été fait par J.U. Beauchemin, hydrographe responsable de l'*Acadia*. Il déclarait avoir passé tous ses loisirs pendant l'été à étudier les différentes parties et le mécanisme du compas-maître, mais il avouait qu'il se trouverait bien embêté s'il avait à le réparer en cas d'urgence. C'était là une simple plaisanterie, mais ses remarques montraient bien le genre de changement que ces instruments de l'avenir allaient exiger quant au personnel requis pour leur fonctionnement et leur entretien.

O.M. Meehan écrivait au cours des années 1960 que l'installation du premier compas gyroscopique à bord du navire hydrographique *Acadia* marquait le début d'une transition entre les anciennes méthodes de levé et les appareils [électriques et, avec le temps] électroniques. C'était la première étape d'une longue révolution dans le domaine de l'hydrographie.

Ces nouveaux compas étaient assez dispendieux (presque $6 000 en 1928), mais leur valeur, pour une organisation intéressée avant toute chose à l'exactitude, était telle qu'on les installa bientôt à bord des autres principaux navires du Service, le *Lillooet* (1930), le *Wm. J. Stewart* (1932) et le *Cartier* (1934) et qu'ils font maintenant partie du matériel courant à bord des navires hydrographiques et des grands navires océaniques.

Le compas gyroscopique ou gyrocompas est constitué d'une masse tournante qui maintient la rose du compas constamment alignée dans l'axe nord-sud. Une toupie d'enfant illustre le même principe.

L'hydrographe a maintenant un dispositif qui lui permet de savoir où se trouve le "haut", c'est-à-dire le nord. Ce qu'il lui faut maintenant, c'est un moyen de déduire exactement *où* il se trouve sur la surface de la Terre.

Pour l'hydrographe, l'établissement de sa position est de première importance. S'il doit fournir aux navigateurs des renseignements sur les périls sous-marins pour la navigation, hauts-fonds, rochers, épaves et autres, il s'ensuit qu'il doit pouvoir indiquer où ces dangers se trouvent et les passages sûrs pour la navigation. C'est au moyen

N'en faites pas plus qu'on vous demande,
mais n'en faites pas moins qu'il ne faut.

Maxime des hydrographes

des coordonnées de latitude et de longitude qu'il peut indiquer ces positions sur une carte.

Pour qui la latitude et la longitude ne sont pas des éléments de la vie courante, l'idée peut sembler complexe, mais ce n'est pas nécessairement le cas.

Au cours de leurs études astronomiques, il y a quelque cinq milliers d'années, les Babyloniens découvrirent que la Terre faisait le tour du soleil une fois tous les 360 jours†. C'est alors qu'on adopta la convention de diviser un cercle (les anciens astronomes percevant la Terre comme une sphère en trois dimensions) en 360 parties égales ou degrés. Ainsi venait de naître le concept de longitude; si la Terre est observée à partir du pôle Nord ou Sud, le pôle étant centré, les 360 lignes que l'on peut tirer à partir du centre, représentant les 360 degrés du cercle, deviennent les méridiens de longitude.

Plus tard, les Grecs remarquèrent que, pendant l'année, le soleil ''voyageait'' du nord au sud en faisant le tour de la Terre††. Chaque année, vers le 22 juin, le soleil atteignait dans sa progression le point le plus au nord et vers le 22 décembre, le point le plus au sud. En outre, les Grecs notèrent que, vers le 22 mars et le 23 septembre de chaque année, le soleil semblait traverser un point à mi-chemin entre ces deux extrémités nord et sud. Traçant une ligne autour de la Terre perpendiculairement aux pôles, en son milieu, ils l'appelèrent l'équateur, et tracèrent des parallèles aux extrémités nord et sud de la trajectoire du soleil, qu'ils appelèrent respectivement le Tropique du Cancer et le Tropique du Capricorne†††.

Ainsi, les Grecs pouvaient diviser en deux leur Terre sphérique au moyen de l'équateur céleste qui était défini comme la latitude de zéro degré. La distance à partir de l'équateur jusqu'au sommet ou au-dessous de la sphère, c'est-à-dire les pôles, était donc un quart de 360 degrés, ou 90 degrés. En séparant le nord et le sud par l'équateur, ils venaient de diviser la Terre en hémisphères, chacun gradué de 0° à 90°, soit les parallèles de latitude.

†Bien que leur calcul ne soit pas exact, la détermination de la durée d'une année par les Babyloniens n'influait pas sur l'utilisation qu'ils en faisaient.

††Les Grecs étaient dans l'erreur, bien sûr: le soleil ne tournait *pas* autour de la Terre, mais plutôt l'inverse. Cependant, cette erreur, pas plus que celle des Babyloniens, n'infirmait l'efficacité de leurs théories.

†††''Tropique'' vient du grec *tropos*, ''tourner'', car, selon John Noble Wilford, il semblait, à cette époque, que le soleil s'arrêtait et renversait sa course, ou tournait.

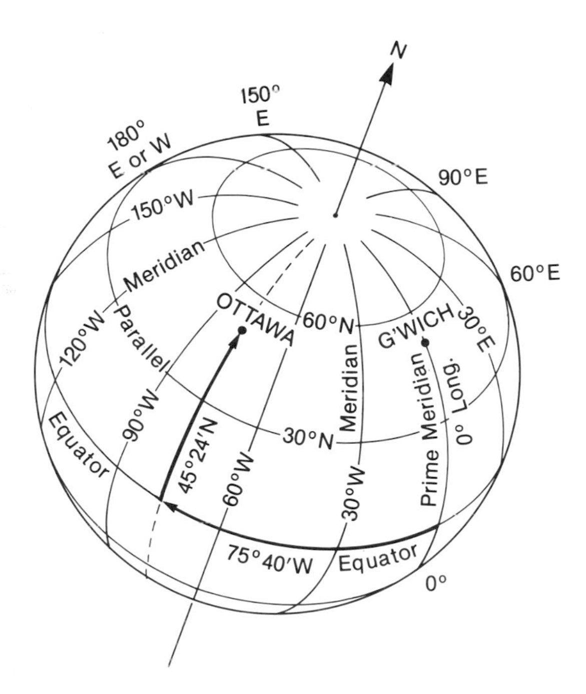

Au moyen d'un théodolite, l'hydrographe R.J. Fraser, qui devait plus tard devenir Hydrographe fédéral, observe l'angle d'élévation du soleil pour déterminer sa latitude au cours d'un levé sur la côte atlantique dans les années 1920.

On avait donc trouvé les outils nécessaires pour décrire sa position à la surface de la Terre. Sur les plans vertical et horizontal, des lignes imaginaires encerclaient le globe: les méridiens de longitude du nord au sud et les parallèles de latitude de l'est à l'ouest s'entrecroisant pour former une grille. Les intersections des lignes de la grille servaient donc de points de référence aux navigateurs, qui pouvaient ainsi reconnaître avec assez de certitude où ils se trouvaient à tout moment. Mais c'était, au mieux, une position théorique et ce n'est qu'après plusieurs années que les instruments leur ont permis de déterminer leur position de façon très précise.

Au Canada, à l'époque de Boulton et Stewart, soit au début du vingtième siècle, les méthodes et les instruments servant à déterminer avec précision la longitude et la latitude avaient déjà plus d'une centaine d'années.

Se déplacer à l'estime, ce n'est pas autre chose que de mettre ensemble tout un lot d'éléments, tous erronés à divers titres. Ainsi donc, les résultats obtenus de cette manière ne peuvent, en aucune façon, constituer une route véritable, à moins que, par miracle, les erreurs s'annulent les unes les autres. . .

d'après M. Leveque,
Guide de navigation,
cité par Jean Randier,
Marine Navigation Instruments.

Mesurant une série d'angles au moyen d'un théodolite (ci-dessus), un hydrographe crie ses lectures à un adjoint qui le prend en note.

L'invention du théodolite, instrument utilisé en arpentage pour déterminer les angles verticaux et horizontaux, remontait au seizième siècle, celle du sextant à l'année 1731, celle du chronomètre de bord, nécessaire pour la détermination exacte de la longitude, à une trentaine d'années plus tard. Ce n'est qu'avec la Seconde Guerre mondiale que ces trois instruments ont commencé à être supplantés par le matériel électronique d'établissement de position.

Le sextant était le perfectionnement des instruments utilisés par les navigateurs depuis au moins le Moyen Âge. Tous ces instruments antérieurs, l'astrolabe, l'arbalète et leurs descendants, le quadrant et l'octant, ne visaient qu'un seul objet: mesurer l'angle que le soleil à midi, ou l'étoile du nord la nuit, forme avec l'horizon. Cet angle, lorsqu'il est comparé aux tables des déviations du soleil par rapport à sa trajectoire apparente autour de l'équateur de la Terre, donne au navigateur et à l'hydrographe une détermination relativement exacte de sa latitude†.

Le deuxième instrument dont avait besoin pour calculer sa position un hydrographe canadien au tournant du siècle est aujourd'hui d'usage courant: il s'agit du chronomètre ou, simplement, d'une montre juste. Cet outil était essentiel pour le calcul de la longitude.

Avant l'invention du chronomètre marin, les navigateurs évaluaient leur position, à l'est ou à l'ouest, en se servant de ce que l'on appelait "la navigation à l'estime"††. Au moyen de cette méthode, le navigateur quittait le port sachant, d'après sa carte, la distance à parcourir jusqu'au prochain point d'atterrissage, à l'est ou à l'ouest. Se fiant à sa capacité de calculer et de maintenir, au moyen de son compas et de son quadrant ou de son sextant, son mouvement latéral sur la surface de la Terre, le navigateur vérifiait ensuite sa position par la vitesse de son vaisseau qu'il mesurait au moyen du loch.

Calculer la vitesse moyenne d'un voilier posait des problèmes dans les meilleures circonstances et, de toute évidence, cette méthode de navigation avait ses défauts. Avec l'augmentation de la circulation maritime aux seizième, dix-septième et dix-

†La déviation du soleil par rapport à sa trajectoire apparente, appelée la déclinaison du soleil, est indiquée dans un manuel à l'usage des navigateurs intitulé *Les éphémérides nautiques*, dont un exemplaire se trouve à bord de tous les navires.

††Certaines autorités croient que cette expression "dead reckoning", de l'abréviation "ded, reckoning", ou "deduced from reckoning", inscrite sur les cartes de navigation, indiquait la position, chaque jour à midi.

huitième siècles, la "navigation à l'estime" entraîna de plus en plus de naufrages et la perte de nombreuses vies et de précieuses cargaisons. De fait, le problème prit de telles proportions que, en 1714, une loi du Parlement britannique offrait une récompense de 20 000£ à quiconque pourrait inventer un instrument permettant de déterminer la longitude avec précision.

Le dilemme auquel faisaient face les scientifiques du dix-huitième siècle est décrit très clairement par John Noble Wilford dans son ouvrage, *The Mapmakers*:

> "La longitude d'un point est l'angle qu'il forme à l'est ou à l'ouest de 0° de longitude, soit le premier méridien. (Aujourd'hui, sur la plupart des cartes, il est indiqué par une ligne imaginaire nord-sud passant sur l'Observatoire royal de Greenwich, Angleterre...) La ville de New York, par exemple, se trouve à 73° 59′31″ de longitude ouest, c'est-à-dire l'angle formé à l'ouest de Greenwich. Si l'on pouvait couper une longue pointe de la Terre le long des méridiens à Greenwich et à New York et si cette pointe allait jusqu'à l'axe de la Terre, l'angle formé à l'axe serait de 73° 59′31″.
>
> Mais on peut comprendre plus facilement la longitude en la considérant comme une fonction du temps. En effet, méridien signifie milieu du jour. Puisque la Terre décrit une rotation de 360° à toutes les 24 heures, elle tourne de 15° par heure et de 15′ par minute. Lorsqu'il est midi à Greenwich, il est une heure avant midi à 15° à l'ouest, six heures avant midi à 90° à l'ouest, et minuit de l'autre côté de la Terre, à 180°...
>
> Puisque le temps et la longitude vont de pair, il devrait être simple de déterminer la position d'un point situé à l'est ou à l'ouest du premier méridien. Simple si vous connaissez à la fois l'heure locale et l'heure au premier méridien.
>
> ...De nos jours, un cartographe peut obtenir l'heure exacte au moyen d'une radio à ondes courtes ou d'une horloge de précision réglée à l'heure du premier méridien, temps moyen de Greenwich. Malheureusement, aucun de ces appareils n'existait au dix-septième siècle, ce qui était à la base de tout le problème.

Enfin, en 1759, l'Anglais John Harrison inventa la première montre marine efficace — c'était donc son quatrième modèle, le premier datait de 1735 — et recevait la récompense de 20 000£. James Cook, qui utilisait une version modifiée de l'horloge

Lorsque le paysage ne comporte pas de caractéristique proéminente, les hydrographes doivent construire des balises à terre qui leur servent de marques pour les lectures de leur sextant. Une fois la balise en place, un poteau métallique est enfoncé dans le sol comme référence permanente.

Une multiplicité de plans méridiens

Depuis le temps où les peuples anciens de l'est de la mer Méditerranée ont commencé à s'éloigner de la côte en bateaux, les mariniers ont basé leurs cartes marines sur un plan méridien, ou méridien 0°, à partir duquel, à l'est ou à l'ouest, tous les autres étaient numérotés en série. Lors des grandes vagues d'exploration, au XVe et au XVIe siècles, chaque pays choisit d'avoir son propre méridien 0° — les Hollandais désignèrent ainsi le méridien passant par Amsterdam, les Anglais celui de Londres et les Français celui de Paris. Ce régime, toutefois, causa bien des problèmes inutiles aux navigateurs. A la fin du XIXe siècle, le méridien de Greenwich (Angleterre) fut internationalement adopté comme méridien 0°. Puisque la longitude dépend, d'une certaine façon, de l'heure qu'il est, l'heure du méridien 0° fut reconnue comme le "temps moyen de Greenwich" (TMG). Depuis quelques années, cette expression a été abandonnée au profit de celle de "l'heure du temps universel" (TU).

d'Harrison au cours de ses deuxième et troisième excursions à bord du *Resolution*, en a prouvé indéniablement la justesse et la valeur pratique en comparant les résultats des calculs effectués au moyen des chronomètres avec ceux d'une autre méthode inventée à peu près à la même époque que l'horloge d'Harrison, laquelle exigeait des visées compliquées et longues de la lune. Comme les chronomètres précis étaient très dispendieux et difficiles à obtenir tout au cours du dix-neuvième siècle, le calcul de la longitude au moyen des observations lunaires est demeuré d'usage courant jusque vers 1900. Mais à l'époque de Stewart, les chronomètres de bord étaient devenus la règle plutôt que l'exception et la remontée manuelle des horloges une fois par jour, chaque jour, à la même heure, faisait partie de la routine d'une équipe hydrographique. Cette tâche était d'ailleurs accomplie avec un cérémonial approchant le rite religieux.

Le compas, le sextant et le chronomètre sont des outils essentiels du navigateur, mais ce ne sont pas ceux de l'hydrographe. Toutefois, pour être efficace, celui-ci doit combiner la compétence du navigateur et de l'hydrographe, c'est-à-dire que même si sa première préoccupation est de mesurer la profondeur minimale de l'eau au-dessus d'un haut-fond, il doit aussi, pour le profit des navigateurs, pouvoir indiquer sur la carte, l'*endroit* précis où se trouve le haut-fond par rapport aux voies maritimes sûres.

Les hydrographes savent depuis l'époque du capitaine Cook que, pour produire une carte fidèle, il leur faut commencer à terre. Par le passé, le travail à terre débutait par l'établissement d'une ligne de base; choisissant un promontoire et installant une balise, l'hydrographe pouvait ensuite utiliser son théodolite pour mesurer la hauteur du soleil ou des étoiles et déterminer la position exacte de la balise. Recourant encore une fois au théodolite, cette fois horizontalement, il mesurait l'angle formé par la première balise avec une deuxième placée un peu plus loin; ainsi, il pouvait établir la position du nord géographique. Enfin, il mesurait la distance entre les deux balises au moyen d'un ruban métallique si le terrain était relativement plat ou de calculs trigonométriques sur terrain rocheux. Cette ligne de base, tracée avec précision, lui permettait d'étendre son réseau de triangulation le long de la rive.

Lorsqu'il connaissait la latitude et la longitude exactes des balises placées sur le rivage et visibles du navire, l'hydrographe pouvait retourner à bord et commencer à sonder. Au moyen de son sextant, tenu horizontalement, l'hydrographe pouvait déterminer exactement la position du point de sonde par rapport à trois stations riveraines ou plus.

C'était là la méthode du passé. Depuis l'entrée en service des Levés géodésiques du Canada (LGC) en 1905, le SHC a eu de moins en moins à établir de lignes de base ou à observer les positions des astres. Jusqu'à maintenant, les LGC (avec la collaboration du SHC) ont mesuré et marqué quelque 126 000 points de contrôle géodésiques dans tout le pays; de fait, ils sont si nombreux que nulle part le long des côtes du Canada un navire hydrographique ne pourrait se trouver à plus de soixante-dix milles de l'un ou de plusieurs de ces points. En réalité, cette base de données géodésiques est si fiable et si exhaustive que le SHC, depuis 1961, n'a eu à mesurer aucune ligne de base†.

Bien qu'il soit allégé de la tâche fastidieuse d'établir une ligne de base exacte pour chaque levé, l'hydrographe canadien recourt encore, bien que moins fréquemment, à la triangulation. Mary Blewitt, dans *Surveys of the Sea* (1957), donne une bonne explication de cette technique:

> Les levés exacts ont pour base une triangulation terrestre stricte, c'est-à-dire que la côte et le littoral sont cartographiés avec précision, de façon que le fond marin puisse être cartographié et les détails situés avec exactitude en fonction de la terre. La base de la triangulation est que si l'on connaît les angles d'un triangle et la longueur d'un de ses côtés, on peut calculer la longueur des deux autres côtés. On choisit d'abord deux points, *A* et *B*, et on mesure la distance entre les deux. C'est ce qui forme la ligne de base. On choisit ensuite un troisième point, *C*, visible de *A* et de *B*, et on mesure les angles du triangle *ABC* au moyen d'un théodolite. Quand la longueur de *AC* et de *BC* a été calculée, les trois points peuvent être reportés (sur papier), afin qu'ils soient correctement reliés l'un à l'autre. Ce triangle d'origine est complété par d'autres jusqu'à ce que le secteur de levé soit entièrement couvert, formant un cadre auquel on ajoute les données complémentaires, comme la position des points de relief.

Si, de nos jours, l'hydrographe canadien n'a plus la lourde tâche d'établir des lignes de base, il continue de mesurer les distances. Maintenant, il fait appel à des

À plus de cent mille endroits dans tout le pays, le Service géodésique du Canada et le SHC ont installé des marqueurs permanents, dont la latitude et la longitude sont indiquées avec précision. Quand l'hydrographe commence un nouveau levé ou refait le levé d'un secteur, il commence à partir de ces points connus. Voici un marqueur parmi les centaines placés par la Commission frontalière internationale pendant la délimitation des frontières entre le Canada et les États-Unis entre 1908 et 1925.

†Il faudrait ajouter ceci: les hydrographes mesurent encore, à l'occasion ces lignes de base, surtout dans l'Arctique, mais maintenant ils se servent de capteurs de navigation par satellite plutôt que de les mesurer au ruban, sur place.

L'aide des "castors"

À l'époque des débuts du SHC, avant l'établissement des bornes de roche permanentes sur la rive, il fallait bien plus pour entreprendre un réseau de triangulation que la mise en place d'un théodolite et la prise de lectures. Au cours des levés de *La Canadienne* au lac Supérieur, pendant la saison de 1912, par exemple, les hydrographes durent tracer une ligne en coupant les arbres de la forêt pour prendre leurs lectures. Ils étaient aidés par les membres de l'équipage, un groupe hétéroclite provenant des quais de Londres et de camps de bûcherons du Québec. Les Canadiens-français, tous bûcherons expérimentés, observaient, fascinés, tandis que les marins anglais bûchaient, avec plus d'énergie que de compétence. "Castor, castor", murmuraient-ils tout en se précipitant vers un endroit protégé tandis que les arbres s'abattaient à droite et à gauche.

aides électroniques. Le telluromètre, instrument le plus utilisé actuellement pour mesurer les distances avec justesse, a été inventé en Afrique du Sud en 1956. Le SHC a commencé à l'utiliser l'année suivante. Comme l'explique John Noble Wilford:

> Le telluromètre fonctionne le jour ou la nuit; c'est un système à micro-ondes à double sens, par lequel une onde radio modulée voyage d'un poste émetteur principal à un poste à distance d'où elle est retransmise. La distance entre les deux points est calculée à partir du temps de parcours enregistré de l'onde radio et de la vitesse connue de la propagation des ondes.

Les telluromètres utilisés par le SHC permettent de mesurer avec exactitude des distances allant à plus de trente kilomètres. Ils sont lourds, pesant environ vingt-cinq kilogrammes avec accumulateur, et encombrants, mais ces inconvénients sont compensés par deux grands avantages: d'abord la capacité de l'appareil de mesurer des distances sur terrain accidenté, par exemple d'une colline à une autre, (et c'est là que son poids devient un inconvénient majeur, car le telluromètre doit être porté jusqu'au sommet). En outre, l'instrument permet à l'hydrographe d'étendre son contrôle géodésique à partir d'une ligne de base beaucoup plus longue, ce qui tend à accroître l'exactitude. De plus, la ligne de base n'est pas seulement plus longue: elle est aussi beaucoup plus simple à établir. Avec l'ancienne méthode, l'hydrographe devait compenser de nombreuses inexactitudes inhérentes: l'inégalité du terrain, la tension de sa règle ou de sa chaîne d'acier, les changements de température qui influaient sur la longueur de la règle. Aujourd'hui, le telluromètre ou géodimètre, combiné à d'autres instruments perfectionnés, peut enregistrer la température, l'humidité, la pression barométrique et d'autres données et *afficher* la distance, corrigée en fonction de toutes les variables.

En 1930, le SHC commandait les premières photographies aériennes. Cette année-là, on a pris des photographies aériennes, sur la côte est, du secteur se trouvant entre la rivière Aguanish et le détroit de Belle-Isle et, sur la côte ouest, du sound Barkley (île Vancouver). Thomson, dans *Men and Meridians,* note qu'à partir de cette année-là, la photographie aérienne a continué d'être un outil indispensable à la cartographie des eaux canadiennes et, avec les années, on y a apporté divers perfectionnements, y compris des photographies de certains secteurs prises à marée haute et à marée basse. Maintenant, quand un hydrographe commence à planifier sa saison de levé, il rassemble d'abord les photographies aériennes de la côte ou de la rive à cartographier.

Le telluromètre est un instrument de levé qui sert à mesurer les distances au moyen de l'électronique. L'élément principal émet un signal radio reçu et retransmis par un élément auxiliaire. Grâce à un système de comparaison des ondes, on peut mesurer avec précision la distance entre les deux éléments. Le cheval de trait de l'Arctique, l'hélicoptère, peut aisément transporter des balises portatives en aluminium.

Pour établir des points directeurs, les hydrographes placent des balises qui servent éventuellement à établir la position du navire ou de l'embarcation par des angles définis au moyen du sextant. La hauteur des balises varie grandement en fonction de la distance à laquelle elles doivent être vues. Le bois de grève a longtemps été un des matériaux les plus utilisés.

Il consulte aussi tous les levés du secteur qui ont été faits précédemment. C'est évidemment un avantage, pour l'hydrographe d'aujourd'hui par rapport à ses prédécesseurs, que la plupart des eaux du sud du Canada aient été cartographiées au moins une fois au cours des cent dernières années. Ces levés sont particulièrement utiles lorsque l'hydrographe commence un nouveau levé de la même côte. Les nouveaux levés sont nécessaires pour mettre les cartes à jour suivant les nouvelles normes établies en fonction de l'augmentation du tirant d'eau des navires modernes et de la plus grande exactitude qu'il est possible d'obtenir grâce au matériel électronique d'établissement de position utilisé en navigation. En outre, dans certains secteurs, le contour des fonds sablonneux se déplace sous l'influence des courants et des marées: la surveillance périodique des profondeurs minimales est donc nécessaire dans ces secteurs. Dans certains cas, l'aménagement de nouvelles industries dépend du transport maritime des matières

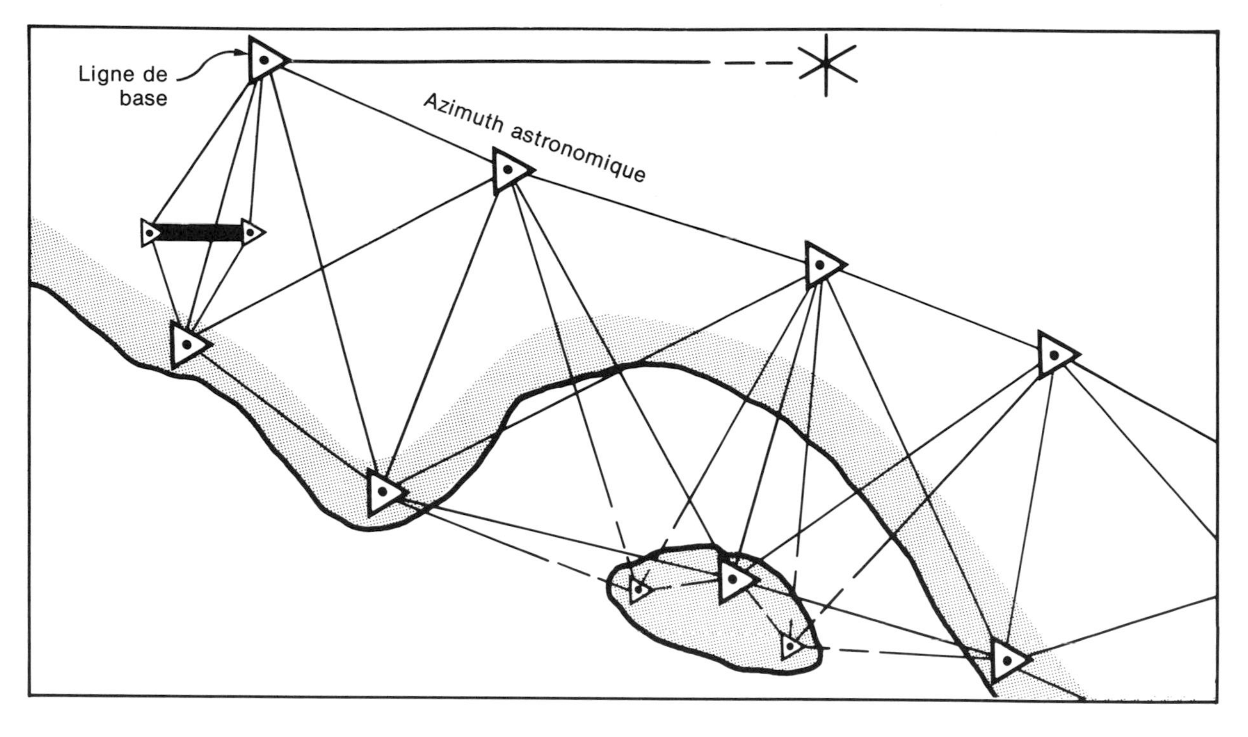

Avant de partir en mer pour en sonder les profondeurs, l'hydrographe doit cartographier minutieusement la côte adjacente afin que ses observations en mer soient cartographiées avec précision par rapport au rivage. Une des techniques les plus courantes de cartographie à terre est la triangulation, ci-illustrée par un diagramme. Le processus commence par l'établissement d'une ligne de base ou, plus couramment de nos jours, par l'établissement de deux points directeurs géodésiques.

premières et des produits fabriqué. Un levé à petite échelle est parfois suffisant pour le passage dans un chenal, mais une carte à grande échelle est nécessaire lorsqu'il y a entrée dans un port pour desservir une mine ou une fabrique de pâte à papier. Bref, le navire qui doit s'ancrer ou s'amarrer à une jetée a besoin de plus de renseignements, donc d'une carte à grande échelle, que s'il ne fait que passer dans un chenal.

Au début des années 1930, la Garde côtière des États-Unis a fait des expériences avec un appareil de télémétrie radio-acoustique (*RAR*) pour l'établissement de la position des sondages en haute mer. Meehan note que si les résultats n'étaient pas aussi justes que ceux des visées, il s'agissait d'une grande amélioration pour l'établissement de la position des sondages au-delà des limites de l'horizon. Le système ayant attiré l'attention d'Henri Parizeau, celui-ci envoya aux États-Unis l'opérateur radio J.A. Nesbitt, du bateau de la côte ouest *Wm. J. Stewart* pour étudier le système. Le RAR supposait l'utilisation de trois stations à terre. La position de chacune était définie très précisément en latitude et en longitude et, à chacune, était liée un hydrophone ou microphone sous-marin. L'équipage du navire hydrographique en mer (le navire n'étant pas visible de l'une ou l'autre de ces trois stations) fait exploser une bombe dans l'eau à l'endroit dont on veut établir la position. En notant l'heure de l'explosion et l'heure à laquelle le son est capté par chacun des trois hydrophones — heure de réception retransmise par radio au navire — et connaissant la vitesse à laquelle le son voyage dans l'eau, on peut établir facilement le lieu précis de l'explosion.

Au retour de Nesbitt, l'équipe du *Wm. J. Stewart* n'eut le temps de faire qu'un seul essai avec le RAR cette saison-là. Elle réussit cependant à déterminer la position d'une bouée située à quelque quinze milles au large. L'année suivante, en 1940, elle fit huit autres essais, mais à cause de la guerre et du départ subséquent de l'opérateur radio Nesbitt, les essais du *RAR* furent interrompus.

Ironiquement, cependant, c'est cette guerre qui allait favoriser la mise au point des dispositifs électroniques d'établissement de position plus que ne l'avaient fait les vingt années d'essais irréguliers qu'elle avait interrompus.

Depuis le début des années 1950, le SHC avait fait des essais et tentait de mettre au point divers appareils électroniques d'établissement de position. Tous étaient établis, à l'origine, sur les principes du *RADAR* (détection et télémétrie radioélectrique). Système mis au point spécifiquement à des fins de défense pendant la guerre, le *RADAR* utilise des ondes électro-magnétiques pour détecter et situer des objets à distance.

L'un des premiers dispositifs issus du système *RADAR*, conçu pour l'établissement de position dans le domaine de la navigation, a été le Decca. On l'a d'abord utilisé à bord du bateau hydrographique *Fort Frances* en 1956, mais il est maintenant largement remplacé sur tous les navires du SHC par de nouveaux systèmes comme l'Argo, l'Hydrodist, le Hi-Fix et le MRPS. Ces systèmes sont en fait des systèmes portatifs qui peuvent être déployés sur le territoire pour obtenir la meilleure configuration géométrique possible.

Des transmetteurs sont aménagés à terre à des points établis lors de levés géodésiques antérieurs ou au moyen des méthodes habituelles de triangulation. Une fois mis en place, ces transmetteurs fonctionnent comme balises simples (portée et gisement d'usage limité), par paires (portée/portée — permettant d'établir une position), ou encore par trois (hyperbolique — permettant l'utilisation de plus d'un bateau de sondage). Surveillés ou non par quelqu'un, mis en place de façon permanente ou temporaire, ils permettent aux navires hydrographiques, munis d'un récepteur à bord (que l'on appelait à l'époque, avec quelque méfiance, la "boîte noire"), de déterminer *exactement* et *rapidement* les positions de sonde, sans avoir à faire d'observations visuelles au sextant des balises érigées sur les rives canadiennes par les hydrographes depuis l'époque de Cook. À l'époque de Boulton, les balises étaient constituées de

Henri Parizeau, qui a été pendant de nombreuses années l'hydrographe régional du Pacifique, a, dans les années 1930, contribué à l'introduction de techniques acoustiques sous-marines d'établissement de position dans le domaine de l'hydrographie au Canada. Cependant, la Seconde Guerre mondiale a mis fin aux expériences et les recherches effectuées pendant la guerre ont donné naissance au RADAR, technique bien supérieure, et à d'autres méthodes électroniques d'établissement de la position en mer.

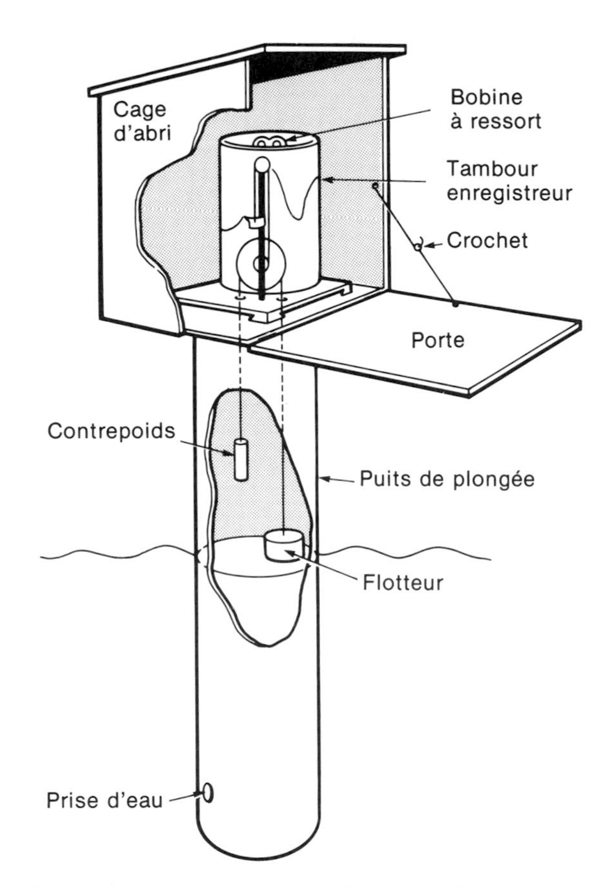

Quand la marée monte ou baisse, le flotteur et le contrepoids déplacent la roue qui entraîne la plume sur l'enregistreur à tambour rotatif de manière à constituer un dossier graphique de la hauteur des marées pendant la période d'enregistrement. Étant donné que le moment des hautes et des basses marées varie chaque jour, on peut obtenir un enregistrement de plusieurs jours sur un même graphique.

débris de bois ramassés sur les plages. Plus tard, les équipes apportaient leur propre bois, parfois même au sommet de falaises escarpées. Aujourd'hui, on érige encore des balises, parfois avec l'aide d'hélicoptères si l'endroit est particulièrement inaccessible, mais, le plus souvent, un transmetteur électronique remplace le pavillon traditionnel.

Les dispositifs électroniques d'établissement de position étaient utiles non seulement pour les hydrographes travaillant dans des eaux non visibles de la terre, mais aussi pour ceux qui faisaient des levés dans les eaux de l'Arctique où le manque de terrain élevé ou d'un caractère aisément reconnaissable rendait souvent l'observation des balises à terre tout particulièrement difficile.

D'autres systèmes très perfectionnés ont cependant beaucoup plus d'importance pour les hydrographes qui travaillent dans l'Arctique et en pleine mer dans les eaux de l'Atlantique et du Pacifique, par exemple au puits de pétrole Hibernia au large de Terre-Neuve: ce sont les nouveaux systèmes à longue portée d'établissement de position des navires, résultat d'une combinaison des satellites et des mini-ordinateurs de bord. Ces systèmes sont connus sous divers noms, dont le plus commun au sein du SHC est le BIONAV, mis au point par l'Institut océanographique de Bedford, en Nouvelle-Écosse. Ces systèmes ont une grande valeur à cause de leur portée presque illimitée et de leur grande exactitude.

Tous les systèmes électroniques d'établissement de position ont contribué à améliorer l'exactitude du travail de l'hydrographe, mais, qui plus est, ils ont éliminé une grande partie des techniques fastidieuses utilisées par les hydrographes dans le passé pour mesurer les lignes de base, établir les réseaux de triangulation et déterminer au moyen du sextant la position des navires et vedettes qui faisaient les sondages. Ces dernières années, le temps économisé est particulièrement important pour les hydrographes qui travaillent dans les eaux libres du bref été de l'Arctique ou qui combattent le froid mordant d'une expédition sur le plateau polaire.

Enfin, le matériel électronique permet à l'hydrographe de passer moins de temps à effectuer des contrôles géodésiques pour consacrer plus de temps aux sondages. La magie de l'électronique permet également d'effectuer des sondages dans la brume ou le brouillard, avec deux personnes par vedette plutôt que quatre.

Avant qu'un hydrographe commence à sonder, il doit établir le plus bas niveau que l'eau atteint à cet endroit. Dans les lacs et les rivières d'eau douce, la ligne des basses eaux varie légèrement d'année en année à cause de phénomènes naturels comme l'augmentation des pluies, la sécheresse ou des phénomènes artificiels comme la construction de barrages ou de canaux. Dans l'eau salée, bien sûr, et dans les zones d'eau douce à marée, comme le fleuve Saint-Laurent jusqu'à Montréal, le niveau d'eau change constamment avec la marée.

Les données sur les marées et les niveaux d'eau sont évidemment nécessaires pour l'hydrographe qui veut mesurer et enregistrer la profondeur. Mais, de manière générale, ces données sont aussi extrêmement importantes pour tous les navigateurs et marins, qu'il s'agisse de plaisanciers ou de transporteurs commerciaux. La nécessité de recueillir des renseignements systématiques sur les marées, les niveaux d'eau et les courants a été reconnue très tôt dans l'histoire du service. Les travaux ont commencé modestement en 1890 par l'établissement de deux postes d'observation équipés de marégraphes sur la côte atlantique de la Nouvelle-Écosse; les travaux de la saison ont coûté moins de $2 000. En 1891, William J. Stewart a installé sur la côte ouest le premier marégraphe du Pacifique au quai des chemins de fer du Canadien Pacifique dans l'inlet Burrard.

Les marégraphes à cette époque étaient tout simplement des bâtons de bois sur lesquels étaient peints des numéros et, comme les marées fluctuent considérablement chaque jour, il fallait quelqu'un à temps plein pour surveiller et inscrire les niveaux de l'eau. Dans l'inlet Burrard en 1891, l'information recueillie sur les marées pendant la saison était transmise aux mécaniciens des chemins de fer du CP à la fin de l'été. Le niveau le plus bas enregistré était utilisé par Stewart comme niveau de référence pour baser toutes ses lectures de profondeur pendant cette saison.

Dans les Grands lacs et dans le Saint-Laurent, le ministère des Travaux publics avait, depuis 1840, tenu un registre intermittent des niveaux d'eau et des courants dans les principaux ports et voies navigables. Mais le commandant Boulton, dans son rapport annuel de 1891, proposait, pour l'avenir, que cette fonction fût étendue et que l'information sur les niveaux d'eau dans les lacs fût mise à la disposition des hydrographes et navigateurs sous forme d'inscription sur des pierres le long des rives. Il ajoutait que ''tant que nous devrons nous fier à la mémoire inconstante du plus vieil habitant, nous ne saurons jamais avec certitude s'il s'agit de fluctuations temporaires ou d'une baisse constante du niveau des lacs''. Il recommandait donc que des pierres de référence soient érigées par exemple à Collingwood, Sarnia, Port Colborne et Kingston, [et]que des agents [du ministère des Travaux publics] des ports mentionnés soient chargés de noter la hauteur de l'eau au moins une fois par jour pendant la saison de navigation.

En 1893, le Relevé canadien des courants et des marées était créé sous la direction

Tous à contribution

Qu'importe le nombre de membres d'une équipe de levé, celle-ci ne compte jamais assez de mains pour accomplir tout le travail qui lui est assigné. Au cours d'un levé de la côte sud de l'île Baffin effectué en 1933, une équipe du SHC a mesuré la marée et pris des sondages.

Des caissons contenant des marémètres étaient construits et maintenus au fond de la mer à l'aide de roches. Dans ce secteur, les marées mesurent en moyenne 33 pieds soit un flux ou reflux de plus d'un pouce et demi à la minute. Les marémètres devaient fréquemment, sinon constamment, être vérifiés et un hydrographe n'était pas toujours disponible pour cette tâche. Lorsque les caissons étaient bien placés, les marémètres pouvaient être observés de la rive. Ainsi, plusieurs fois par heure, le cuisinier attitré du groupe, Jack Chester, abandonnait sa louche ou son couperet pour aller observer, du seuil de la porte de la cuisine, le niveau d'eau à l'aide d'un petit télescope. Il notait la mesure et retournait à ses chaudrons.

W. Bell Dawson, fondateur du bureau des levés des marées et des courants sur les côtes du Canada.

de W. Bell Dawson. Ce bureau était chargé des relevés des marées et des courants sur les côtes canadiennes (Pacifique, Atlantique, baie d'Hudson et golfe du Saint-Laurent). M. Dawson faisait face à deux principaux problèmes: la mise au point du matériel nécessaire pour mesurer les marées et les courants, puis la diffusion de l'information recueillie.

Don W. Thomson note dans *Men and Meridians* que, ''pendant quelques années, le gouvernement fédéral n'avait affecté aucune ressource financière à la publication des tables canadiennes de prévision des marées. Ainsi, Dawson devait s'organiser, du mieux qu'il pouvait, de port en port, pour l'impression et la diffusion de cette information si difficilement acquise''. Dawson persista cependant et, en 1901, le gouvernement canadien imprimait et distribuait ses propres tables de marées.

C'est en 1924 que la Division des courants et des marées fut officiellement transférée au SHC. C'est sous l'égide de ce service que cette Division fit sa plus grande percée dans les domaines de la publication de tables et de l'expansion des services pour y inclure même des parties de l'océan Arctique. L'expansion de ce nouveau service a coïncidé avec l'Année géophysique internationale de 1957.

Avant 1967, toutes les tables canadiennes de courants et marées étaient compilées et publiées au Canada, mais la majeure partie des prévisions était formulée par le *Liverpool Observatory and Tidal Institution* en Angleterre. Ces tables étaient composées à partir de milliers de lectures horaires prises au cours de l'année, ainsi que de données astronomiques. Les données requises pour les tables canadiennes des courants et des marées ont pu être compilées au Canada pour la première fois en 1967. Maintenant, grâce à l'existence des ordinateurs, le procédé est beaucoup plus simple et permet d'accomplir en quelques heures des calculs qui exigeaient autrefois des mois de travail.

La numérisation a aussi eu des effets sur l'évolution des appareils utilisés pour *mesurer* les marées et les courants. Bien qu'il y ait eu des progrès au cours des années dans la conception des marégraphes, ceux-ci passant d'un bâton plongé dans l'eau à des mécanismes d'enregistrement automatique relativement perfectionnés, la capacité limitée d'emmagasinage de l'information fournie par les appareils exigeait que les graphiques soient changés périodiquement et que l'appareil soit remis en marche manuellement presque chaque jour. Grâce à l'introduction de la technologie numérique et à l'augmentation de la capacité d'emmagasinage des cartes perforées au début puis des rubans et des disques, et enfin des micro-plaquettes, les marégraphes peuvent être laissés sans surveillance pendant des périodes de plus en plus longues. Il peut maintenant s'écouler jusqu'à deux ans avant qu'il soit nécessaire de retirer l'enregistreur du sondeur, bien qu'il faille quand même vérifier régulièrement les dispositifs pour s'assurer qu'il n'y a pas eu de défaillance mécanique ou de dommage accidentel.

Les sondeurs mécaniques de niveau d'eau douce, autoenregistreurs ou automatiques, ont fait leur apparition dans les Grands lacs vers 1900. "C'étaient les fameux limnographes Haskell, installés par des ingénieurs du U.S. Lake Survey. En 1906, trois de ces limnographes étaient utilisés par le ministère des Travaux publics [du Canada]", dit Meehan. En 1912, la Division des appareils de mesure de niveaux d'eau "automatiques" était transférée au SHC et, en 1928, était rebaptisée Division des niveaux d'eau précis. Les progrès technologiques dans le domaine des limnographes ont été semblables à ceux des marégraphes et des courantomètres, mais ils n'ont pas été aussi spectaculaires. La demande à laquelle répondent ces limnographes est moins grande, les fluctuations des niveaux d'eau étant plutôt graduelles au cours d'une saison.

... C'était la quatorzième nuit et nous étions ballottés sur l'Adriatique, quand, vers minuit, les matelots pressentirent l'approche d'une terre. Ils lancèrent la sonde et trouvèrent vingt brasses; un peu plus loin, ils la lancèrent encore et trouvèrent quinze brasses. Craignant donc que nous n'allions échouer quelque part sur des écueils, ils jetèrent quatre ancres à la poupe; et ils appelaient de leurs voeux la venue du jour.

Saint Paul
Les Actes des Apôtres, 27: 27-9

Enfin, les travaux préliminaires accomplis, sa position déterminée, son niveau de référence établi, l'hydrographe en vient à la tâche principale de sa mission:

> Il est difficile de dire que telle ou telle étape de l'élaboration d'une carte est plus importante que telle ou telle autre, puisque chacune est nécessaire à l'ensemble et qu'une erreur, où qu'elle se produise, peut entraîner un désastre; mais *s'il fallait choisir* un point en particulier, c'est vraisemblablement au sondage qu'on attribuerait la plus grande importance.

C'est ce qu'écrivait en 1882 l'amiral William James Lloyd Wharton de la Marine royale dans son ouvrage intitulé *Hydrographical Surveying*, précurseur de l'édition moderne de l'*Admiralty Manual of Hydrographic Surveying*. Il y a eu quatre éditions du manuel de Wharton, la dernière (1920) donnant toujours la même description du sondage que celle de la première édition de 1882. De fait, elle pourrait aussi bien avoir été rédigée en 1782:

> Le déroulement d'un sondage est le suivant [écrit Wharton]. Le bateau navigue en ligne droite dans une direction, sur une distance et en lignes parallèles déterminées d'avance, un homme se tenant constamment à la proue pour sonder... La vitesse à laquelle le bateau peut avancer et la nécessité d'arrêter ou de ne pas arrêter pour les coups de sonde, dépendent de la profondeur de l'eau et de la compétence du sondeur.

Un marégraphe dans les eaux de l'Arctique, à la baie de Resolute, en 1957.

Y = jaune; R = rouge; G = vert; B = bleu et L = brun

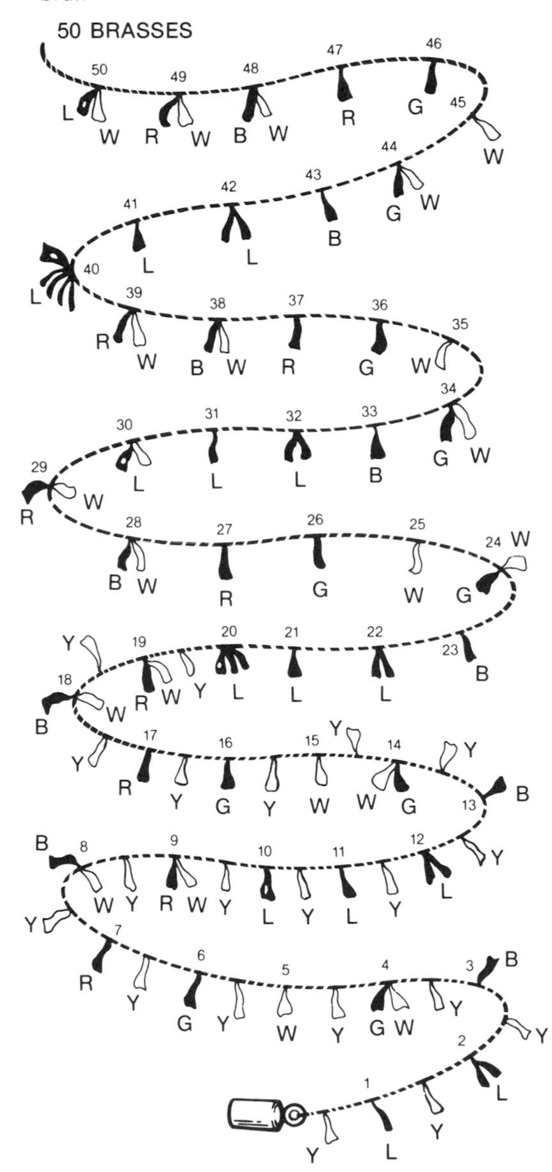

Depuis que l'homme parcourt la mer avec ses navires, il a sondé les eaux, c'est-à-dire qu'il en a mesuré la profondeur en faisant descendre dans l'eau une ligne graduée et en notant la profondeur à laquelle son extrémité lestée atteignait le fond.

Autrement dit, la méthode de *sondage* des profondeurs, qui consiste à laisser descendre un plomb jusqu'au fond de la mer, est demeurée relativement inchangée depuis l'époque d'avant Cook jusqu'à l'introduction des sondeurs à écho dans les années 1930.

De la même façon, le matériel utilisé par l'hydrographe pour *inscrire* ses sondages est demeuré virtuellement inchangé depuis l'époque du commandant Boulton, qui avait d'ailleurs fait la liste du matériel de l'hydrographe sur le terrain dans une conférence de 1890: "L'officier apporte à bord une petite feuille (projection d'embarcation) sur laquelle sont indiqués les points du secteur de la côte qu'il doit sonder... Il apporte aussi un sextant, un pointeur de station [inventé en 1774, cet instrument sert à reporter sur la feuille de travail de l'hydrographe les angles horizontaux de contrôle de position obtenus au moyen du sextant à partir du bateau], un rapporteur, du papier calque et des crayons, sans oublier sa pipe et le tabac qu'il fume".

De nos jours, la feuille de travail, comme l'appellait Boulton, ou la projection d'embarcation, comme on l'appelle maintenant au SHC, est faite de plastique et donc moins susceptible d'être froissée ou endommagée par l'eau. La position du bateau sur la route de sonde déterminée d'avance est fixée par des appareils électroniques plutôt qu'au moyen du sextant; en outre, sur la plupart des navires, presque toute l'information recueillie est traduite sous forme numérique et mise en mémoire dans l'ordinateur de bord. Pourtant, toutes ces innovations semblent des progrès bien modestes quand on les compare à l'invention des premiers sondeurs à écho.

Avant cette époque, les hydrographes et les navigateurs en général étaient limités à l'utilisation du plomb pour mesurer la profondeur de l'eau. Dans sa forme la plus simple, le plomb était fait d'une pesée fixée à une ligne graduée. Avant certains lancers, le dessous du plomb était enduit de suif propre et collant pour permettre au sondeur de connaître également la nature du fond: roche, sable, glaise ou cailloux.

La nature du fond est très importante pour le navigateur. Si le capitaine veut ancrer son navire, ce détail a une extrême importance. Sous le souffle de vents forts, l'ancre pourrait chasser sur la roche lisse, faisant dériver le navire, qui risque de toucher un haut-fond ou le rivage, ou d'entrer en collision avec un autre navire. Sur un fond de roche inégal, les crochets pourront se coïncer au fond; on ne compte plus d'ailleurs le nombre d'ancres coïncées dont il a fallu couper la chaîne pour les abandonner au fond de l'océan. D'un autre côté, l'ancre a bonne prise dans le sable ou les cailloux; elle retient le navire fermement dans le rayon de sa chaîne et peut être remontée sans grande difficulté.

La nature du fond océanique est également importante pour le pêcheur. Certaines espèces de poissons préfèrent des habitats déterminés: s'il connaît le genre de fond qui se trouve sous son bateau, le pêcheur pourra mieux orienter ses activités en fonction du poisson qu'il recherche. Qui plus est, la connaissance du fond permet très souvent d'éviter la perte de matériel, comme les filets qui s'accrochent ou se déchirent sur les rochers.

Il est donc évident que l'intérêt manifesté très tôt par les sondeurs pour le fond marin et la profondeur n'était pas une préoccupation inutile, mais fondée au contraire sur la sécurité et le commerce. Un sondeur expérimenté pouvait sonder des profondeurs allant jusqu'à six brasses sans avoir à arrêter le navire ou le bateau. Toutefois, pour des profondeurs plus grandes, particulièrement en haute mer — par exemple, dans le cas des levés nécessaires pour la mise en place du premier câble transatlantique dans les années 1850 — il fallait rester en place parfois jusqu'à six heures pour un seul sondage.

Finalement, à l'époque du Levé de la baie Georgienne, les adaptations du sondeur Lucas, une invention destinée à l'origine au sondage en haute mer, ont été utilisées sur les navires qui sondaient des profondeurs de plus de six brasses. En 1980, le commandant Boulton décrivait l'utilisation d'un de ces appareils dans la baie Georgienne de cette façon:

> Lorsque la profondeur ne dépasse pas vingt-quatre brasses, le navire (le *Bayfield*, premier navire à vapeur mis en service pour des travaux hydrographiques canadiens) progresse régulièrement à environ 5½ noeuds. Le sondeur, avec un poids de 25 à 40 livres à son extrémité, est remonté au moyen d'un rocambeau, sur un filin d'acier jusqu'à la proue du bateau. Il est détaché du rocambeau au moyen d'un halebreu pour le coup de sonde. La ligne passe par les mains d'un homme placé à l'arrière et, à une profondeur de plus de vingt brasses, le plomb se trouverait à cinquante ou soixante pieds derrière le bateau avant de toucher le fond. Un sondeur expérimenté et attentif remarque facilement le mou dans le câble, qui est ensuite remonté sur le treuil à vapeur... L'intervalle entre les sondages est calculé au moyen d'une montre ordinaire tenue dans l'autre main.

Au début du vingtième siècle, l'invention du sondeur Somerville permit de faire des coups de sonde bien à l'avant du navire. Grâce à cet appareil, il était possible de faire des sondages jusqu'à environ trente-cinq brasses à une vitesse de cinq noeuds.

Au cours des années 1920, les hydrographes canadiens ont examiné l'utilisation de plusieurs autres méthodes de sondage de profondeurs variant entre 60 et 250 brasses,

Les eaux du lac Supérieur (au début du vingtième siècle) étaient très profondes tout près des rives, trop près pour permettre en toute sécurité des sondages par navire. Quand une yole s'arrêtait pour sonder — et à cause de la présence possible d'aiguilles rocheuses (les arrêts étaient fréquents — il fallait parfois attendre dix à douze minutes pour laisser le plomb de sonde atteindre le fond puis pour le remonter). L'hydrographe avait le temps de vérifier ses notes, de se préparer une pipée et, peut-être même, si la journée était chaude, de s'endormir. Les rameurs attendaient patiemment. Le seul à travailler dur, c'était le sondeur.

R.J. Fraser
Hydrographe fédéral, 1947-1952

tandis que le navire continuait d'avancer. Une de ces méthodes supposait le remplacement du gros câble du sondeur Lucas par un fil métallique très fin, ce qui accélérait le fonctionnement de l'appareil suffisamment pour que le navire pût maintenir une vitesse de sept noeuds.

Une autre invention, utilisée pour découvrir les hauts-fonds qui seraient passés inaperçus entre les sondages, était la sentinelle sous-marine, dispositif qui, lancé par-dessus bord, plongeait au bout d'un fil métallique jusqu'à une profondeur déterminée d'avance. Remorquée derrière le navire, elle finissait par toucher le fond lorsqu'il s'élevait, faisant alors sonner, au moyen d'une série de fils qui y étaient reliés, une cloche à bord du navire. Elle était ensuite relâchée au moyen d'un déclencheur et elle flottait à la surface jusqu'à ce qu'on la récupérât.

Le sondeur-harpon utilisait un plomb de 70 livres fixé à un profondimètre qui enregistrait le nombre de brasses selon les rotations d'une petite hélice. Attaché à un fil métallique, le sondeur et le plomb étaient lancés par dessus bord. Un clapet actionnait l'hélice quand elle touchait l'eau et l'arrêtait au fond. Lors du retrait, on pouvait lire la profondeur sur des cadrans fixés au sondeur. Le tube de pression Kelvin, qu'on utilisait à peu près de la même façon que le sondeur-harpon, enregistrait la profondeur en fonction de la pression de l'eau.

Malheureusement, assez souvent pour devenir ennuyeuse, l'utilisation de *n'importe lequel* de ces dispositifs laissait passer inaperçus des dangers sous-marins. Le sommet d'une roche ou le mât d'une épave pouvait facilement passer inaperçu entre les trajectoires de la vedette hydrographique. Même avec le matériel électronique moderne, ces dangers peuvent encore passer inaperçus; un sondeur à écho, par exemple, n'indiquera pas le mât d'une épave ou une aiguille rocheuse à moins que le sondeur ne soit utilisé directement au-dessus de l'obstacle.

Pour compenser ces lacunes, l'hydrographe doit souvent recourir à la technique de balayage dans un secteur où il soupçonne la présence d'autres dangers. Le balayage est fait par deux bateaux naviguant sur des trajectoires parallèles à quelque distance l'un de l'autre. Entre ces bateaux est suspendu un fil métallique submergé. Quand le fil métallique rencontre une obstruction cachée, les embarcations vont déterminer sa position et sa profondeur. Le SHC a réalisé son premier balayage du genre en 1907 à Key Inlet Harbour, sur la rive nord-ouest de la baie Georgienne, utilisant des embarcations attachées au bateau hydrographique *Bayfield*. La Canadian Northern Ontario Railway Company avait l'intention d'y construire un terminal; il fut décidé que le

Utilisant comme guide une ligne dont la position est établie avec précision, un hydrographe sonde un haut-fond au large de Pointe-au-Baril dans la baie Georgienne au cours des années 1960.

balayage était la seule méthode sûre de déterminer la présence de tout danger sous-marin pour les gros cargos qui allaient transporter le charbon et le fer†.

Tous ces instruments et toutes ces méthodes de sondage ont été utilisés au Service hydrographique du Canada jusqu'à la Seconde Guerre mondiale; mais dans les années 1930 les nouveaux sondeurs à écho les ont peu à peu supplantés, bien qu'aujourd'hui encore le plomb demeure l'outil que les hydrographes utilisent lorsqu'ils vérifient la profondeur minimale de l'eau au-dessus d'un haut-fond. En outre, la technologie n'a pas encore trouvé de solution de rechange satisfaisante au balayage par fil métallique. Mais quatre-vingt-dix pour cent des travaux de l'hydrographe sont faits au moyen du sondeur à écho ou de quelque version modifiée des principes du sondage par écho.

L'invention du sondeur à écho a été la plus importante découverte technologique de l'histoire de l'hydrographie depuis l'époque où le capitaine Cook a commencé à baser ses levés sur la triangulation. Les expériences sur l'utilisation de la vitesse du son dans l'eau comme moyen de déterminer la topographie sous-marine ont commencé pendant la Première Guerre mondiale, alors que les Alliés cherchaient un moyen de détecter les sous-marins ennemis.

Au Canada, les expériences ont d'abord été entreprises en 1915 pour déterminer la vitesse du son dans l'eau de mer. Ces essais, qui se faisaient au moyen d'un oscillateur sonore, remorqué par le bateau hydrographique *Cartier*, et d'hydrophones suspendus à des vedettes hydrographiques amarrées à des distances variables du navire, ont donné de bons résultats.

Cependant, le problème de la mise au point d'un appareil qui pourrait à la fois transmettre et recevoir un signal sonore puis traduire avec justesse l'information en mesures de profondeur n'a pu être résolu avec satisfaction avant 1925, alors que la Marine royale a installé les premiers sondeurs à écho fonctionnels à bord de ses navires. Le problème est représenté mathématiquement par la formule simple $d = \frac{1}{2}vt$ où d indique la profondeur à déterminer, v, la vitesse du son dans l'eau et t, le temps

†Par exemple, le SHC a éprouvé des difficultés dans ses opérations de balayage en 1957 lorsque D'Arcy H. Charles approcha de la baie Hopes Advance dans la baie d'Ungava. À cet endroit, la variation entre la marée haute et la marée basse est de 13.4 mètres soit pas beaucoup moins que la variation de 16 m que l'on trouve dans la baie de Fundy, la plus considérable variation de marée au monde. La marée monte et descend quatre fois par jour, créant de cette manière, une différence de niveau d'eau de plus de deux mètres à chaque heure ou 33 cm (13 po) par dix minutes. Les changements aussi radicaux du niveau de l'eau qui surviennent en un si court laps de temps ont obligé Charles à ajuster le résultat de son balayage, toutes les cinq minutes.

requis au signal sonore à partir du transmetteur du sondeur à écho pour atteindre le fond de la mer et revenir au récepteur du sondeur à écho. Ainsi, dans ce sens, le sondeur à écho mesure le temps, mais le convertit en mesure de profondeur.

Au Canada, le premier sondeur à écho fabriqué par la société Henry Hughes and Son, qui allait plus tard être connue sous le nom de Kelvin-Hughes, a été installé en 1929 à bord du navire hydrographique *Acadia*.

Dans un article rédigé pour le *Canadian Surveyor* en 1949, l'ancien Hydrographe fédéral R.J. Fraser faisait part de ses premières expériences avec les premiers sondeurs à écho: "Cet appareil était de type à marteau, c'est-à-dire un compresseur actionnant un marteau contre le fond du navire. Dans la salle des machines et à l'arrière dans le carré des hydrographes, on pouvait toujours dire si l'appareil fonctionnait en écoutant les coups de marteau... L'opérateur devait d'ailleurs porter des écouteurs, écouter les échos et lire les profondeurs qui clignotaient sur un cadran enregistreur".

Meehan fait remarquer que, malheureusement, quand le fond changeait rapidement, l'écho véritable (par opposition au son réel du marteau) était souvent perdu. Quand cela se produisait, l'enregistreur devenait inutile jusqu'à ce qu'il soit réglé de nouveau au moyen d'une profondeur connue mesurée par le sondeur Lucas (qu'on gardait toujours en état de fonctionner). Cependant, à la fin de la saison de travail sur le terrain, le capitaine Anderson, Hydrographe fédéral, avait pu rapporter que cet appareil sonique s'était révélé efficace (lorsqu'il fonctionnait) comme appareil de mesure des profondeurs avec un facteur de précision de 98½ pour cent. Et bien que le prix de ces sondeurs à écho Hughes, en 1929, fut de quatre à six mille dollars, leur potentiel était tel qu'on les installa l'année suivante sur les bateaux hydrographiques *Lillooet* et *Bayfield*.

Ces premiers modèles, cependant, étaient plus efficaces en eau profonde. En eau peu profonde, en effet, il était difficile pour l'opérateur de l'hydrophone de distinguer l'écho véritable de la pulsation d'origine, car le laps de temps entre les deux était trop bref. Par exemple, en 1930, l'équipage du *Bayfield*, qui explorait le fameux haut-fond du lac Supérieur, se trouvant sur le trajet des bateaux à fort tirant dans les eaux profondes non cartographiées de la partie centrale du lac Supérieur (à quelque quarante milles de la terre la plus proche), a finalement dû se servir du plomb pour localiser avec précision ce danger pour la navigation. En fin de compte, on a pu déterminer que le haut-fond était recouvert de vingt et un pieds d'eau.

Les sondeurs à écho utilisant un transducteur à magnétostriction, mis en service en 1933, étaient les premiers à enregistrer les profondeurs, tant en eau profonde qu'en

Un plomb, fixé au fil de fer déroulé du tambour du sondeur Kelvin, est lancé au fond. Le déroulement du fil de fer et le sondeur sont interrompus par le contact du plomb avec le fond et le jeu créé dans le fil de fer; la profondeur est alors indiquée sur une plaque de laiton graduée se trouvant sur le dessus de la machine. Le fil de fer est ensuite enroulé par un moteur électrique (voir le bouton de commande à gauche de la machine). La lumière, à droite, sert aux travaux de nuit.

eau peu profonde, avec une grande précision. L'enregistrement automatique au moyen d'un stylet incorporé au récepteur du sondeur, qui enregistrait quatre sondages à la seconde sur des rouleaux de papier spécialement préparés à cette fin, a été utilisé pour la première fois en 1930 sur l'*Acadia* et est devenu partie intégrante du matériel courant en 1932.

Les sondeurs à écho par magnétostriction, qui avaient remplacé le marteau pneumatique par un oscillateur électrique à bord, présentaient des avantages, outre leur précision accrue dans les eaux peu profondes. Ils éliminaient, écrit Meehan, "l'usure de la coque du navire par suite de l'utilisation continue du marteau pneumatique sans compter la vibration et le bruit incessants". En outre, ces nouveaux sondeurs pouvaient être aisément installés à bord des petites vedettes hydrographiques, ce qui en augmentait d'autant l'efficacité comme outil de tous les jours sur le terrain.

La transition de la ligne de sonde au sondeur à écho a été révolutionnaire. Comme le faisait remarquer l'hydrographe de la Marine royale, le capitaine d'état-major B.S. Dyde: "Avec l'introduction du sondeur à ultra-sons et de son enregistreur automatique, l'hydrographie venait de prendre une toute nouvelle orientation."

Dès 1932, l'Hydrographe fédéral du Canada reconnaissait que "l'adoption de la méthode de sondage par écho pour obtenir la mesure des profondeurs... avait accru d'au moins trente pour cent les sondages des zones d'eau profonde en haute mer". Et en 1933, Henri Parizeau, à la tête du bureau de Victoria (Colombie-Britannique), déclarait que "le progrès le plus important de l'hydrographie avait été le sondage à écho".

En 1935, tous les principaux navires du SHC et leurs vedettes hydrographiques auxiliaires étaient munis de sondeurs à écho. Après la Seconde Guerre mondiale, l'introduction du SONAR (son, navigation et télémétrie), perfectionnement du sondeur à écho, complétait le matériel de base dont disposait l'hydrographe moderne pour les sondages.

"Complétait" c'est-à-dire jusqu'à ce que le SHC se mît sérieusement à la tâche de tenter la cartographie du fond marin sous le plateau de glace polaire de l'Arctique canadien.

Les sondages à travers la glace posaient aux hydrographes canadiens un nouveau défi auquel ils s'attaquèrent avec ardeur. En 1959, on les trouva faisant des trous dans la glace à la dynamite, puis plongeant le plomb dans l'eau avec un treuil de sondeur Lucas. Ce procédé était évidemment coûteux, compliqué, long, peu productif et extrêmement dangereux. En 1960, les hydrographes retournèrent sur les glaces, cette fois pour y forer des trous dans lesquels ils pouvaient passer le plomb. Cette méthode était plus propre et plus sûre, mais, à 20°F au-dessous de zéro, peu d'hydrographes s'enthousiasmaient à l'idée de passer tout ce temps à forer un trou dans six pieds de glace, sans compter le temps requis pour descendre le plomb à deux cents brasses et le remonter.

C'est en 1961 qu'on fit de véritables progrès. Le personnel scientifique affecté au Projet du plateau continental polaire† eut l'idée qu'un transducteur sonique modifié — une combinaison du transmetteur et du récepteur des appareils de sondage à écho — placé sur la glace, pourrait servir à en mesurer l'épaisseur. Cette supposition se révéla incorrecte, mais les hydrographes sur place découvrirent que si l'on enlevait toute la neige et si la surface pleine du transducteur était scellée à la surface lisse et plate de la glace solide avec une mince couche d'huile à moteur, on pourrait sonder le fond marin à travers la glace. Cette méthode était juste et plus rapide que le dynamitage ou le forage et, perfectionnée au cours des années, elle est toujours en usage.

Cependant, des méthodes encore plus perfectionnées ont été mises au point dans les années 1970. En 1977, le transducteur à crampon était utilisé dans l'Arctique. Cette invention comprend un transducteur, fixé à un crampon d'acier et monté à l'arrière d'un véhicule à chenille qui se déplace sur la surface de la glace. Quand le véhicule s'arrête pour permettre un sondage, un appareil pneumatique enfonce le crampon dans la glace et l'hydrographe, dans la chaleur relative du véhicule, enregistre le sondage comme il le ferait dans une vedette ou un navire. En 1978, le système de transducteur à crampon a été monté sur l'hélicoptère.

Les hélicoptères ont été utilisés pour la première fois dans l'hydrographie de l'Arctique en 1954 par des hydrographes affectés au brise-glaces le *Labrador*. Le SHC a fait l'acquisition de son premier hélicoptère en 1957 pour utilisation à bord du *Baffin*. En 1963, les hélicoptères ont été utilisés pour la première fois pour des sondages en eau libre au moyen d'un appareil remorqué, appelé le "poisson". Ces "poissons" sont des transducteurs soniques montés dans des coques hydrodynamiques remorquées juste sous la surface de l'eau, habituellement par un navire ou une vedette rapide.

† Le Projet du plateau continental polaire est financé par le ministère fédéral de l'Énergie, des Mines et des Ressources.

On eut alors l'idée que cette technique pourrait être appliquée avec encore plus d'efficacité si on se servait d'un hélicoptère pour remorquer le "poisson". Malheureusement, après une couple de saisons d'essais, les pilotes tout particulièrement se sont rendus à l'évidence que l'utilisation du "poisson" par hélicoptère était trop dangereuse. Il était trop difficile pour un pilote d'hélicoptère de maintenir le transducteur à une profondeur uniforme sous la surface de l'eau, de maintenir un cap bien défini, déterminé par les lignes de sondage de l'hydrographe, de maintenir la bonne tension sur la ligne de remorquage du transducteur et de piloter l'hélicoptère en même temps. Mais la combinaison qui a été faite plus tard du transducteur à crampon, fixé à un appareil pneumatique et monté sur un hélicoptère qui se déplaçait sur la surface de la glace un peu comme une sauterelle géante, a constitué un énorme progrès pour les hydrographes: ils pouvaient ainsi faire très rapidement de nombreux sondages sur une vaste superficie.

Voilà donc les outils, instruments et méthodes de base qui ont été et sont utilisés par les hydrographes sur le terrain. Bien qu'au cours des cent dernières années le matériel employé et, par conséquent, les méthodes aient beaucoup changé, le but de l'hydrographe demeure exactement le même qu'à l'époque où le capitaine Cook a fait les premiers levés de nos eaux. L'hydrographe sur le terrain recueille des renseignements pour la publication de cartes marines, d'instructions nautiques et de tables des courants et des marées.

Quand il est en mer pendant la saison de levé, l'hydrographe songe avec envie aux journées de travail de huit heures de la plupart de ses compagnons de voyage; il doit profiter, lui, de chaque heure de temps utilisable pour recueillir des données et, si cela signifie qu'il doit travailler douze heures de suite dans une vedette hydrographique qui se déplace sur une mer agitée... il n'a pas le choix. Plus souvent qu'autrement d'ailleurs, sa journée ne se termine pas lorqu'il regagne le navire après son travail dans la vedette: son travail se poursuit souvent tard dans la nuit. Pour l'hydrographe, le terme familier de "couche-tard" n'a rien de frivole, car il traduit une dure réalité de sa vie professionnelle.

Ce qu'il accomplit dans une journée détermine dans une large mesure ce qu'il fera le jour suivant, de sorte que, lorsqu'il quitte la vedette, il doit traiter les données qu'il a recueillies. Aujourd'hui, grâce à l'utilisation accrue des ordinateurs à bord des navires du SHC et des terminaux installés même dans certaines vedettes, la compilation des données est beaucoup moins fastidieuse. Cependant, même aujourd'hui, le travail dans le cas des petits levés doit être fait manuellement. Même quand il s'agit de levés pour lequels on emploie toute la gamme du matériel informatique, la semaine de quarante heures pour l'hydrographe sur le terrain est l'exception plutôt que la règle.

Il ne fait aucun doute, cependant, que les ordinateurs limitent la charge de travail de l'hydrographe, mais il y a peu de risque qu'il devienne un simple manieur de boutons. L'ordinateur ne peut donner de meilleurs résultats que l'information qui y est mise en mémoire et la qualité et la fiabilité des données sont encore à la charge de l'hydrographe. Si la révolution électronique aide l'hydrographe, c'est encore de son attachement personnel à la précision que dépend la sécurité des navigateurs, des navires et des cargaisons.

Il est donc très heureux d'avoir les ordinateurs et les "boîtes noires" à bord, mais il n'abandonne pas aux machines le soin de faire son travail. L'ordinateur est après tout un outil comme les autres.

En dernière analyse, ce sont les hommes et non les mesures qui comptent — les hommes qui vérifient et revérifient les données que leurs merveilleuses machines leur ont fournies.

Enfin, au cours des dernières semaines d'automne, quand l'eau commence à geler, que la mer se gonfle et que les vents se mettent à flageller la peau, ce sont les hommes qui rapportent à terre les nombreuses fiches de plastique et de papier qui, au cours des mois d'hiver, serviront à l'établissement d'une carte marine, c'est-à-dire à l'*art* de la cartographie.

Baie Georgienne et Kingston (Ontario), lac Saint-Jean (Québec) et Jervis Inlet (Colombie-Britannique)

Cartographier les eaux intérieures du Canada est essentiel pour le transport maritime et la navigation de plaisance. Des équipes de levé à Thessalon dans la baie Georgienne et à Kingston (Ontario), ainsi qu'au lac Saint-Jean (Québec), prennent des mesures précises et recueillent des données qui serviront à faire les mises à jour et les cartes révisées de ces régions.

Les fjords étroits de la côte de la Colombie-Britannique offrent aux plaisanciers des lieux de pêche presque inégalés et des paysages qui comptent parmi les plus beaux du continent. La topographie et la bathymétrie de ces inlets sont uniques au Canada, car ceux-ci, longeant des montagnes qui se prolongent dans l'eau, atteignent des profondeurs de plusieurs centaines de mètres.

Pour mettre à jour les cartes de ces eaux, l'équipe fait ses levés à bord d'une petite embarcation.

CHECK COOLANT FOR
SIGNS OF LEAKAGE
FROM COMPARTMENT
EVERY 50 HOURS
CHANGE LUBE OIL
CHECK BELT TENSION
SERVICE SPARK PLUG

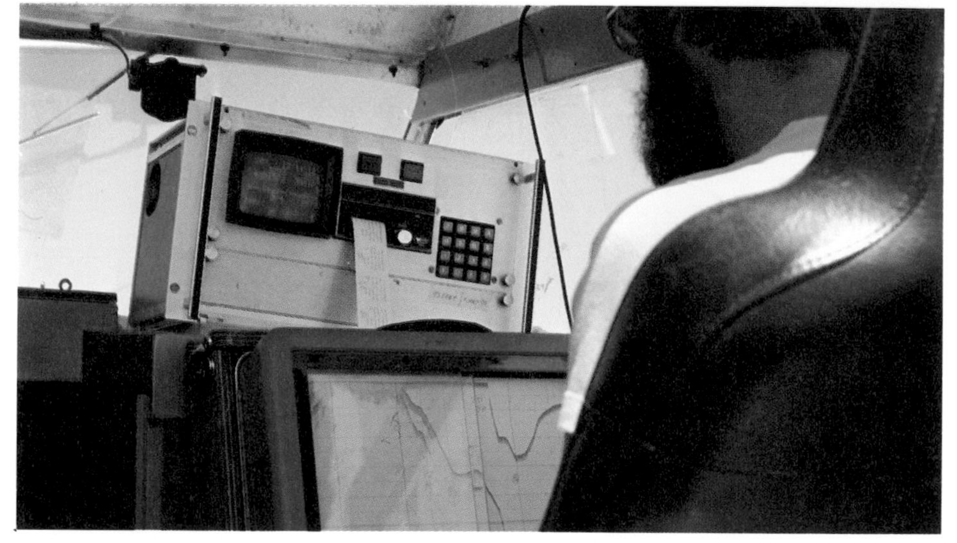

Les cartes marines

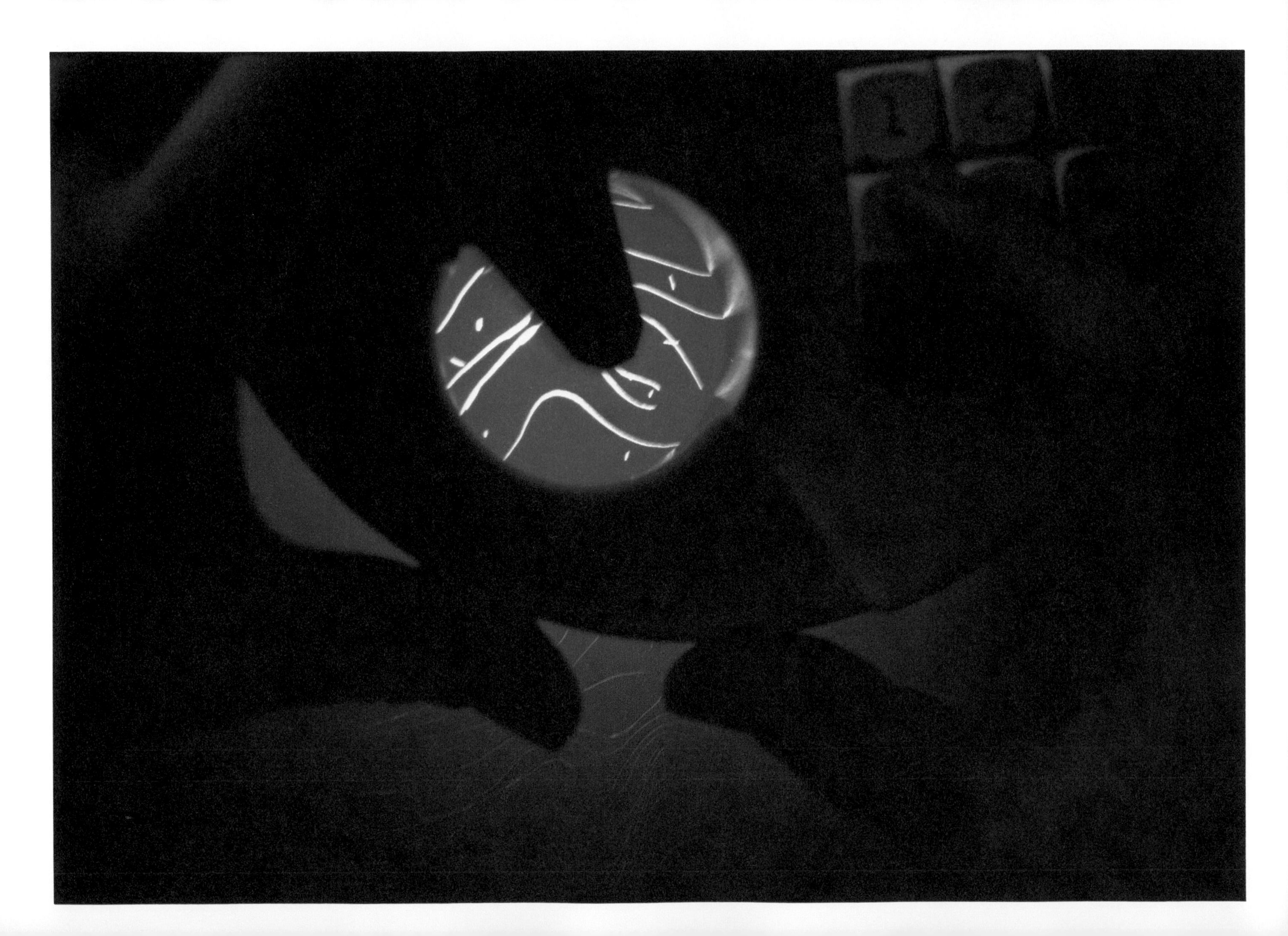

Une carte marine est un des outils essentiels du navigateur, l'information qui y est condensée étant son guide vers la sécurité. . . c'est une oeuvre d'art préparée par l'homme, le résultat du rassemblement et de la compilation soignée et précise d'informations provenant de nombreuses sources. Pourtant, peu de navigateurs, et encore moins de non-navigateurs connaissent le travail nécessaire pour en arriver à ce guide inestimable de la navigation.

VOILÀ CE QUE DISAIT R.J. FRASER, ANCIEN HYDROGRAPHE FÉDÉRAL, à la fin d'une émission de radio diffusée en mars 1934. En fait, il s'agissait d'une citation tirée directement de *Shipping World*. Cinquante ans plus tard, le processus d'établissement des cartes a bien changé, mais l'essence de ces remarques est toujours vraie, tout particulièrement le fait que la plupart d'entre nous n'ont à peu près pas idée de la somme ou du genre de travail nécessaire à la réalisation d'une carte marine.

Avant d'entrer dans les détails de sa préparation, peut-être vaudrait-il la peine d'expliquer ce qu'est une carte marine. À certains égards, elle est comparable à une carte géographique, tandis que, sous d'autres aspects, elle en est bien différente.

Une carte marine *est* une carte géographique dans la mesure où elle donne une image du fond de l'eau, de la même façon que la carte géographique décrit le sol au-dessus de l'eau; c'est la différence de représentation qui est importante.

Une carte géographique, selon le *genre* de carte consultée, peut indiquer les montagnes, les cours d'eau, les villes ou les villages, ainsi que les routes, chemins secondaires ou autoroutes qui les relient. Tous ces éléments et ces indications de la présence de l'homme peuvent être observés par le lecteur de la carte quand il s'en approche;

Il vaut mieux n'avoir aucune idée de l'endroit où l'on se trouve et le savoir, que de croire qu'on se trouve là où l'on n'est pas.

César-François Cassini de Thury
Arpenteur et topographe français du dix-huitième siècle

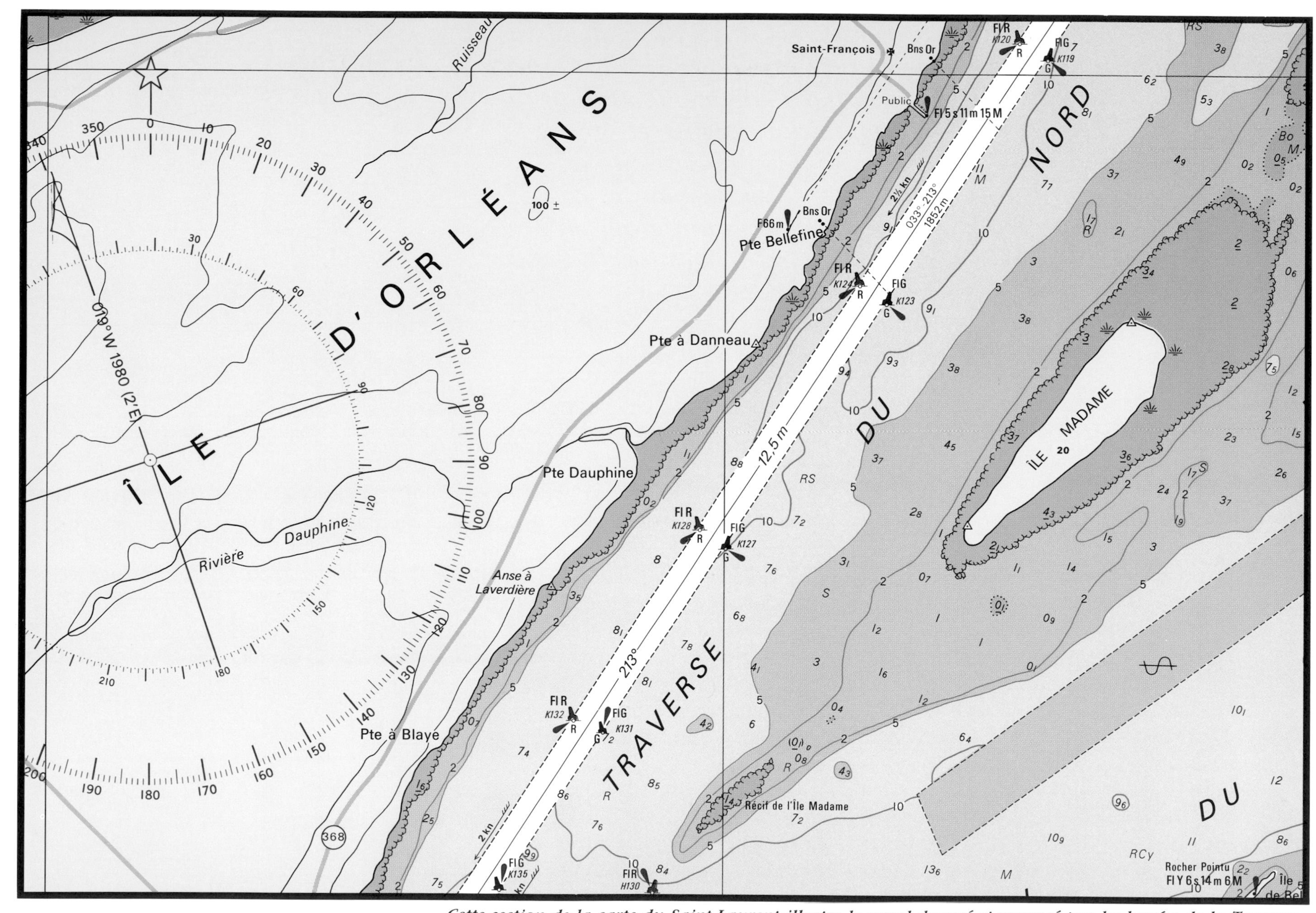

Cette section de la carte du Saint-Laurent illustre le canal dragué et marqué par les bouées de la Traverse du Nord. Le canal est maintenu à une profondeur draguée minimale de 12.5 m. Aucun sondage n'est donc indiqué sur toute sa longueur. Il est orienté sur 033°/213° et mesure 1 852 m de long. Il y a un point géodésique marqué à chaque extrémité de l'île Madame et une zone de dépôt de déblais au sud. Il y a un clocher d'église à Saint-François (en haut à droite).

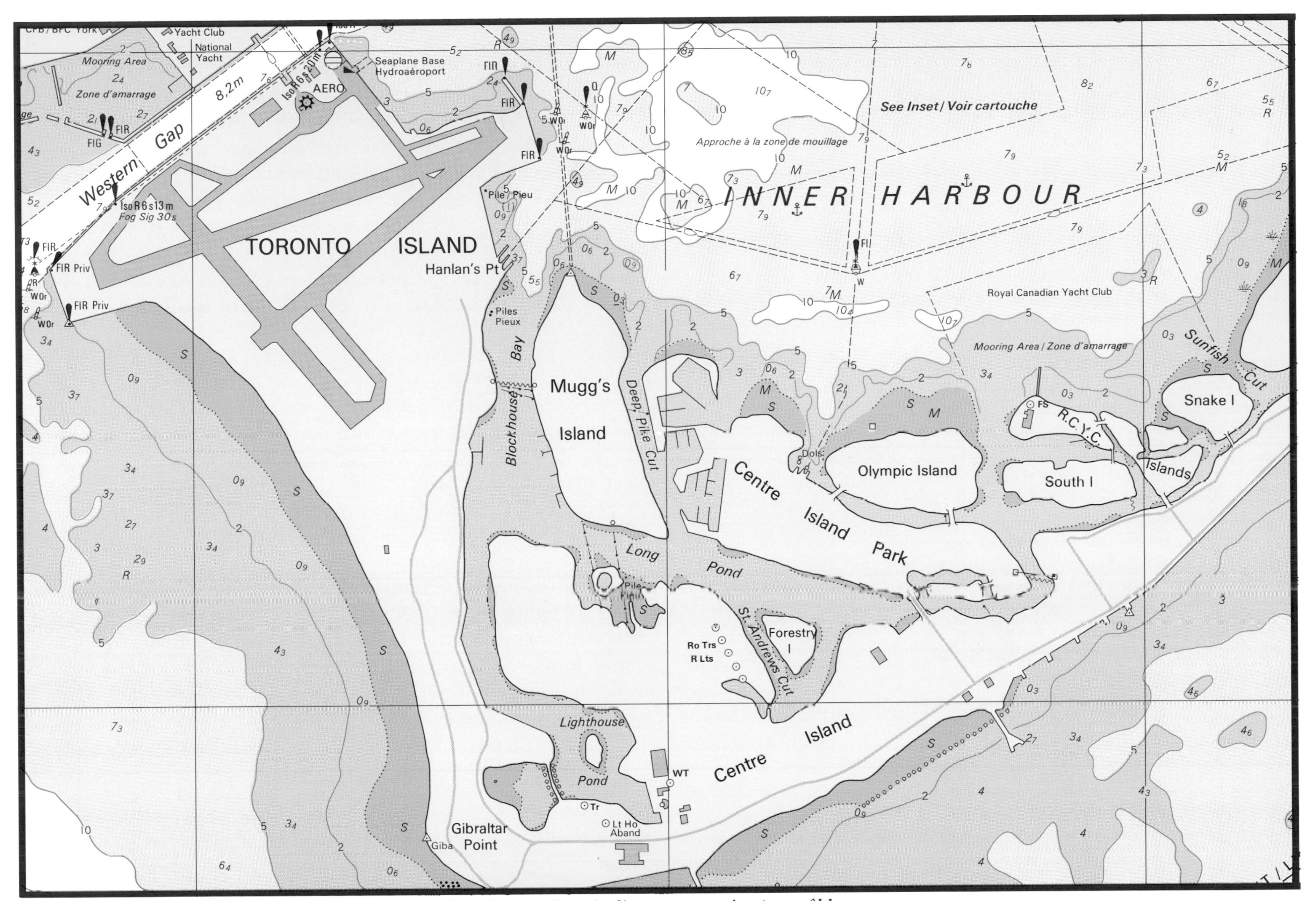

La carte du port de Toronto montre les mouillages dans le port. Des pipelines sous-marin et un câble sous-marin dans la baie Blockhouse sont indiqués par des symboles.

il pourra donc confirmer sa présence dans un secteur donné en établissant une correspondance entre son entourage visible et les symboles de sa carte.

Il en va autrement de la carte marine. Le fond de l'océan, d'un lac ou d'un cours d'eau peut se trouver à des mètres, ou à des milliers de mètres; l'utilisateur de la carte marine ne peut donc confirmer la précision de la carte par simple vérification visuelle†.

Dans le même ordre d'idée, on assume que l'utilisateur des cartes géographiques, tout au moins celles qui nous sont le plus familières, comme les cartes routières, se rendra du point A au point B par le chemin le plus court en suivant les routes clairement indiquées. Par conséquent, la carte routière limite l'information qu'elle contient à l'endroit où se trouve le voyageur et à la destination qu'il a choisie; ce qui se trouve le long de sa route ou en-dehors de sa route, s'il voulait ou pouvait la modifier, n'intéresse guère le cartographe.

Le cartographe qui prépare les cartes marines a affaire à un autre genre de voyageur. Le capitaine d'un navire marchand peut quitter le port X pour le port Y, mais il est toujours possible qu'il reçoive en cours de route un message radio lui indiquant de passer par le port Z, situé à des centaines de kilomètres en dehors de sa route d'origine.

Il replace donc la carte marine sur sa table et, au contraire de l'utilisateur de la carte géographique qui ne peut quitter l'autoroute avant la prochaine sortie, il change de direction sans route visible, sans indication pour le guider. Les "routes" et "indications" existent cependant sur ses cartes marines.

Les chenaux navigables sont indiqués sur la carte marine, de même que les dangers comme les bancs de sable et les hauts-fonds. La carte comprend aussi les courbes de niveaux pour que le navigateur puisse éviter les eaux peu profondes où il risque d'échouer. S'il doit traverser la mer de Beaufort, les cartes marines lui indiqueront les éléments de relief en forme de pingo qu'il doit éviter.

D'autres détails font que les cartes marines sont différentes de la carte géographique et offrent davantage d'informations: quelques-unes de ces différences devien-

†Bien qu'il ne puisse confirmer par une vérification visuelle le relief du fond au-dessus duquel il navigue, le navigateur moderne, pilotant une embarcation commerciale et, dans bien des cas, une embarcation de plaisance, a à son bord divers types de dispositifs électroniques qui, dans une grande mesure, remplacent la confirmation visuelle.

Ce que doit montrer une carte marine

Le contre-amiral Sir Francis Beaufort, en l'honneur de qui la mer de Beaufort fut désignée, fut Hydrographe de l'Amiraute de 1829 à 1855; ses méthodes de levés suivaient la tradition établie par Cook et, par la suite, consacrée par Vancouver. Ses instructions, émises en 1831 à l'intention des capitaines des navires de levés, peuvent s'appliquer encore aujourd'hui: "L'objet premier et principal sera de dresser la carte hydrographique du Golfe, de ses îles, de ses routes, de ses hauts-fonds et de ses levés... soit un examen précis de son entrée... et des repères judicieux afin de passer en eaux profondes sur les barres... Les hauteurs de toutes les élévations terrestres, des collines isolées et des cimes remarquables dévraient être précisées trigonométriquement et inscrites exactement en leur emplacement sur la carte — puisqu'elles permettent au marin d'évaluer facilement et précisément sa position... La nature de la rive, qu'elle soit faite d'écueils élevés, de roches plates ou d'une plage unie, doit bien entendu apparaître dans tout levé — mais elle doit bien davantage être facilement et utilement exprimée — par exemple, elle doit comporter l'élévation générale des récifs et leurs couleurs, la nature des matériaux de la plage, qu'elle soit de boue, de sable, de graviers ou de roches..."

dront évidentes d'ici la fin du chapitre. L'une d'entre elles, et non la moindre, pour les navigateurs qui vont d'un pays à l'autre, est la normalisation de la plupart des symboles de la carte marine. La carte géographique, pour sa part, s'adresse surtout aux ressortissants d'un pays en particulier et n'est pas normalisée.

Dans la plupart des cas (il y a des exceptions), l'utilisateur d'une carte marine du SHC *sait* que les symboles utilisés correspondent précisément à ceux qui sont employés à l'échelle internationale par tous les pays côtiers, soit cinquante pays ou plus, qui sont membres de l'Organisation hydrographique internationale.

Il est clair, quand on constate le très grand nombre d'informations qui se trouvent sur une carte marine, que l'établissement de celle-ci est un processus long et compliqué. Pour mieux comprendre ce processus, commençons par examiner en détail l'information que fournit la carte à son utilisateur.

De toute évidence, il y a habituellement un littoral. On y trouve aussi les sondes et les courbes bathymétriques. Puis une rose des vents à partir de laquelle le navigateur peut établir sa route en choisissant un cap ou un relèvement.

Les hauts-fonds et les rochers sont identifiés par des abréviations et des symboles appropriés, comme des douzaines d'autres dangers, aides à la navigation et éléments de relief apparents dans l'eau, sur la rive et à terre. Le "code" utilisé par les navigateurs pour bien comprendre tous ces symboles et abréviations est publié par le Service hydrographique du Canada. On le désigne tout simplement sous le nom de *Carte marine 1: signes conventionnels et abréviations utilisés sur les cartes marines canadiennes*. Étant donné la complexité du système utilisé pour identifier plusieurs éléments d'information, un navigateur, tout au moins un navigateur inexpérimenté, ne serait pas, à proprement parler, "perdu" sans la *carte n° 1*, mais il risquerait de se trouver en difficulté ou pourrait même être en difficulté sans savoir que sa carte, s'il pouvait la comprendre, contient probablement toute l'aide dont il aurait besoin.

La carte marine porte également une indication de l'échelle utilisée. Dans une étude qualifiée de "classique" sur le choix de l'échelle dans l'établissement des cartes hydrographiques, le vice-amiral Archibald Day, Hydrographe de la Marine (1950-1955), mentionnait que "de manière générale, plus un navigateur désire rapprocher son navire de la terre pour l'amarrer ou le mettre en cale sèche, plus l'échelle de la carte marine doit être grande. Bien sûr, dans le monde des cartes géographiques et marines, une grande échelle signifie une description plus détaillée d'un secteur restreint; une petite

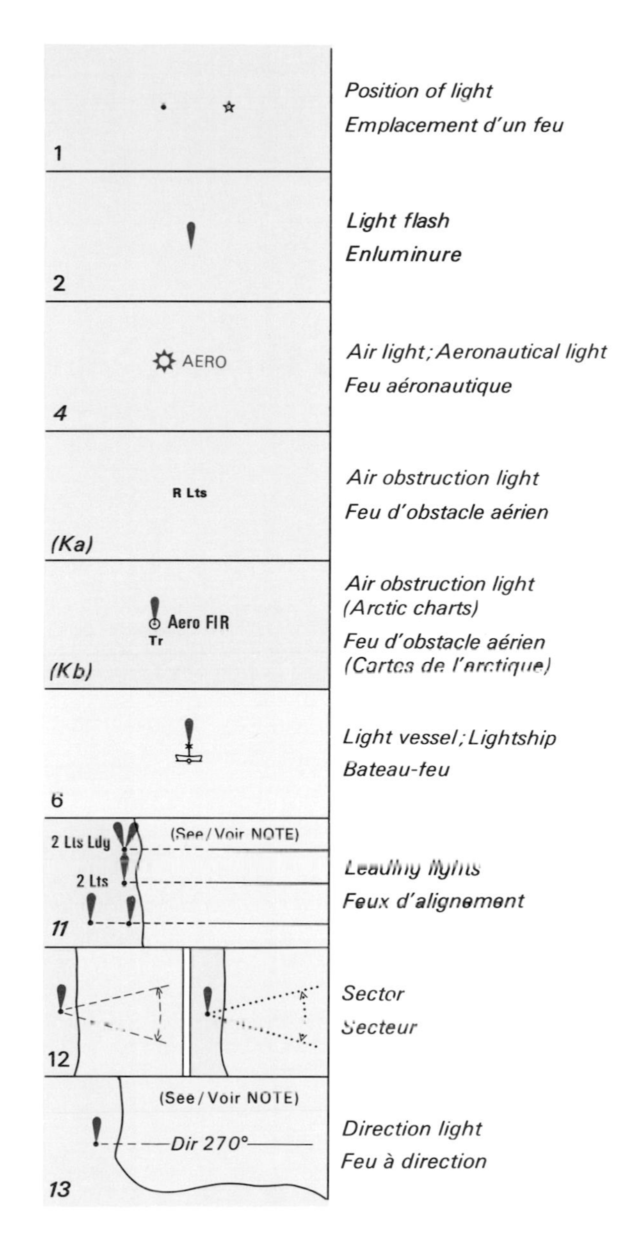

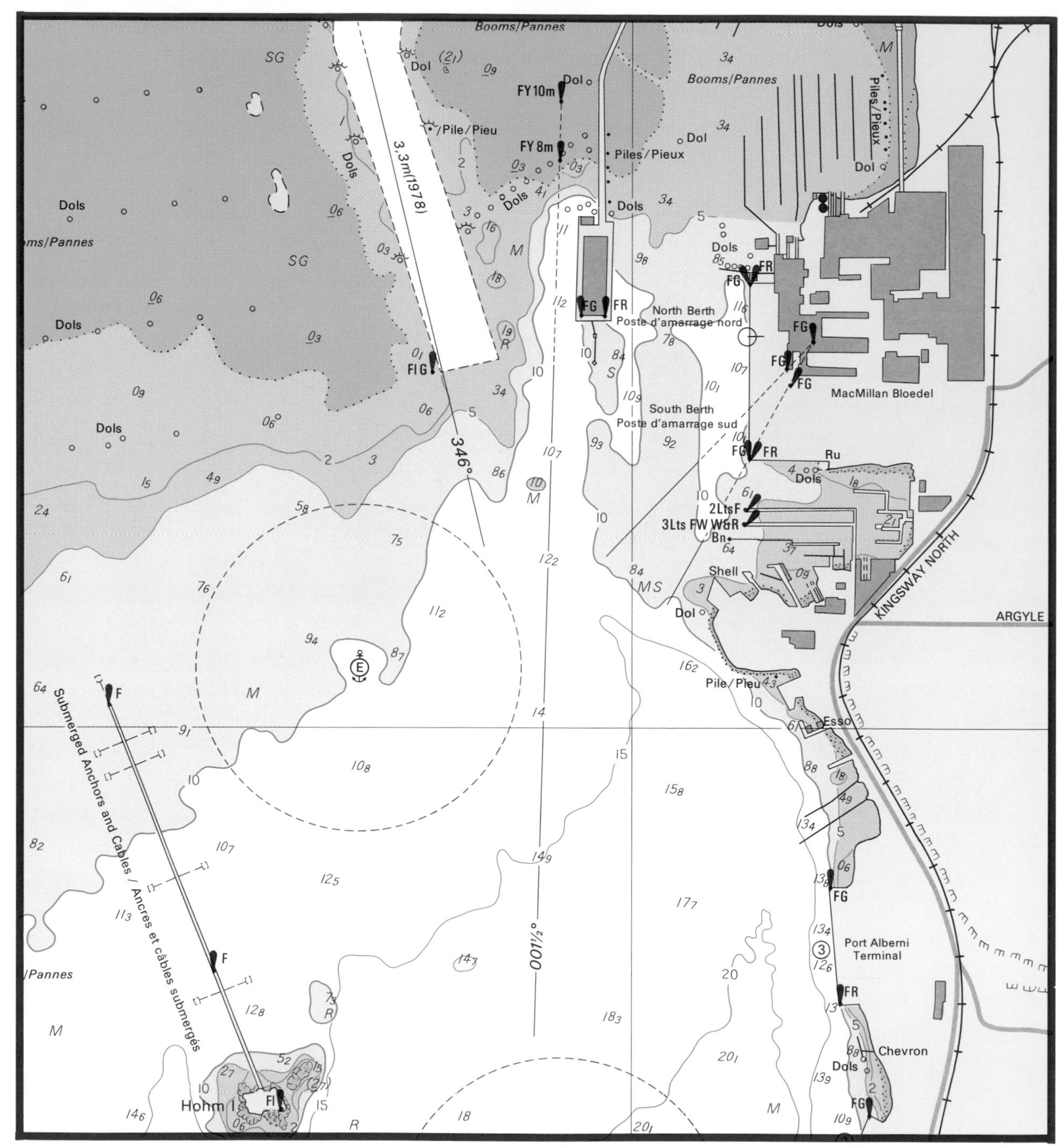

La carte du port de Port Alberni est un bon exemple de carte de port typique. Un mouillage est indiqué dans la partie centrale, tandis qu'un brise-lames flottant s'étend à partir de l'île Hohm.

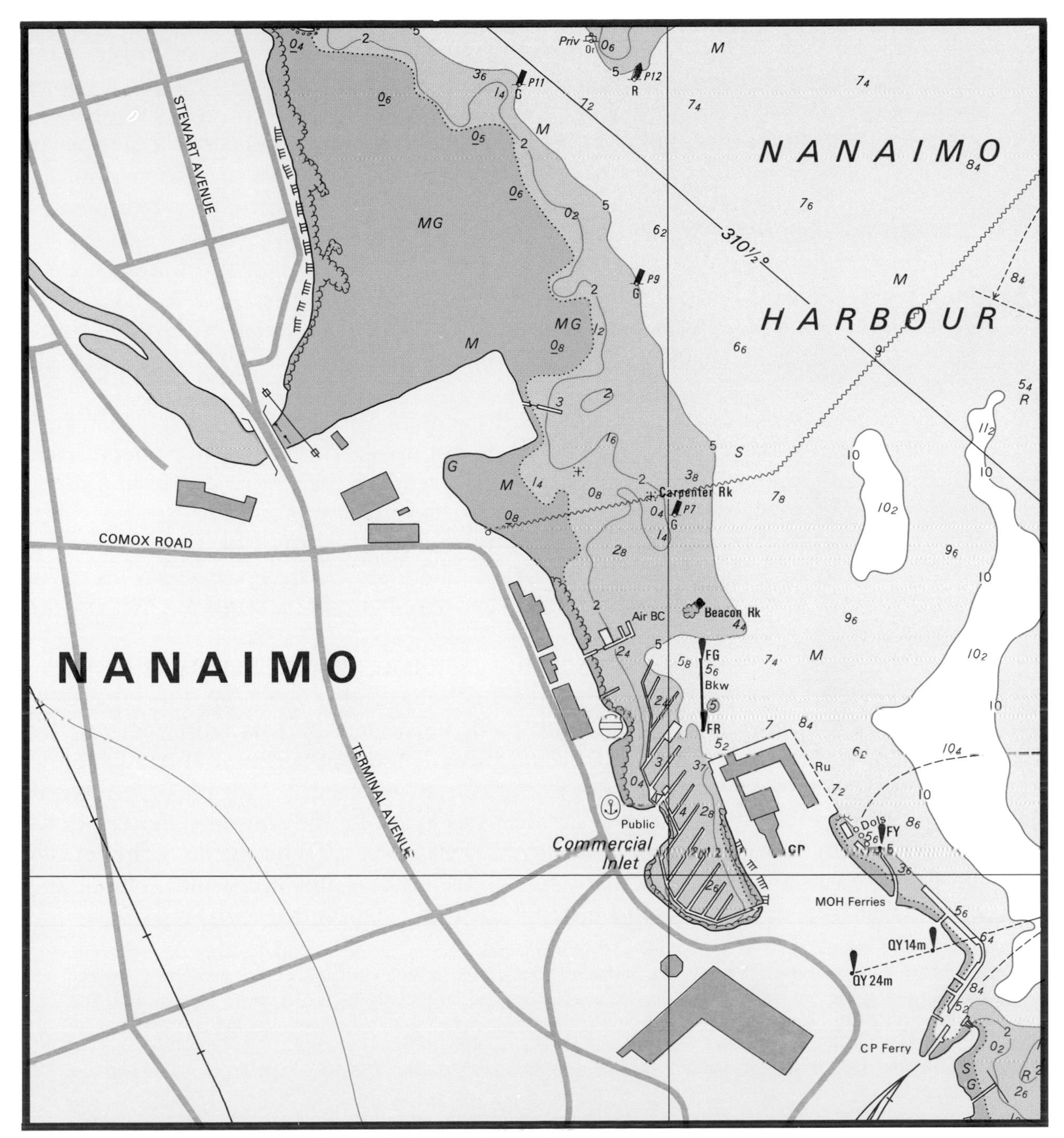

Une carte de Nanaimo montre les installations pour petits bateaux. Le bureau du maître de port est à l'extrémité des quais flottants dans l'inlet Commercial; le bureau des douanes est au nord. Le rocher Carpenter est à fleur d'eau à marée basse; des symboles indiquent les zones de basses eaux.

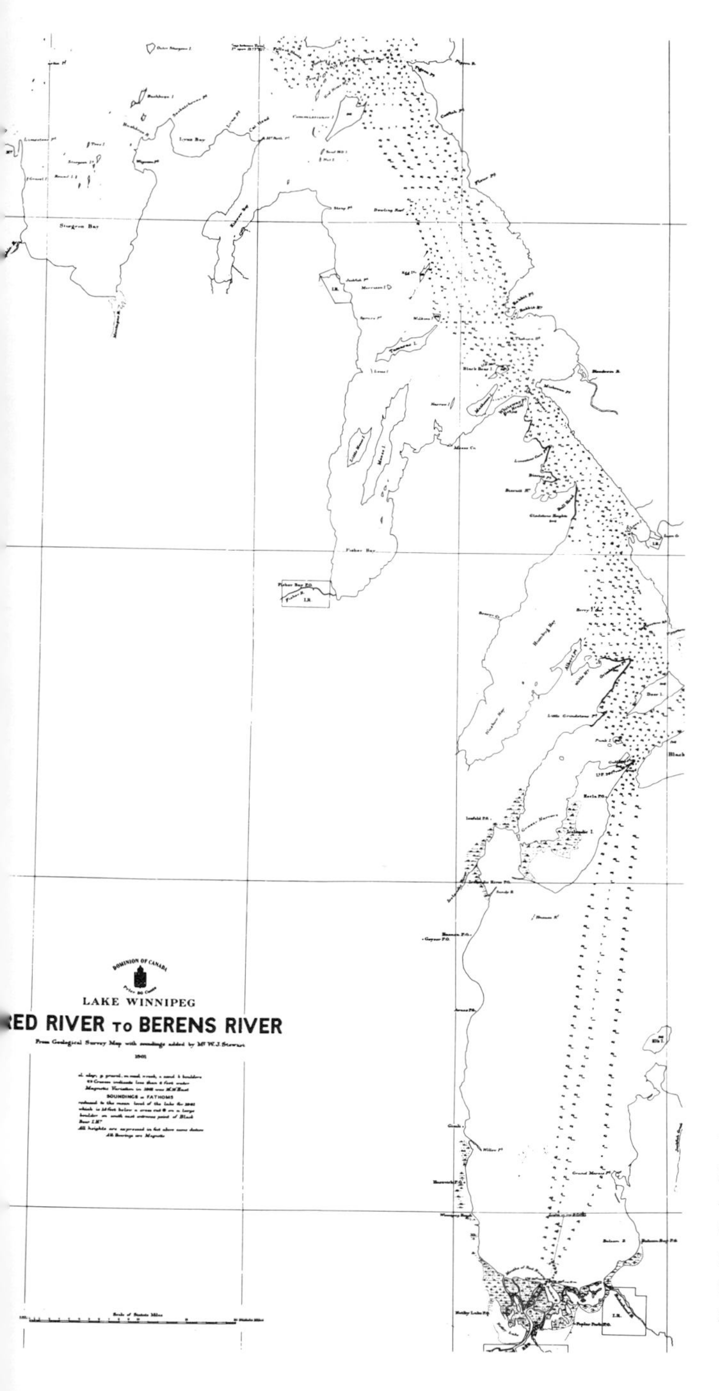

échelle indique moins de détails sur une plus grande étendue†''. Par exemple, dans leur ouvrage intitulé *The Maps of Canada*, Nicholson et Sebert proposent que les ports et chenaux soient illustrés à une échelle de 1:5 000 à 1:60 000; pour les côtes bien fréquentées, 1:80 000 est l'échelle la plus courante et il y a diverses cartes à plus petite échelle (environ 1:250 000). À l'autre extrême, les cartes marines préparées pour les plaisanciers qui fréquentent les lacs et les rivières utilisent des échelles allant jusqu'à 1:1 200 (un pouce sur la carte étant équivalent à cent pieds sur l'eau).

Les échelles des cartes canadiennes modernes, en multiples de dix, résultent surtout de notre participation à l'Organisation hydrographique internationale de Monaco (*OHI*) à laquelle nous nous sommes joints en 1951, et à l'adoption, par cette organisation, de mesures métriques en vue de normaliser la cartographie marine à l'échelle internationale.

Nos premières cartes marines étaient fortement influencées par les cartes de l'Amirauté britannique du dix-neuvième siècle qui utilisaient alors une projection de milles marins en pouce ou fraction de pouce. La première carte véritablement publiée au Canada, à partir du levé du lac Winnipeg réalisé par William J. Stewart en 1902, était conforme à cette tradition et utilisait une échelle d'un quart de pouce au mille, ou 1:255 594, une petite échelle utilisée principalement à cette époque par les topographes. Stewart avait utilisé cette échelle, car les résultats de son levé avaient été portés sur une carte topographique.

L'influence de la formation d'arpenteurs-géomètres s'est d'ailleurs manifestée au cours des années suivantes par l'utilisation d'échelles telles que 1:12 000, une assez grande échelle qui correspondait à mille pieds au pouce, parfois employée par les hydrographes sur le terrain lors de la préparation de leurs propres minutes hydrographiques; habituellement, l'échelle des minutes hydrographiques est plus grande que celle de la carte publiée. Cependant, ce n'est pas avant l'adhésion du Canada à l'*OHI* et l'introduction ultérieure, par législation, du système métrique que les échelles des cartes marines canadiennes ont commencé à être un peu plus uniformes. D'ailleurs, on est encore loin de l'uniformité complète, si on y arrive *un jour*.

†La mention de l'échelle dans le titre d'une carte est semblable à l'ouverture du diaphragme des appareils-photos: plus le chiffre utilisé est petit pour indiquer l'ouverture de l'objectif, plus cette dernière est grande. Ainsi, en photographie, un chiffre de 2 dénote un diaphragme largement ouvert, tandis qu'une graduation de 22 dénote un diaphragme de diamètre extrêmement réduit. De la même façon, une échelle de 1:1 200 mentionnée dans le titre d'une carte marine indique une reproduction sur grande échelle des éléments du relief sous-marin et de la rive; 1:250 000 signifie que moins d'éléments sont représentés sur une carte de même dimension.

Comme nous l'avons maintes fois souligné dans le présent ouvrage, l'échelle de la carte marine et, de ce fait, la quantité d'informations qu'elle fournit au navigateur, dépend de plusieurs facteurs. D'abord, l'étendue de la nappe d'eau et la complexité des rives et du fond influeront sur l'échelle de la carte qui les représentera. Ensuite, même si pour des raisons d'uniformité et de précision l'hydrographe rêve du jour où toutes les cartes utiliseront la même échelle, les besoins du navigateur, c'est-à-dire l'usager des cartes, dictent l'échelle de la carte de façon bien plus déterminante que tout autre facteur.

Pour nombre de navigateurs, l'échelle mentionnée dans le titre de la carte marine est, tout au moins au départ, une façon pratique de connaître la quantité de détails qu'elle contient. Quand il établit sa route, la mesure de la distance est aussi fonction de l'échelle de latitude. À cause des problèmes que pose la représentation de la surface sphérique de la Terre sur une feuille de papier plat, les distances apparentes sur les cartes marines et géographiques, particulièrement dans les latitudes extrêmes du nord et du sud, sont parfois faussées. Mais une minute de latitude sera toujours égale à un mille marin et constitue une référence simple, quelle que soit l'échelle utilisée.

La projection la plus couramment employée aujourd'hui est celle de Mercator. Cartographe hollandais accompli, Gerardus Mercator a publié sa carte du monde en 1569. Elle portait comme inscription: "Description nouvelle et améliorée des terres du monde, modifiée et à laquelle auront recours les navigateurs". C'était alors l'époque des premiers explorateurs qui traversaient les océans, découvraient de nouveaux territoires et revendiquaient des terres de richesse et d'abondance au nom de leur roi ou de leur empereur. Les portulans et les routiers, tels qu'utilisés par Colomb et Cabot, étaient les cartes à petite échelle de l'époque. Les loxodromies, qui donnaient au navigateur une indication de la direction, étaient indiquées sur ces cartes, mais les navigateurs savaient bien qu'il était impossible de tracer une route exacte, quelle qu'en fût la distance, en utilisant des lignes *droites* sur la surface *plane* d'une carte marine représentant une terre *sphérique*. Les lignes de latitude et de longitude étaient peu utilisées au quinzième siècle et au début du seizième, puisqu'elles présentaient des problèmes semblables à ceux des loxodromies lors du passage du globe à la carte. Le but de Mercator était de fournir au navigateur une carte sur laquelle il pourrait tracer des lignes droites, sur de longues distances, sans avoir à faire constamment des ajustements pour tenir compte de la courbe de la terre. Ce qu'il réussit à faire, ce fut plutôt de fausser les distances réelles entre les lignes de latitude et de longitude près des deux

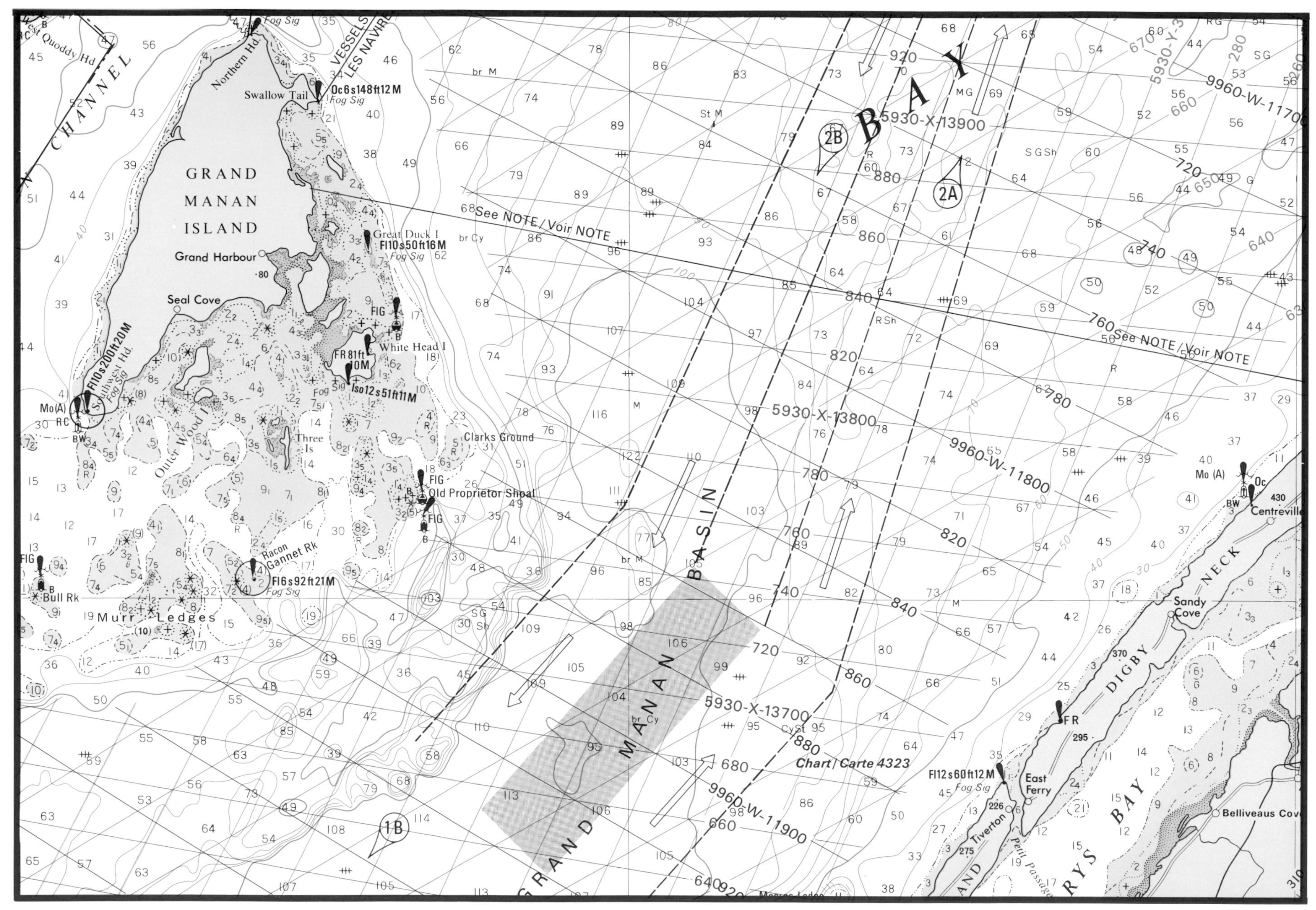

Une grille de navigation Loran figure en surimpression bleue et brune sur cette carte d'une partie de la baie de Fundy. Les zones de séparation du trafic et les points d'appel pour la Gestion du trafic maritime sont indiqués en mauve. On peut constater la présence de plusieurs épaves dans la partie centrale. Les isobathes sont indiqués par un mélange des nouvelles courbes de niveau continues et des anciens symboles de courbes de niveau.

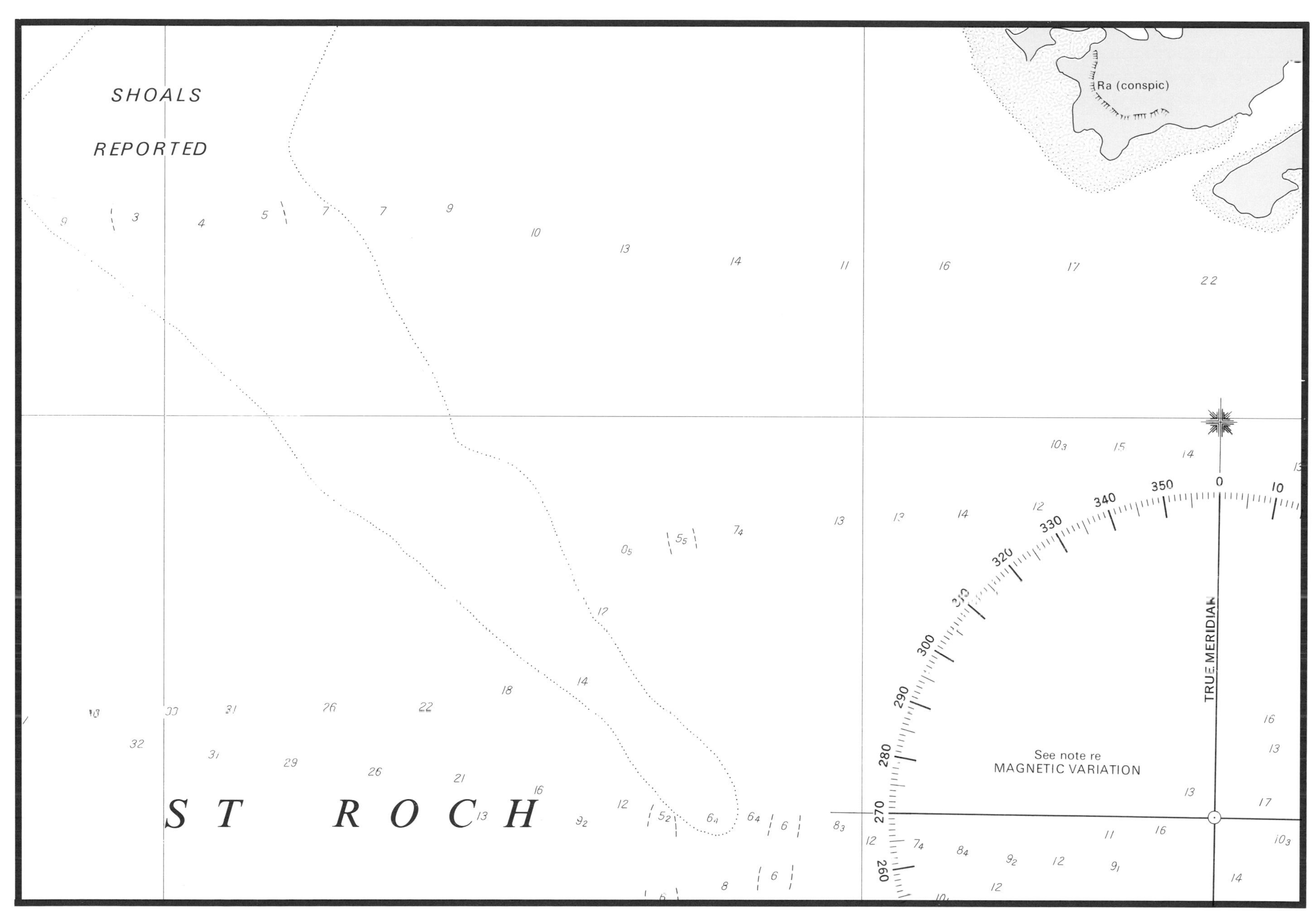

On constate, en regardant cette carte de l'Arctique, combien il y a de secteurs peu connus dans cette région. Les seuls sondages illustrés sont ceux qui ont été faits sur la route de navires de passage. En l'absence d'aides à la navigation, il devient très important dans une zone souvent plane et sans caractéristique particulière de bien voir la côte sur le radar.

Dans certaines circonstances, la mémoire est la carte du marin et les vieilles rengaines, ses instructions nautiques. . . Un capitaine terre-neuvien au gouvernail de son navire chantait:

"Quand la Chopine de Joe Bett file devant
C'est à l'ouest qu'elle va, droit sur le roc
Dane
Et c'est nord-nord-ouest que faut barrer
Pour voir apparaître la Tête du Brimstone"

"Le passage est étroit, pas large
Il y a plus d'eau à tribord
Quand vous vous alignez sur le port
Quatre brasses vous avez."

F.H. Peters et F.C. Goulding Smith
"Charting Perils of the Sea"
Canadian Geographical Journal,
février 1946

pôles (et par conséquent la taille apparente des étendues de terre et des océans dans les latitudes extrêmes des hémisphères nord et sud).

Il fallut quelque temps avant que les navigateurs commencent à se fier à la projection de Mercator, mais au début du dix-huitième siècle, elle était devenue et elle demeure encore aujourd'hui, la norme utilisée pour presque toutes les cartes entre 75° de latitude nord et 75° de latitude sud. On utilise d'autres genres de projection en cartographie, particulièrement dans les régions comme l'Arctique canadien, où la distorsion de la projection de Mercator serait trop grande pour représenter la topographie avec précision. Une de ces projections, appelée polyconique, avait la faveur des hydrographes canadiens de la première moitié du siècle, particulièrement pour les cartes des Grands lacs, car elle avait été utilisée dans les levés réalisés par les Américains. Jusqu'à l'adoption récente des normes de l'OHI, la cartographie au Canada, comme beaucoup d'autres de nos activités culturelles, portait l'influence des Britanniques et des Américains: des Britanniques, à cause du patrimoine transmis par l'Amirauté, des Américains, avec lesquels nous partageons la frontière, particulièrement le long des Grands lacs où des levés des États-Unis, qui avaient été faits avant les nôtres, exigeaient que les hydrographes canadiens s'y conforment dans une certaine mesure pour tenter de maintenir une certaine compatibilité des cartes des deux pays.

En plus de la projection, de l'échelle, des nombreux signes et abréviations, de la rose des vents et de la démarcation entre la couleur chamois du rivage et bleue de l'eau, la carte marine doit aussi indiquer au navigateur la profondeur de l'eau. Avant 1977, les résultats des sondages, représentés par des chiffres indiquant la profondeur, soit en brasses, soit en pieds ou en mètres, étaient imprimés sur la carte, avec les courbes de niveau appropriées, illustrant la bathymétrie générale de la zone cartographiée. Depuis cette date, cependant, ces données ne paraissent plus sur les nouvelles cartes canadiennes. Elles ont été remplacées par d'autres moyens d'indiquer les profondeurs: les courbes de niveau et les variations de teintes. Les courbes de niveau sont des lignes continues joignant des points du fond marin de même profondeur. De plus, d'un seul coup d'oeil, le navigateur peut connaître, grâce aux teintes bleutées, la profondeur de l'eau où il navigue.

Les nouvelles cartes constituent une amélioration considérable, appréciée surtout pendant les quarts de nuit sur le pont des navires commerciaux. La nuit, une lampe rouge ou une lampe de lecture de carte très tamisée illumine la table des cartes; une lumière brillante *nuirait* à la vision du navigateur chaque fois qu'il consulte la carte. Les courbes de niveau et les teintes indiquant la profondeur se voient mieux dans cette lumière atténuée que les chiffres auparavant. Ce passage des données réelles à des courbes de niveau et à diverses teintes résulte d'une tentative des cartographes de résoudre le problème de la surabondance des données fournies par les techniques perfectionnées de levé au cours des années qui ont suivi la Seconde Guerre mondiale.

Bien sûr, toutes les cartes ne sont pas destinées au même public. Fondamentalement, il y a quatre grandes catégories de cartes marines produites par le SHC: pour la marine marchande, pour les plaisanciers, pour les pêches et pour le ministère de la Défense. Ces cartes sont toutes établies au moyen des mêmes méthodes et des mêmes installations de production. Les échelles et l'information que portent les cartes varient cependant d'une catégorie à l'autre. Par exemple, les cartes destinées aux pêcheurs commerciaux doivent présenter beaucoup plus d'informations sur la nature du fond marin que n'en a besoin le capitaine d'un pétrolier ou d'un paquebot. En effet, le genre de fond peut révéler au pêcheur les espèces de poissons qu'il trouvera dans le secteur.

Néanmoins, au cours des premières années d'existence du SHC et jusqu'à 1950 environ, il n'y avait véritablement qu'une seule catégorie de cartes destinées à la navigation en général et prenant modèle sur les cartes des Britanniques. Les cartes de l'Amirauté du dix-neuvième siècle étaient imprimées en noir seulement, sur épais papier-toile blanc, d'un seul format appelé ''double éléphant'' (38 pouces sur 25). Les premières cartes du levé de la baie Georgienne de Boulton avaient été, en fait, publiées par l'Amirauté à Londres, en partie parce que le gouvernement du Dominion n'avait ni les fonds ni les compétences nécessaires pour graver sur cuivre et imprimer ses propres cartes et en partie à cause de la dépendance naturelle de Boulton à l'égard des installations de l'Amirauté. Cependant, il y avait deux grands inconvénients à ce genre d'exercice à longue distance. D'abord, la situation créait des délais inutilement longs entre l'achèvement du levé et la publication de la carte. Ensuite, le prix de la carte s'en trouvait augmenté de beaucoup. Quand la première Carte *n° 906*, (du cap Cabot au cap Smith et entrée de la baie Georgienne) fut publiée en 1886, Boulton lui-même fit remarquer que l'Amirauté publiait ces cartes à ses propres frais, le prix en étant fixé à deux shillings, ce qui était très raisonnable à Londres; mais, dans l'ouest de l'Ontario, la carte se vendait $1.25, ce qui causait beaucoup d'insatisfaction chez

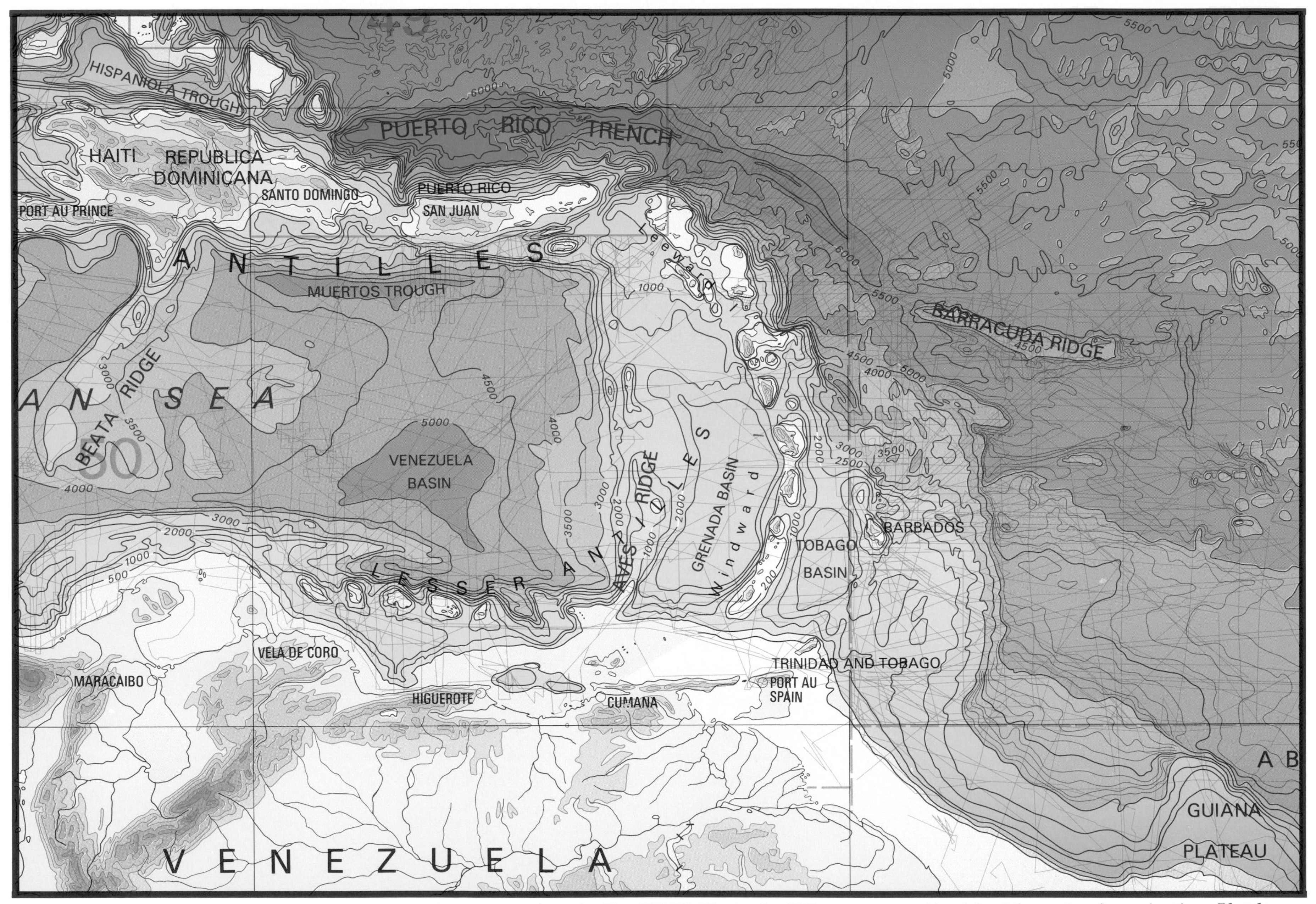

Cette partie d'une feuille GEBCO illustre la différence entre cette série et les cartes de navigation. Plus le bleu est foncé, plus l'eau est profonde, ce qui est l'inverse de la plupart des cartes de navigation.

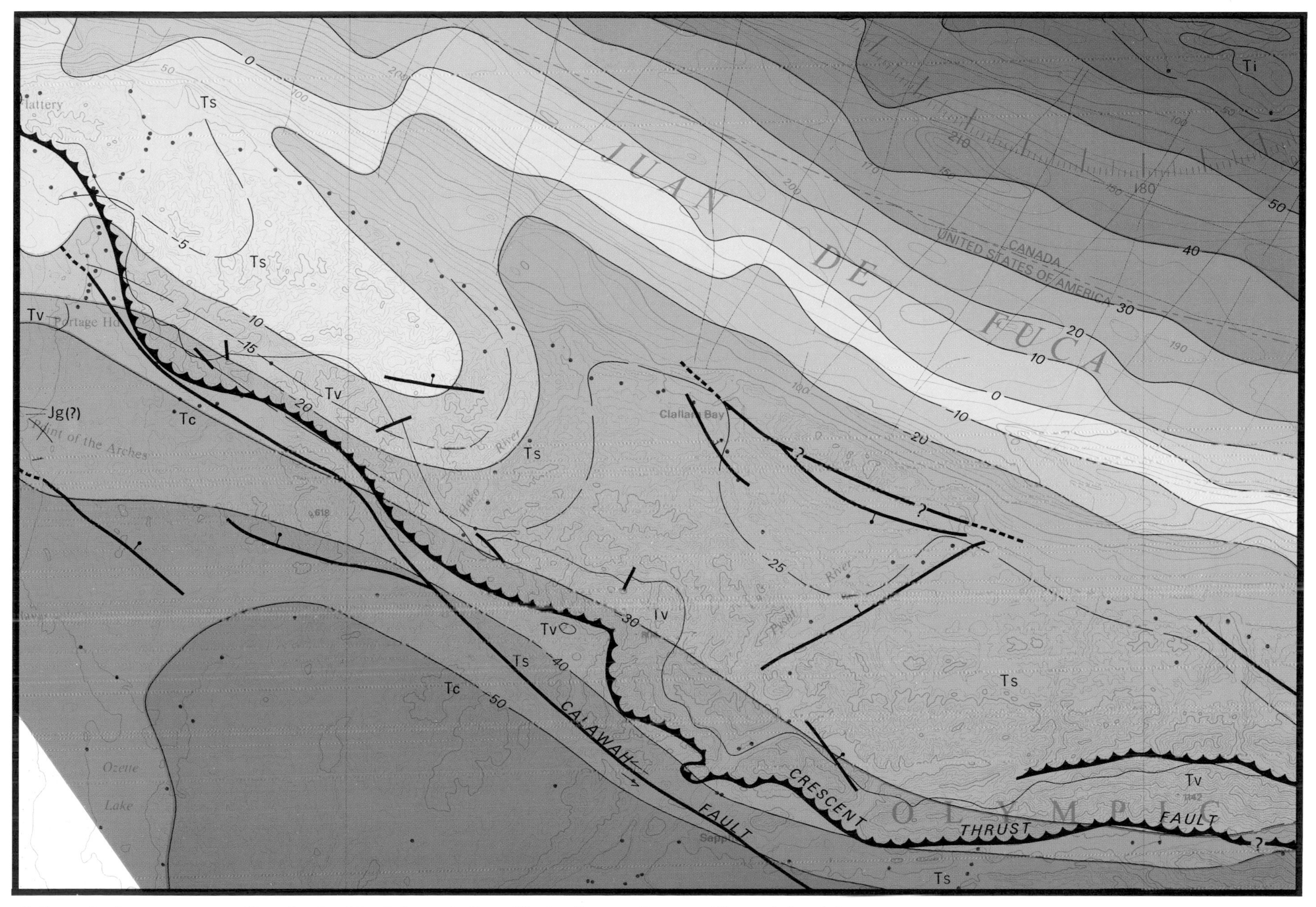

Cette carte des ressources nationales du détroit Juan de Fuca illustre l'anomalie magnétique de la région mesurée en gammas. Les isobathes sont indiqués par des lignes continues avec marqueurs de profondeur. Les lignes de chevauchement sont en dents de scie et les failles sont illustrées par des lignes pleines.

les acheteurs habitués à la distribution gratuite des cartes des eaux américaines publiées aux États-Unis.

Cette situation fut corrigée en 1903 quand la carte du levé de la partie sud du lac Winnipeg de William J. Stewart fut publiée à Ottawa. Il s'agissait de la première carte de levé canadien à être imprimée au Canada. Elle avait été dessinée par l'adjoint de Stewart (et successeur comme Hydrographe en chef), le capitaine Frederick Anderson. Elle était en couleurs et avait été produite au moyen d'un nouveau procédé photolithographique.

À la suite de la fusion en 1904 des installations de levé et du personnel du Levé des Grands lacs de Stewart et du ministère des Travaux publics, le SHC commença à distribuer des cartes de tous les grands ports du Canada. La première de cette série fut celle du *Port de Montréal, de Longue-Pointe à Varennes*, en 1905, une photolithographie en couleurs tracée sur une grande échelle d'un pouce pour mille pieds.

En 1906, un groupe d'hydrographes fut affecté à temps plein à la salle de dessin de l'administration centrale du SHC, à Ottawa. Cette mesure allait avoir un profond effet sur le Service, car elle marquait le début de la séparation des hydrographes sur le terrain, habitués à tracer leurs propres cartes, de la fonction d'établissement des cartes qui, au cours des années suivantes, allait devenir de plus en plus spécialisée et isolée des travaux "sur le terrain".

Les premières cartes canadiennes gravées et en couleurs (la gravure sur planche de cuivre assurait une reproduction plus précise et plus fine que la photolithographie), furent imprimées au Canada en 1909. De ces cartes, deux représentaient des secteurs du fleuve Saint-Laurent, une le port de Prince Rupert et la dernière, la baie Georgienne. On pouvait obtenir trois des quatre cartes au bureau du Service hydrographique ou auprès de ses mandataires, pour la somme de quinze cents l'exemplaire. Auparavant, les cartes ne pouvaient être obtenues qu'au ministère fédéral (à cette époque, le ministère de la Marine et des Pêcheries), à Ottawa. Les cartes de 1909 marquaient donc le début de la distribution organisée de cartes par le SHC.

À cette époque, bien que les hydrographes fussent occupés à faire des levés des eaux dans tout le Canada, la production des cartes était relativement limitée, et on devait se fier, dans une grande mesure, aux travaux du dix-neuvième siècle des hydrographes de l'Amirauté. En 1913, devant l'imminence de la guerre et l'incapacité des Britanniques de répondre à toutes les demandes du Canada pour la réimpression de ces cartes de l'Amirauté, le SHC commença à réimprimer un certain nombre d'entre elles par procédé photolithographique. Puis, en 1914, l'Amirauté expédia cinquante-six planches de cuivre de cartes des Grands lacs et du fleuve Saint-Laurent pour que le SHC y apporte les corrections nécessaires au moyen de l'information recueillie au cours des nouveaux levés et s'occupe de l'impression des cartes de façon permanente.

Pendant la Première Guerre mondiale, les activités hydrographiques sur le terrain furent restreintes, les navires ayant été réquisitionnés par la Marine et le budget du SHC ayant été coupé à cause de l'effort de guerre. Cependant, la salle de dessin, recourant aux services d'une partie du personnel habituellement employé sur le terrain (bien que bon nombre eussent joint les rangs de l'armée) et encouragée par le gouvernement à produire le plus grand nombre de cartes stratégiques possible, était plus occupée que jamais, produisant parfois jusqu'à quinze cartes par année. C'est pendant la guerre que les premières cartes canadiennes de la côte atlantique (les levés ayant été achevés au moyen de vedettes et d'autres petits bateaux) furent publiés. La plus importante, c'était sans doute la carte du port d'Halifax. Cependant, à cause des restrictions touchant l'information en temps de guerre (suscitées dans une certaine mesure par les soupçons qu'avait engendrés la fameuse explosion du port d'Halifax en 1917), ce n'est probablement pas seulement par coïncidence que cette carte n'ait pas été publiée officiellement avant le 13 novembre 1918, soit deux jours après l'armistice.

En 1921, un petit groupe de graveurs sur planche de cuivre fut transféré de l'Imprimerie fédérale aux bureaux des levés hydrographiques, en vue, comme l'indique Meehan, d'éviter le va-et-vient à Ottawa d'un immeuble à l'autre et de resserrer les relations entre hydrographes et dessinateurs. Cette même année, un nouveau catalogue de cartes était publié: il comprenait cent trente cartes marines canadiennes offertes au public, un nombre assez impressionnant si l'on en juge par les limites et les restrictions auxquelles avait dû se conformer le SHC depuis un peu moins de quarante ans.

Le capitaine Anderson remplaça William J. Stewart au poste d'Hydrographe fédéral en 1925. Sous sa direction, le Service commença à moderniser et à étendre ses activités, principalement par l'expérimentation et l'installation subséquente de petites

Protéger les oeufs tout en détectant les sous-marins

Pendant la Deuxième Guerre mondiale, les hydrographes du SHC ont produit des cartes confidentielles spéciales à des fins de défense. La plus curieuse peut-être de ces annexes graphiques a été la série des cartes de la "route des oeufs". Compilées à partir d'études des températures de l'air et de l'eau dans le golfe et le fleuve Saint-Laurent, ces cartes montraient les zones des eaux les plus froides où un navire transportant des oeufs, ou toute autre denrée périssable, pouvait garder sa cargaison fraîche sans être équipé de matériel de réfrigération coûteux. Mais la température de l'eau était aussi un facteur déterminant du déplacement des sous-marins, de sorte que les cartes de la route des oeufs avaient deux objectifs: protéger les denrées périssables et donner une indication des endroits où pouvaient se trouver les sous-marins ennemis.

merveilles technologiques comme le compas gyroscopique et le sondeur à écho. En 1928, le Service avait suffisamment confiance en sa Division de la production des cartes marines pour présenter plusieurs cartes canadiennes à Londres (Angleterre) au nouveau musée de la science, où elles reçurent une mention spéciale.

En 1930, la division de la production des cartes publiait jusqu'à cinquante éditions par année, ajoutant à cela environ 8 000 corrections à des planches de cuivre existantes. À cause de l'expansion du catalogue et de la confusion que créait le manque d'uniformité dans les échelles et les projections utilisées, on décida de produire toute nouvelle carte à projection de Mercator en utilisant les échelles normalisées à un pouce, 0.5 pouce, 0.3 pouce et 0.1 pouce correspondant à un mille marin, pour faciliter l'utilisation d'un certain nombre de ces cartes en série (rapport de l'Hydrographe fédéral). Toujours en 1930, le prix des 278 cartes produites au Canada et maintenant inscrites au catalogue fut augmenté à cinquante cents, ce qui était encore très bon marché comparativement au prix de celles de l'Amirauté et des États-Unis, qui était au moins le double.

Puis, bien sûr, l'année suivante, les effets de la dépression se firent sentir partout, y compris au SHC. La distribution des cartes diminua de vingt-cinq pour cent entre 1931 et 1933. Paradoxalement, c'est aussi à cette époque que la Division de la production des cartes atteignit son plus haut niveau de productivité: un résultat, d'après G.L. Crichton, chef de la Division, de l'accroissement de l'aide apportée par son personnel aux équipes sur le terrain pour l'achèvement des minutes de rédaction. Cette aide, donnée par les cartographes aux hydrographes sur le terrain, accéléra grandement le processus d'établissement des cartes et contribua, avec la création en 1906 d'un bureau de dessin distinct, à marquer la tendance vers la séparation des deux fonctions.

En 1934, on constate une hausse de la distribution des cartes. Déjà en 1935, les niveaux dépassent de vingt pour cent le taux faible de 1933. En outre, on obtient cette année-là l'autorisation d'acheter une presse offset qui permettra d'imprimer les cartes plus rapidement, à meilleur coût et avec tout autant de précision. Avec l'acquisition de cet appareil, le Service commence à délaisser tranquillement le processus de gravure sur cuivre qui avait été la norme depuis l'époque de Mercator, au seizième siècle. À la fin de 1937, quatre cartes seulement avaient été publiées à partir de planches de cuivre. En 1947, le dernier des graveurs sur cuivre prenait sa retraite et le procédé n'a jamais plus été utilisé par la suite au SHC†.

En 1937, le Service hydrographique du Canada avait plus de cinquante ans et, bien que ses progrès eussent été ralentis par la Première Guerre mondiale et la dépression, la compétence de ses cartographes et de ses équipes sur le terrain ne faisait aucun doute. Parallèlement, les cartes canadiennes s'étaient acquis une réputation de précision sans pareille. Dans son rapport annuel de 1937, Henri Parizeau, chef du bureau de la côte du Pacifique, notait avec fierté:

> autrefois, les bateaux sur cette côte avaient l'habitude d'entrer dans les baies et les anses sans carte marine, mais avec l'expansion du pays, les compagnies d'assurances refusèrent de permettre à ces navires de voyager dans ces conditions, de sorte qu'aujourd'hui, aucune compagnie côtière ne permettra à ses navires de se rendre dans une nouvelle localité à moins que le Service hydrographique n'ait d'abord fait un levé de l'endroit.

(Même maintenant, le tarif des compagnies d'assurances pour les navires qui naviguent dans de telles eaux, par exemple, dans les secteurs de l'Arctique qui ne sont pas encore totalement cartographiés, sont *très* élevés.) Parizeau poursuit en parlant des avantages des cartes marines canadiennes pour les industries de la coupe du bois, de la pêche et du tourisme en Colombie-Britannique, et termine en disant que les tribunaux de la Colombie-Britannique accordent autant de valeur aux cartes marines canadiennes qu'à celles de l'Amirauté britannique et même plus dans bien des cas. Pour un service qui tire ses racines de la tradition des légendaires hydrographes britanniques, il ne pourrait y avoir de plus grand compliment.

En 1938, l'Hydrographe fédéral allait faire une recommandation de grande importance pour les travaux à venir du Service. En effet, il s'agissait de produire des cartes pour plaisanciers, les cartes pour petits bateaux d'aujourd'hui. Le rapport annuel mentionnait:

†C'est avec regret et nostalgie qu'on évoque la disparition de la gravure sur cuivre. C'était un art, et ceux qui le pratiquaient étaient reconnus comme apportant une importante contribution aux cartes hydrographiques. On ne peut cependant pas mettre en question la rapidité et l'efficacité des nouvelles méthodes de reproduction. Pourtant, le tracé à l'*envers* sur une grande planche de cuivre était un art mémorable qui n'est plus ni enseigné ni pratiqué.

L'avenir du monde était dans la balance

Il y a de nombreuses raisons pour lesquelles l'hydrographe doit recommencer sans cesse les levés d'une étendue d'eau, mais la raison fondamentale est toujours la sécurité — sécurité des vies humaines, des navires, des cargaisons. Jamais encore peut-être la sécurité n'avait-elle été aussi importante que lorsque quatre hydrographes canadiens se rendirent à Terre-Neuve en juin 1941 pour refaire les levés du mouillage de Mortier Bay, sur la côte sud de l'île. Il n'y avait pas eu de levé dans le port depuis 1876, lorsque l'Amirauté l'avait cartographié avec une exactitude répondant aux besoins de l'époque. Bien qu'ils ne fussent pas au courant de la raison précise de leur affectation, les Canadiens savaient que la tâche était urgente. Le port avait été désigné comme lieu de rencontre du Premier ministre de Grande-Bretagne, Winston Churchill, et du Président des États-Unis, Franklin Roosevelt. L'Amirauté voulait s'assurer que le mouillage répondait bien aux exigences des navires de guerre de ces deux chefs et de leur sécurité personnelle. Les Canadiens commencèrent leur levé le 7 juin et produisirent, en un temps record, une nouvelle carte du port. Celle-ci n'a cependant jamais été utilisée aux fins prévues, car Churchill et Roosevelt se réunirent dans un autre port de la côte sud, mais elle a quand même eu sa place dans l'histoire de l'hydrographie au Canada, puisqu'il s'agissait de la première carte de Terre-Neuve établie par le service et ce, avant même que l'île devînt une province.

ces cartes devraient couvrir les nombreuses voies d'eau abritées, mais souvent complexes que sont les lacs et les rivières qu'empruntent les yachts et les bateaux à moteur. Par suite des mesures vigoureuses prises en vue de développer notre industrie touristique et de l'intérêt de plus en plus grand que suscitent les bateaux de plaisance, pour les vacances et les activités récréatives, la demande pour ce genre de carte marine s'accroît sans cesse.

Malheureusement, la guerre allait empêcher de donner suite à cette recommandation. Cependant, quelques années après la fin de la guerre, au début des années 1950, devant l'intérêt de plus en plus grand pour les petits bateaux, le SHC allait encore une fois constater les besoins de cartes destinées aux plaisanciers. Toutefois, d'autres événements allaient de nouveau retarder leur production: cette fois, il s'agissait du besoin de cartographier la nouvelle voie maritime du Saint-Laurent. Et ce n'est qu'avec les années 1960 que le SHC put enfin entreprendre de satisfaire les besoins des plaisanciers.

Un bateau de pêche en aluminium de seize pieds, mû par un moteur hors-bord, ce n'est pas un cargo des Grands lacs, pas plus qu'un yacht de croisière de trente-deux pieds ou un yawl de taille comparable n'est un pétrolier. Les besoins des plaisanciers diffèrent considérablement de ceux de la marine commerciale. D'abord, les petits bateaux ont tendance, en général, à naviguer près des rives où ils sont davantage en sécurité; le plaisancier a donc besoin de plus de détails, particulièrement des sondages côtiers, que le navigateur commercial. En outre, la navigation côtière se fait beaucoup plus en longueur qu'en largeur: elle a donc besoin de cartes longues et étroites plutôt que de grandes feuilles plus ou moins carrées.

La première série de cartes en plis d'accordéon, représentant la côte est de la baie Georgienne, a été publiée en 1964. Depuis lors, le SHC a continué, presque sans interruption, sa production de cartes pour petits bateaux. À la fin de 1982, trente cartes contenant quatre-vingt-une bandes étaient disponibles. Des cartes, de format pliant, l'étaient aussi pour six autres lacs et un livre était publié.

Il est certain, comme le rapport de l'Hydrographe fédéral de 1938 le faisait remarquer, que la navigation de plaisance gagnait de plus en plus de faveur depuis des années. Pourtant, il est difficile de ne pas conclure que la croissance phénoménale de ce sport pendant les années 1960 et jusqu'aux années 1980 est due en grande partie à l'existence de cartes appropriées et précises. De fait, l'augmentation de la demande de cartes pour plaisanciers a été tellement phénoménale qu'aujourd'hui, quelque soixante pour cent des ventes du SHC sont de cette catégorie.

Après la Seconde Guerre mondiale, l'Hydrographe fédéral déclarait que, à cause de l'effort de guerre, le Canada avait fait des progrès considérables sur le plan de la superficie totale des eaux côtières cartographiées, les cartes de navigation étant en outre grandement améliorées par rapport aux éditions d'avant-guerre. Pourtant, il était aussi vrai que les besoins de la marine marchande en temps de paix, la forte demande de cartes touristiques, les travaux prévus de cartographie de l'Arctique canadien (qui allaient commencer pour de bon en 1949), sans compter le nombre de corrections accumulées à apporter aux cartes existantes, allaient constituer un fardeau sans précédent pour la Division de la production des cartes. Devant ces perspectives d'avenir, on fit des efforts particuliers, après 1946, pour recruter du personnel (surtout des adjoints étudiants), la numérotation des cartes fut réorganisée dans le catalogue du SHC afin de constituer un système plus efficace par district géographique, et le personnel du bureau fut divisé en deux groupes: l'un s'occupant de la compilation des cartes, c'est-à-dire du rassemblement des données à partir d'un certain nombre de minutes hydrographiques, l'autre s'occupant du traçage de la carte, c'est-à-dire du dessin comme tel. Il convient de noter que jusque-là, on avait considéré comme acquis que les hydrographes sur le terrain participaient souvent au processus de compilation. La réorganisation de 1946 était une autre étape vers la séparation des hydrographes sur le terrain et des cartographes.

Le dernier grand progrès de l'histoire de la cartographie au Canada, jusqu'à l'introduction dans les années 1970 de la cartographie automatisée, allait être la publication en 1953 de la *carte n° 4368* (du port de St. Ann), la première au monde sur tracés sur couche. Ce procédé, encore en usage aujourd'hui, est demeuré à peu près inchangé: les données hydrographiques sont gravées sur des couches à tracer (plutôt que dessinées sur papier) et reproduites ensuite photographiquement. Ce procédé, appelé *scribing* (tracé direct sur négatif) n'exige pas de procédés photographiques intermédiaires: les originaux eux-mêmes sont les négatifs utilisés pour la préparation des plaques d'imprimerie.

Toujours pendant les années 1950, deux événements allaient mener à l'incorporation de cartes britanniques et américaines au système canadien.

D'abord, en 1954, le SHC commença à reproduire un certain nombre de cartes des eaux canadiennes préparées par l'Amirauté. Les Britanniques vendaient très peu

Le dessinateur de cartes marines procède à des corrections sur une couche à tracer.

de ces cartes et voulaient en abandonner la production. Le SHC demanda alors la permission de les reproduire, puisque bon nombre des cartes que les Britanniques se proposaient d'annuler représentaient des secteurs qui n'avaient pas encore été entièrement couverts par les levés du SHC. L'Amirauté remit donc au SHC son matériel de reproduction et, pendant dix ans, le SHC publia jusqu'à quatre-vingt-quatorze des anciennes cartes britanniques après avoir effectué les changements appropriés dans les titres et les notes.

Le deuxième événement se produisit en 1963 lorsque les États-Unis cédèrent au Canada la charge de l'approvisionnement du Réseau avancé de préalerte (DEW) dans l'Arctique. Quand le réseau avait été installé, le Bureau hydrographique des États-Unis avait eu la tâche de préparer des cartes pour l'ouest de l'Arctique; en 1963, elles furent transférées au SHC, qui les incorpora au système canadien.

Depuis 1977, les fonctions cartographiques sont lentement passées du bureau central du SHC, à Ottawa, vers les quatre bureaux régionaux qui accomplissent maintenant une grande partie du travail: Dartmouth (Nouvelle-Écosse), Québec (Québec), Burlington (Ontario) et Patricia Bay (Colombie-Britannique), où la Région du Pacifique emploie du personnel en cartographie depuis 1930. Cette séparation totale des hydrographes sur le terrain et des cartographes résultait tout naturellement d'une évolution qui avait commencé avec l'établissement du premier bureau de dessin distinct en 1906.

Une autre fonction que se partagent l'administration centrale et les bureaux régionaux est la préparation du schéma des cartes qui, en réalité, est le point de départ de l'établissement d'une carte. La préparation du schéma d'une carte consiste à planifier avec soin le lieu, les moyens et le moment de la cartographie d'une section de la côte par le SHC. L'administration centrale et les bureaux régionaux reçoivent des demandes de levés des Chambres de commerce, de l'industrie, de la marine marchande, des administrations locales et des autres ministères fédéraux. Une fois ces demandes évaluées et les priorités établies, on calcule les ressources actuelles et prévues du service. Chaque année, le SHC tente de planifier les activités cartographiques et les activités sur le terrain habituellement pour des périodes de cinq ans.

Un schéma de carte, tel que le définit une récente étude du SHC, est:

> un plan ou une carte à petite échelle couvrant une étendue appropriée de la côte, sur lequel sont indiquées les limites et les échelles de toutes les cartes nécessaires pour assurer la sécurité de la navigation... Le schéma de cartes permet à l'hydrographe de planifier les limites de ses levés et constitue le premier document requis par le cartographe avant qu'il commence à établir une carte.

C'est là, évidemment, une explication très générale de l'objet de la préparation du schéma des cartes qui cache bien des subtilités du processus. Prenons un exemple: le navigateur qui veut passer de l'Atlantique au fleuve Saint-Laurent aura besoin d'un certain nombre de cartes; on ne saurait comprimer une carte sur une échelle suffisamment grande pour qu'on puisse y indiquer clairement tous les hauts-fonds et autres dangers de la navigation sur toute la longueur du fleuve. Ainsi, dès le départ, le cartographe, lorsqu'il planifie la cartographie marine d'un fleuve, sait qu'il doit produire plus d'une carte.

Les questions qui lui viennent alors à l'esprit sont: "Combien de cartes?" et "Où doivent-elles se chevaucher?" Quand il a répondu à ces deux questions de façon satisfaisante, l'hydrographe doit ensuite décider de l'échelle. Aucune partie du fleuve n'étant identique à l'autre pour ce qui est du nombre ou de l'emplacement de ses dangers pour la navigation, il est clair que certaines cartes, celles qui, par exemple, signalent plus de dangers que d'autres ou la présence d'un chenal étroit, doivent être produites sur plus grande échelle que les cartes des secteurs où les dangers sont relativement peu nombreux.

Mais sur le pont d'un navire, passer d'une carte à petite échelle à une carte à grande échelle dans une zone dangereuse est, en soit, dangereux; il faut prendre le temps de changer les feuilles sur la table des cartes, sans compter que le navigateur doit modifier son orientation d'esprit. Ainsi, le cartographe, tenant compte de ces problèmes, doit revenir à la même question: "Où les cartes se chevauchent-elles?", mais elle devient maintenant: "De *combien* ces cartes contiguës doivent-elles *se recouper* pour que le navigateur puisse facilement passer de l'une à l'autre?".

Pour remettre tous ces éléments en contexte, considérons les deux cents kilomètres qui séparent Tadoussac de Québec sur le Saint-Laurent. À l'heure actuelle, cette partie du fleuve demande l'utilisation de six cartes différentes et à six échelles différentes. Les hydrographes se sont penchés sur ce problème. Récemment, ils ont produit un schéma de cartes qui réduirait à trois cartes, toutes de la même échelle, le nombre requis pour la section de Tadoussac à Québec. Ce serait là une grande amélioration, quant à la simplicité et à l'élégance de la présentation, par rapport au schéma précédent.

Une fois établi le schéma des cartes, l'étape suivante du processus est, bien sûr, le rassemblement des données par l'hydrographe sur le terrain et la transposition de ces données sur la minute de rédaction, qui ressemble à une carte à très grande échelle du secteur de levé. (Dans certains cas, le levé fondé sur le schéma des cartes révèle des anomalies imprévues qui exigent qu'on apporte des changements et des modifications au schéma lui-même. Tout le processus d'établissement du schéma, comme beaucoup d'aspects de l'hydrographie, est contrôlé par rétro-information, c'est-à-dire

Je crois comprendre que vous vous êtes familiarisé avec les caractéristiques géologiques des rives du Saint-Laurent: pourquoi ne pas les indiquer sur la carte?... Les principales caractéristiques des chaînes de montagnes et du littoral, ainsi que la nature du sable, du gravier ou des galets sur la plage... Je pense qu'une carte devrait toujours indiquer leur nature avec une démarcation spéciale pour chacune des caractéristiques susmentionnées.

Lettre, 7 janvier 1930
Amiral Sir Francis Beaufort, Hydrographe de l'Amirauté, au commandant Henry Wolsey Bayfield, Levé du Saint Laurent, Québec

la correction constante des données suite à l'évaluation constante de leur exactitude.)

À la fin de l'été chaque feuille d'opération est soumise à une vérification contrôlée afin de s'assurer qu'aucun détail qui pourrait entraîner des conséquences fâcheuses à la navigation n'a été oublié.

Aujourd'hui, les cartes sont compilées à partir des données de plusieurs levés sur le terrain et de plusieurs minutes de rédaction. Le rassemblement de toute cette information est à la base de ce qu'on appelle la compilation des données (par opposition au simple rassemblement des données).

La compilation commence par la préparation d'une "projection", habituellement celle de Mercator, qui illustre les parallèles de latitude et les méridiens de longitude à l'échelle de la carte produite; tous les points de contrôle géodésiques ainsi que les amers principaux établis antérieurement par levés sont reproduits.

Puis, au moyen de grands appareils photographiques, les feuilles d'opération de l'hydrographe sont réduites exactement à la même échelle que la projection cartographique (ces appareils-photos servent à reproduire les détails avec autant de précision que possible, afin qu'ils ne soient pas perdus au moment de la réduction). Les pellicules positives obtenues sont coupées et assemblées pour former une "mosaïque" sur la projection; les points de contrôle tracés et les intersections de latitude et longitude des documents de référence sont alors assortis à ceux de la projection. C'est la mosaïque de composition.

Vient ensuite l'étape la plus importante dans la production d'une carte marine, soit la sélection de l'information qui doit paraître sur le produit final. Le cartographe doit s'assurer que les profondeurs navigables soient représentées. Il doit veiller également à ce que les aides à la navigation et amers (bouées, phares, élévations topographiques, tours, clochers, etc.) soient représentés pour permettre aux utilisateurs de se positionner sur cette carte. Les noms d'endroits, symboles et abréviations sont aussi ajoutés à la carte pour permettre une lecture et une identification plus rapides. Tout autre renseignement utile à la navigation (zone de mouillage, cable sous-marins, zone d'exercice militaire, zone de séparation de trafic) est représenté graphiquement et paraît sur cette carte.

À chaque étape, l'information et la qualité de la reproduction sont vérifiées par des vérificateurs d'équipe et par les superviseurs. Aucune carte n'est approuvée avant que l'Hydrographe fédéral lui-même n'ait procédé à une dernière vérification et l'ait approuvée. En fin de compte, il faut de douze à quinze mois après la compilation des feuilles d'opération avant qu'une carte soit imprimée.

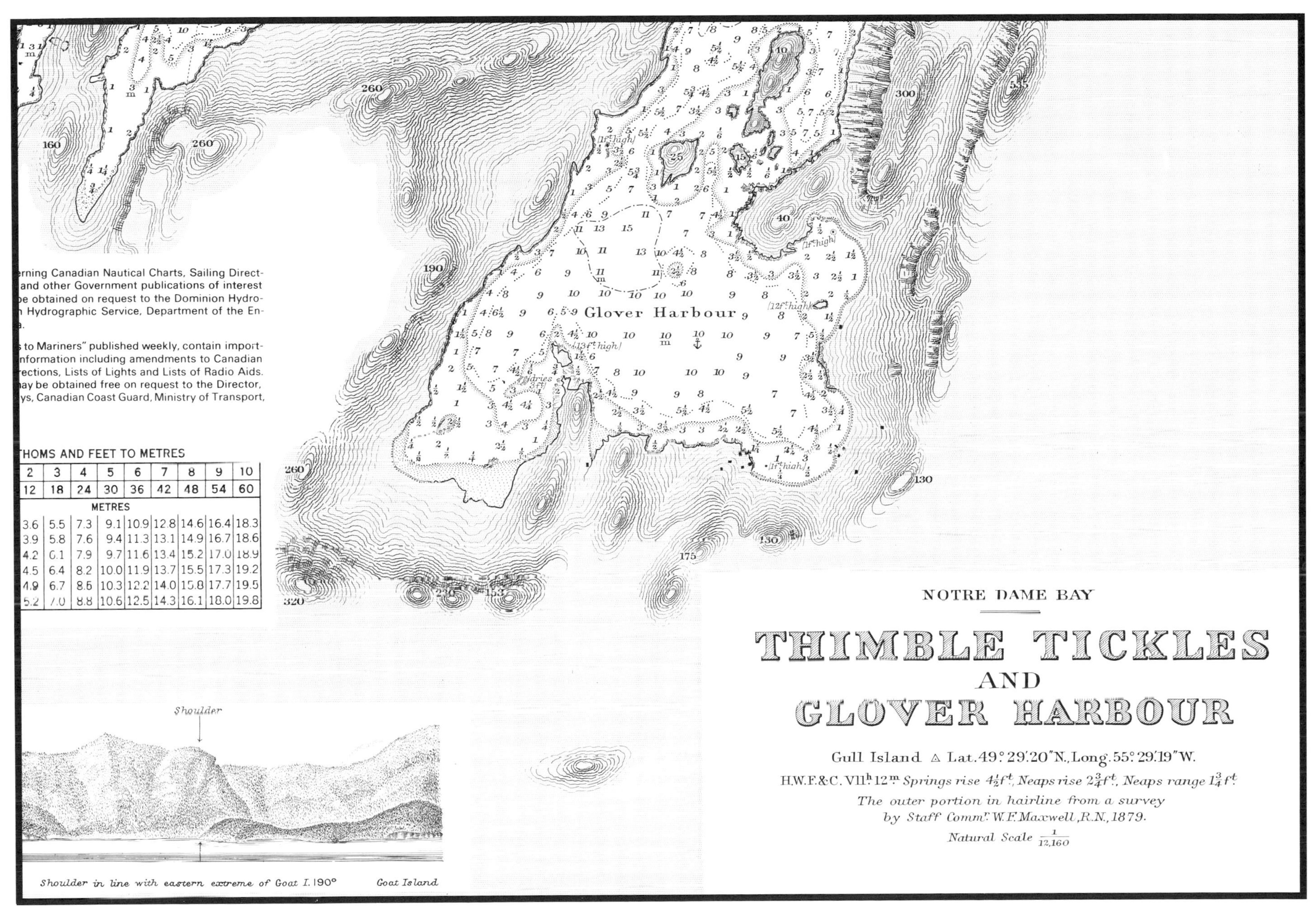

2	3	4	5	6	7	8	9	10
12	18	24	30	36	42	48	54	60
METRES								
3.6	5.5	7.3	9.1	10.9	12.8	14.6	16.4	18.3
3.9	5.8	7.6	9.4	11.3	13.1	14.9	16.7	18.6
4.2	6.1	7.9	9.7	11.6	13.4	15.2	17.0	18.9
4.5	6.4	8.2	10.0	11.9	13.7	15.5	17.3	19.2
4.9	6.7	8.5	10.3	12.2	14.0	15.8	17.7	19.5
5.2	7.0	8.8	10.6	12.5	14.3	16.1	18.0	19.8

Exemple d'une planche de cuivre gravée où les courbes de hauteur sont indiquées par des hachures. Les isobathes sont illustrés par le symbole des courbes. La photographie dans l'angle inférieur gauche montre l'accès au port à partir de la mer.

La compilation cartographique automatisée réduit le temps nécessaire à la production d'une carte marine. Sur la photo ci-dessus, un employé effectue des manipulations de données sur équipement électronique.

En 1967, le Service hydrographique du Canada entreprenait de mettre au point un système cartographique automatisé. Des systèmes de tracé de haute qualité ont été mis au point permettant de porter sur pellicule les diverses projections et contours utilisés sur les cartes nautiques canadiennes, les superpositions treillissées du Loran-C et Decca, ainsi que les données numériques (côte, sondages, topographie et isobathes). Tous les dessins sur pellicule sont effectués à l'aide d'une table de dessin de haute précision commandée par ordinateur et munie de projecteurs optiques électroniques.

Des stations numériques ont été conçues pour convertir au numérique les informations graphiques pour qu'elles soient traitées par un ordinateur. Ces stations comportent les trois principales composantes suivantes: table de numérotation munie d'un curseur manuel, ordinateur et disque pour le rangement et l'extraction de données.

Plus récemment encore, le SHC a mis au point une station interactive appelée GOMADS. Elle permet de visionner et de manipuler les données numériques de la carte pour corriger les erreurs et omissions qui se sont produites au cours de la numérotation. Les données, qui sont lues sur un écran cathodique, peuvent être modifiées à l'aide d'un curseur à manche à balai et d'un indicateur précis sur la table de conversion numérique. Les lignes, points, chiffres et noms peuvent ainsi être ajoutés, enlevés, modifiés ou déplacés. L'indicateur permet de positionner avec précision les ajouts ou modifications. GOMADS est reconnu comme étant l'un des premiers systèmes au monde de mise en forme des données.

Lorque la carte est imprimée, les données numériques à jour sont consignées sur une bande qui est placée dans la banque de données numériques du SHC d'où elles peuvent être extraites rapidement et mises à jour afin de produire une nouvelle édition de la carte. Ces informations peuvent aussi servir à produire une carte à une échelle différente, possiblement sur une différente projection, ou encore à produire une superposition à la même échelle. Au Canada, la première *Carte n° 3457* (du port de Nanaimo et de baie Departure) à avoir été compilée et à avoir passé toutes les étapes du traçage automatique n'a été produite qu'en 1979. Il a fallu de nombreuses années de travaux de perfectionnement pour atteindre ce stade; considérant les importants investissements et la formation requise, il faudra encore plusieurs années avant que la cartographie par ordinateur devienne un procédé courant au SHC. À l'heure actuelle, la phase de dessin de la carte est mécanisée dans une certaine mesure, mais le manque de données de source numérique laisse prévoir que les techniques automatisées ne seront pas appliquées au processus plus complexe de compilation cartographique avant plusieurs années.

Actuellement, les données sur le terrain sont recueillies sous forme numérique et traitées par des ordinateurs à bord. C'est-à-dire que les sondages et leurs positions sont mis en mémoire de telle façon (soit sur un ruban magnétique soit sur disque) qu'ils puissent être compris par le matériel de traitement des données utilisé lors du processus de compilation. L'information numérique est encore accompagnée, dans bien des cas, des minutes de rédaction produites à la main. Cependant, la production automatisée des cartes est au moins théoriquement possible et on s'attend à ce que la cartographie automatisée supplante un jour toutes les méthodes traditionnelles. Ce n'est qu'une question de temps avant que le logiciel et le matériel appropriés à la manipulation complète des données recueillies sur le terrain sous forme numérique soient mis au point et installés dans les bureaux hydrographiques.

Les cartes sont continuellement remises à jour, soit pour corriger des erreurs ou pour y incorporer de nouvelles données révélées par les récents levés d'un secteur, ou consécutives aux changements des aides à la navigation. La plupart des cartes sont modifiées avant la distribution à la main, au moyen d'une plume et d'encre, ou d'un tampon ou, quand les changements sont plus importants, au moyen de "corrections" fixées en place. Il n'est pas impossible qu'on produise les cartes révisées de l'avenir, sur demande, en appuyant sur un bouton pour actionner un ordinateur qui établira une carte entièrement mise à jour à partir des données numériques.

De la même façon, la conversion entreprise vers la fin des années 1970 de toutes les cartes existantes (et il y a maintenant plus de mille cartes de navigation, plus cinq cents autres cartes spéciales dans le catalogue du SHC), la plus grande collection au monde des cartes des eaux d'un pays en présentation métrique et bilingue, pourrait être transformée, d'une longue tâche, ardue et fastidieuse, en un travail relativement rapide, aisé et automatique.

Les changements ou adoptions de noms des entités géographiques des cartes canadiennes sont faits par la section de la nomenclature du SHC. Au début des années 1980, la principale préoccupation de la nomenclature demeure l'Arctique. Là-bas, dans une des rares régions du monde où la "découverte" a encore la même signification que dans les livres d'histoire et de géographie de notre enfance, il reste encore à baptiser des éléments de relief récemment découverts.

Problèmes de désignation

La désignation des divers points géographiques portés sur les cartes, tâche appelée toponymie, a toujours fait partie du travail de l'hydrographe. On pourrait penser qu'il est relativement simple de donner un nom descriptif à un élément de relief, par exemple le haut-fond du lac Supérieur ou l'entrée de l'ouest, mais les répercussions en sont très complexes. Au cours des années qu'il a passées au poste d'hydrographe régional sur la côte du Pacifique, Henri Parizeau s'est attaché à démêler la toponymie des cartes de la côte ouest. Le besoin en était évident: en 1923, pour ne donner qu'un exemple, un cargo britannique sombrait au large de la côte ouest de l'île Vancouver au cours d'une tempête de février. L'équipage du navire de sauvetage de Tofino fut alerté et, prenant des risques considérables, entreprit de se rendre sur la scène du naufrage qui, d'après les rapports, était Village Island, dans le Sound Clayoquot. Les sauveteurs ne trouvèrent absolument rien, ni épave, ni survivants. Et c'était peu surprenant puisque le cargo avait sombré à Village Island, tel que rapporté, mais au *second* Village Island situé dans le Sound Barkley. Heureusement, il n'y a pas eu de perte de vies humaines, mais à la suite de cette catastrophe, le second Village Island fut rebaptisé Effingham Island.

Aussi compréhensibles que soient leurs motifs, les hydrographes se heurtent toutefois à d'énormes obstacles. À la fin de chaque levé, l'Hydrographe fédéral propose des noms pour les nouveaux éléments de relief à la section de la nomenclature. Ces nom peuvent avoir été proposés par l'Hydrographe fédéral lui-même, par l'hydrographe qui a trouvé l'élément de relief ou par des habitants de l'endroit qui ont désigné cette entité d'une certaine façon depuis fort longtemps.

Tous les noms soumis doivent être premièrement approuvés par le membre provincial désigné du Comité canadien permanent sur les noms géographiques. Les noms des éléments de relief en haute mer doivent recevoir l'approbation du Comité fédéral, actuellement présidé par S.B. MacPhee, l'Hydrographe fédéral. Le premier critère du Comité est qu'aucun nom faisant référence à une personne vivante ne peut être inscrit sur une carte marine canadienne†: dommage pour l'hydrographe qui a découvert un récif et qui lui a donné son nom.

La plupart des modifications apportées aux cartes existantes résultent d'informations tirées de ce qu'on appelle les Avis aux navigateurs. Ces bulletins donnent le détail des dangers pour la navigation récemment découverts et les changements apportés aux aides à la navigation, comme les bouées et les feux; ils sont publiés chaque semaine en collaboration avec les bureaux de la Garde côtière du Canada. Les navigateurs doivent garder leurs cartes aussi à jour que possible en utilisant la plus récente édition publiée et en la modifiant chaque semaine à partir de l'information contenue dans les Avis aux navigateurs. Comme le faisait remarquer F.C. Goulding Smith, ancien surintendant des cartes et plus tard Hydrographe fédéral de 1952 à 1957:

> Le Service hydrographique n'approuve pas la pratique du capitaine qui continue d'utiliser ses vieilles cartes après avoir soigneusement rangé les nouvelles sous son matelas pour les garder en bon état. Heureusement, une carte sur papier ne dure qu'un certain temps et, tôt ou tard, elle doit être remplacée à cause de l'usure normale, des déchirures et de l'exposition aux éléments, si économe que soit le navigateur.

Depuis le désastre écologique que fut le naufrage du pétrolier *Arrow* en 1972 au large des côtes de la Nouvelle-Écosse, le gouvernement canadien exige que tous

†Depuis que ce règlement a été institué en 1932, il n'a été enfreint qu'une seule fois. En 1976, le canyon Clifford Smith, situé en Atlantique, au sud-est de Terre-Neuve, avait reçu ce nom en l'honneur de F.C.G. Smith, Hydrographe fédéral de 1952 à 1957.

les bateaux qui naviguent dans les eaux canadiennes aient à leur bord des cartes marines et des publications *approuvées*. Dans la plupart des cas, les seuls documents qui répondent aux exigences strictes sont ceux que publie le SHC. À cette fin, les publications du SHC font l'objet d'une distribution internationale.

Parmi les autres publications du SHC, signalons les *Instructions nautiques* et les *Guides du plaisancier*, ainsi que les Tables des marées et courants. Les *Instructions nautiques*, publiées sous forme d'ouvrage à couverture souple environ tous les deux ans et mises à jour entre les éditions par la publication des Avis aux navigateurs, contiennent un supplément d'information qui ne peut se représenter graphiquement sur une carte, tel que la description (avec photographies) des meilleurs accès aux ports, des installations portuaires, des points de mouillage, l'histoire locale, les conditions climatiques, les règles et règlements ainsi que les tables de distances. En d'autres termes, les *Instructions nautiques* constituent l'accompagnement indispensable des cartes. De fait, l'histoire de la publication des *Instructions nautiques* au Canada remonte plus loin que les cartes marines; le *Georgian Bay Pilot* du commandant Boulton, publié en 1885, est venu un an avant la première carte de Boulton de cette région. Aujourd'hui, les *Instructions nautiques*, toujours rédigées par des hydrographes ou des navigateurs expérimentés et compilées à partir de l'information recueillie pendant la saison de levés, portent sur les régions suivantes: Terre-Neuve, Nouvelle-Écosse et baie de Fundy, golfe et fleuve Saint-Laurent, Grands lacs, Colombie-Britannique, Grand lac des Esclaves et fleuve Mackenzie, Labrador et baie d'Hudson, et Arctique canadien.

L'information nécessaire aux plaisanciers est habituellement comprise dans les *Instructions nautiques*, mais le SHC a commencé ces dernières années à publier une série distincte de *Guides du plaisancier*. À l'heure actuelle, ils couvrent la rivière Saint-Jean, la voie navigable Trent-Severn et le sud de la Colombie-Britannique (deux volumes). Presque tous sont publiés dans les deux langues officielles et l'on prévoit en augmenter la portée.

Les Tables des marées et des courants sont publiées chaque année par le SHC en six volumes: la côte atlantique et Terre-Neuve, le golfe du Saint-Laurent, le Saint-Laurent et le Saguenay, l'Arctique et la baie d'Hudson, les détroits Juan de Fuca et de Géorgie, le sound Barkley et le passage Discovery jusqu'à l' entrée Dixon. Ces tables sont des outils nécessaires pour le navigateur en eaux côtières où il est essentiel, pour naviguer en sécurité, de connaître, à tout moment, la hauteur et le moment prévu des hautes et des basses eaux. Les tables des courants précisent le moment d'étale des courants, de même que les moments et vitesses d'écoulement maxima, là où ils sont prévisibles

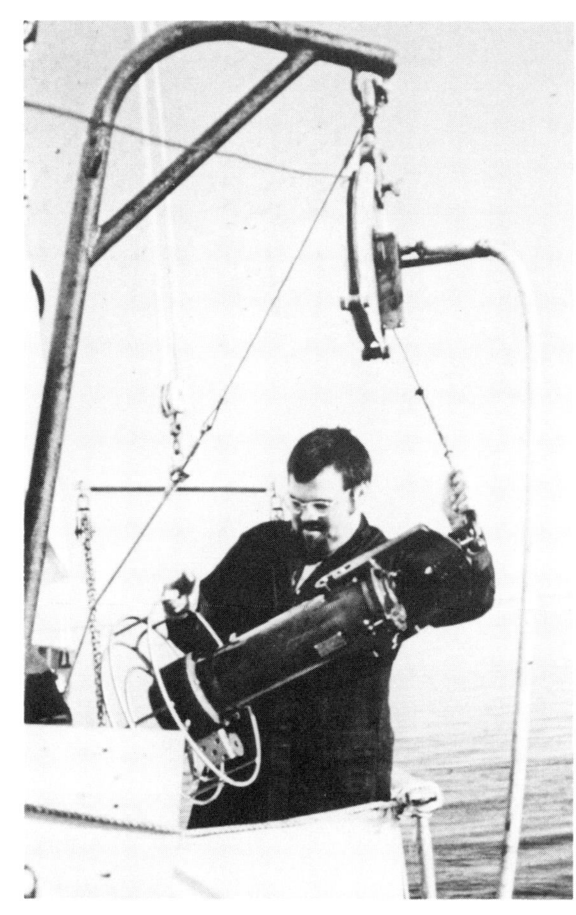

Les sondeurs à écho, qu'ils soient mécaniques ou électroniques, émettent un signal sonore et mesurent l'intervalle de temps qui s'écoule entre l'émission du signal et la réception de son écho réfléchi par le fond. Connaissant la vitesse du son dans l'eau, l'hydrographe peut donc, après avoir fait les ajustements nécessaires en fonction de la salinité, de la température et de la pression de l'eau dans laquelle il travaille, traduire le temps écoulé en mesure de profondeur.

(habituellement là où ils subissent l'influence de la marée): ce sont là des données qui peuvent faire toute la différence entre une navigation sans problème et un désastre.

Le SHC publie également des cartes des pêcheries et des cartes des ressources naturelles qui sont moins utiles pour la navigation que pour l'exploitation future du monde sous-marin. Les cartes des ressources naturelles sont une extension, au large des côtes, des cartes illustrant la topographie, la gravité et le magnétisme des terres canadiennes. Elles sont produites en collaboration avec le ministère de l'Énergie, des Mines et des Ressources à une échelle de 1:250 000 ou 1:1 000 000 pour aider les géologues, les géographes, les géomorphologistes et les géophysiciens à délimiter les zones au large des côtes du Canada qui pourraient receler d'importantes richesses sous forme de gisements miniers ou d'hydrocarbures sous-marins.

Dans le même ordre d'idée, le Service hydrographique du Canada publie, à une échelle encore plus petite (1:10 000 000) une édition des cartes générales bathymétriques des océans, plus communément connues sous le signe *GEBCO*. Les dix-huit cartes *GEBCO*, qui couvrent la surface du globe, constituent le produit final d'un projet international entrepris d'abord en 1903 par le Prince Albert 1er de Monaco, et maintenant coordonné par la Commission océanographique intergouvernementale de l'Unesco et l'*OHI*. Les cartes *GEBCO* ne sont pas destinées à être utilisées pour la navigation, mais sont plutôt des cartes de recherche destinées à aider les scientifiques, particulièrement les océanographes, à mieux comprendre l'histoire de la terre, à planifier l'élargissement des limites de nos connaissances sur les deux tiers de la terre qui se trouvent sous l'eau.

C'est dans la réalisation de projets comme les cartes *GEBCO* que les deux sciences de l'hydrographie et de l'océanographie se rencontrent: l'une s'occupe principalement de la fabrication d'un produit essentiel, la carte marine, que R.J. Fraser considérait comme une oeuvre d'art; l'autre est orientée plutôt vers l'acquisition de connaissances. Malgré leurs différentes philosophies, les hydrographes et les océanographes ont en commun leur amour de la mer et leur besoin de passer le plus de temps possible loin de la terre à la poursuite de leurs buts différents. En réalité, avant que l'océanographie ait atteint l'importance et les ressources qu'elle a aujourd'hui, les hydrographes étaient également des océanographes. Depuis cent ans de cartographie marine au Canada, ils ont recueilli des données océanographiques et accompli des expériences océanographiques au cours de leurs levés.

Maintenant, les deux groupes partagent beaucoup d'installations, y compris les navires. Dans le chapitre qui suit, nous nous tournerons vers les navires du Service hydrographique du Canada et leur évolution vers les bateaux polyvalents à bord desquels se trouvent de véritables laboratoires pour l'étude de tous les aspects des eaux canadiennes.

Les levés d'hiver au détroit Prince de Galles

Les levés d'hiver dans l'Arctique sont menés à partir d'hélicoptères qui sautent de flaque en flaque, comme des grenouilles, à travers les glaces, selon un plan de grillage bien arrêté. Les levés du détroit Prince de Galles se font selon ce modèle et constituent une partie des levés du Passage du nord-ouest. Loin de toute civilisation, cette opération de levés éprouve aussi bien les hommes que leur équipement, à des températures sous zéro, au cours des heures du bref jour arctique, pendant l'hiver. Dans les camps isolés d'opérations dans l'Arctique, le renard, le boeuf musqué et le caribou de cette région sont de fréquents visiteurs.

UASAR

QUASAR
C-FXSK

Les navires

Tous les marins prennent un soin jaloux de leur bateau. Traitez-nous de tous les noms si vous voulez, mais attention à ce que vous direz de nos navires. Nous seuls pouvons les traiter de rafiots ou de vieux pontons, mais nous ne supporterons pas que d'autres prennent de telles libertés

Sir David William Bone
Merchantmen-at-Arms, 1919

LES HOMMES DU SERVICE HYDROGRAPHIQUE DU CANADA ONT RAREMENT témoigné d'autant de sensibilité ou de sentimentalité à l'égard de leurs navires que Sir David Bone. En général, ils n'en ont eu ni l'occasion ni la motivation. Les navires hydrographiques, depuis l'époque de Boulton et du Levé de la baie Georgienne, étaient plus souvent qu'autrement des bateaux d'occasion, affrétés, empruntés, achetés à l'état usagé, mais rarement conçus spécialement pour être utilisés par les hydrographes canadiens. Les hommes eux-mêmes, depuis l'époque de William J. Stewart vers la fin du dix-neuvième siècle jusqu'à maintenant, étaient surtout des ingénieurs ou des arpenteurs diplômés qui finissaient par s'amariner après plusieurs saisons de levés†.

Mais la vision de grandes aventures qu'évoque la mer a fait que les exceptions à ces règles sont celles dont on se souvient le plus. Les principaux navires comme l'*Acadia*, le *Wm. J. Stewart* et le *Baffin*, tous conçus pour l'usage des hydrographes, sont devenus, avec leurs capitaines et leurs équipages, matière à légende au SHC.

Quand Boulton a commencé le Levé de la baie Georgienne en 1883, c'était avec des bateaux empruntés aux habitants du lieu. Le premier navire acquis spécifiquement pour les travaux hydrographiques a commencé ses activités dans la baie Georgienne à l'été de 1884. C'était un vieux remorqueur américain de vingt ans. Appelé à l'origine

†Bien souvent, l'apprentissage se faisait dans le sens opposé: les marins expérimentés apprenaient l'art de l'hydrographie. À la fin de la Seconde Guerre mondiale, de nombreux marins qui avaient servi dans la Marine royale, la MRC et la marine marchande de la Grande-Bretagne et du Canada se sont joints au Service. Ces hommes avaient déjà utilisé les cartes, les connaissaient et en comprenaient l'importance. Évidemment, beaucoup de ces recrues ont quitté le Service quelques années après, mais il en est resté suffisamment pour accroître la proportion de techniciens et d'hydrographes.

Le secret bien gardé du haut-fond du lac Supérieur

Le lac Supérieur est reconnu comme le plus profond des Grands lacs, renommée qu'il mérite bien. D'après les premières cartes du lac, sa profondeur au milieu dépassait mille pieds. La plupart des marins, se fiant à l'exactitude des cartes, ne voyaient pas la nécessité de prendre des précautions particulières lorsqu'ils naviguaient bien au large. Au cours des années, cependant, de plus en plus de bateaux commerciaux sont disparus dans des circonstances mystérieuses. Pendant la Première Guerre mondiale, par exemple, deux dragueurs de mines en bois, construits à Port-Arthur (Thunder Bay), pour le gouvernement français, sont disparus sans laisser de trace au cours de leur voyage vers Sault-Sainte-Marie. Peu à peu, des histoires et des rumeurs au sujet du haut-fond du lac Supérieur, qui ont d'ailleurs fini par être confirmées, ont commencé à circuler dans les milieux de la marine. De fait, la présence du haut-fond, décrite plus tard par l'ancien Hydrographe fédéral R.J. Fraser comme étant "à toutes fins utiles une montagne immergée, s'élevant des profondeurs jusqu'à environ 21 pieds de la surface", était un secret de polichinelle depuis des années. Les équipages des remorqueurs de pêche américains provenant des ports du Michigan, comme Grand Marais, connaissaient bien le haut-fond; on y trouvait de grands bancs de touladis et de ciscos, mais les pêcheurs étaient peu pressés d'annoncer la nouvelle à leurs concurrents.

Le sort ignominieux de La Canadienne

Le 20 juin 1912, le navire scientifique *La Canadienne* entrait dans l'écluse 22 du canal Welland, en route pour une saison de travail au lac Supérieur. Il avançait toujours quand les portes de l'écluse se fermèrent derrière lui; à l'avant et à l'arrière, les marins sur les murs de l'écluse fixaient les haussières pour le stabiliser à mesure que l'écluse se remplissait. Un marin, cockney de Londres inexpérimenté, semble-t-il, n'avait pas bien saisi son cordage, de sorte que le navire continua d'avancer pour aller emboutir la porte avant de l'écluse. Le poids de l'eau dans le bassin supérieur força la porte, et toute la masse de l'eau s'abattit sur *La Canadienne*, l'écrasant contre le mur et trouant sa coque. Le navire coula immédiatement. Deux jeunes hommes, qui regardaient passer le navire d'un point d'observation sur le mur de l'écluse, furent emportés par la vague et noyés. R.J. Fraser, nommé Hydrographe fédéral en 1947, faisait partie du personnel hydrographique du navire. Il racontait plus tard: "... nous avons été remboursés pour la perte du contenu de nos cabines, bien que ma réclamation pour certains articles comme un complet de soirée et plusieurs chaussettes de soie, etc. ait été contestée par le Ministère et rejetée. À son avis, il s'agissait là de vêtements inutiles et inappropriés pour le travail sur la rive nord du lac Supérieur".

Edsall, il était immédiatement rebaptisé *Bayfield*, en l'honneur du prédécesseur de Boulton dans la baie Georgienne et pionnier de l'hydrographie marine, l'amiral Henry Wolsey Bayfield.

Même après avoir été déclaré inutilisable, le *Bayfield*, un bateau de 100 pieds, a servi à des travaux dans les eaux des Grands lacs jusqu'à ce qu'il fut mis hors service en 1902. Malgré son âge, son état général délabré et son apparence décidément peu attrayante, le *Bayfield* a bien fait son travail pendant près de vingt ans. Sa solidité et la façon dont il faisait face sans relâche aux dangers de ses missions — le mauvais temps, les rochers inconnus, les hauts-fonds et la navigation dans des eaux inconnues — étaient des qualités qui sont devenues la norme pour les bateaux d'utilisation courante du SHC qui allaient suivre ses traces. Aujourd'hui encore, quand on demande aux hydrographes de définir la meilleure qualité de leur bateau, ils parlent encore du "petit navire bien solide".

Le successeur du *Bayfield* dans les lacs fut un autre remorqueur, plus grand, mesurant 140 pieds, plus puissant et pouvant naviguer en mer. Le *Lord Stanley* avait douze ans quand il fut acquis pour les levés dans les Grands lacs, en 1901. Il devait remplacer le *Bayfield* l'année suivante, mais il fut endommagé dans le port de Toronto et, après avoir été radoubé, ce n'est qu'en 1903 qu'il commença ses travaux dans les lacs. À cette époque, le *Bayfield* était hors service et son nom fut donné au *Lord Stanley*. Le nouveau *Bayfield* (II) maintint la tradition de longévité et poursuivit sa carrière jusqu'en 1931. Son levé le plus connu est l'un de ses derniers, sur le haut-fond du lac Supérieur, dans le principal chenal maritime de ce lac en 1930.

En 1905, le gouvernement canadien avait pris en main la cartographie, non seulement de ses eaux intérieures, mais des littoraux étendus du pays, à l'est et à l'ouest. Malheureusement, sans navire hydrographique dans ces eaux, le projet demeurait tout au plus théorique, mais pouvait avoir des conséquences tragiques si la situation n'était pas corrigée. C'est pourquoi, à l'automne de 1905, William J. Stewart, récemment nommé chef du Service hydrographique du Canada, demanda au ministère de la Marine et des Pêcheries d'entreprendre la construction de deux nouveaux navires hydrographiques, un pour chaque côte.

L'année suivante, on fit l'acquisition d'un bateau à vapeur de 154 pieds, qui avait déjà 26 ans, *La Canadienne*, acheté du Service de protection des pêcheries et réaménagé pour les travaux hydrographiques. Il remplaçait le bateau de levé dans les eaux de marée, le *Gulnare* (ancien bateau de levé affrété par la Marine royale) qui avait

Le Lord Stanley *était un remorqueur océanique de 140 pieds dont le gouvernement fit l'acquisition en 1901 pour remplacer le* Bayfield *devenu trop vieux. Réarmé à Toronto, comme bateau de levé, ce navire entra au service du Service hydrographique du Canada en 1903, sous le nom de* Bayfield II *et demeura activement en opérations jusqu'en 1930.*

participé à certaines tâches hydrographiques dans le bas Saint-Laurent et sur la côte est.

Entre-temps, sur la côte ouest, le souhait de Stewart, qui avait demandé un nouveau navire, fut exaucé en 1908. Le *Lillooet*, construit à Esquimalt au coût de $150 000, était le premier bateau conçu et construit spécifiquement pour la flottille hydrographique canadienne. Mesurant 172 pieds, et jaugeant 575 tonnes, il pouvait accueillir

Regarder voler les oiseaux et autres passe-temps

Au cours de la saison de levés sur le lac des Deux-Montagnes en 1908, le long de la rivière des Outaouais, les hydrographes utilisèrent une vedette à vapeur pour le transport et le bateau-logement *L'Arche*. Celui-ci offrait passablement plus d'espace et de confort que les quartiers ordinaires exigus à bord des navires, constituant en outre une grande amélioration par rapport à la vie sous la tente, qui était le mode habituel de logement des équipes à terre. De fait, *L'Arche* offrait "tous les conforts du foyer". Il comprenait même un canari, orgueil de l'un de ses techniciens. Apparemment, s'occuper de l'oiseau et "du principal produit fabriqué à Berthierville" était la préoccupation première du technicien. Berthierville (Québec) était situé près d'une importante distillerie.

six hydrographes, transporter quatre ou cinq petites embarcations et un équipage total d'environ 40 membres.

Pendant les vingt-quatre années qui suivirent, il fut pour ainsi dire le seul bateau hydrographique sur la côte ouest, accomplissant ses tâches sans incident jusqu'à ce qu'il fut remplacé par le *Wm. J. Stewart* en 1932. Le *Lillooet* pouvait accroître son rayon d'action, cependant, en remorquant derrière lui des bateaux-logements. Ces barges, comme le *Pender*†, le *Fraser* et le *Somass*, pouvaient transporter une couple de vedettes, deux ou trois hydrographes et des équipages de quatorze à dix-sept membres.

Sur la côte est, en 1910, l'infortunée *Canadienne* fut remplacée par le solide *Cartier*, un vapeur de 164 pieds conçu par R.L. Newman de Montréal, mais construit en Angleterre. Presque identique au *Lillooet* en apparence et en caractère, le *Cartier* a servi aux levés des eaux de la côte est jusqu'en 1945 (avec détachement pendant la guerre comme patrouilleur pour la Marine). Mais cet excellent navire fut éclipsé en 1913 par l'arrivée de ce qui allait devenir ''le magnifique vieux navire du Canada'', l'*Acadia*.

Construit par la même entreprise que le *Cartier*, l'*Acadia*, qui mesurait 170 pieds et avait coûté $330 000, était un magnifique navire, très gracieux, qui allait faire l'orgueil du Service hydrographique du Canada pendant à peu près toute sa carrière qui a duré cinquante-six ans. Mis hors service en 1969, il est maintenant amarré au Musée maritime de l'Atlantique, à Halifax, où il est accessible au public. On constate d'ailleurs, par une rapide visite du navire, pourquoi l'*Acadia*, même avancé en âge, était considéré avec respect et admiration par tous ceux qui avaient navigué à son bord.

Construit suivant la tradition édouardienne de son malheureux contemporain le *Titanic*, l'*Acadia* dégage un air de calme dignité ainsi qu'une impression de permanence dans chacune de ses parties, du bordé d'acier aux installations gigantesques de sa salle des machines au charbon et à la splendeur de la cabine de l'hydrographe

Premier navire construit spécifiquement pour le Service hydrographique du Canada, le Lillooet *fut lancé à Esquimalt, en 1908. Long de 172 pieds, le* Lillooet *porta honorablement les couleurs du SHC dans la Région du Pacifique pendant plus de vingt ans.*

Des bateaux-logements, comme le Pender, *ont servi de quartiers d'habitation et de salles de réunion aux hydrographes qui, tous les matins, les quittaient pour aller faire leurs levés à terre ou à bord des vedettes.*

†Le *Pender* vit encore ou plutôt s'est réincarné autant par son nom que par sa fonction. Depuis la saison de levés de 1980, une péniche relativement neuve portant le nom de son prédécesseur est de nouveau mise en service sur la côte ouest comme maison flottante et bureau pour les hydrographes. Ce nouveau *Pender* qui mesure dix mètres sur vingt a été construit dans le but de servir de ravitailleur au submersible *Pisces*; il comprend un hangar couvert dans lequel trois vedettes peuvent être rangées pour fins de réparation et peut abriter un équipage de douze hommes dont six hydrographes et les barreurs qui manoeuvrent les vedettes. Un cuisinier et un intendant complètent cette équipe.

Le Chrissie C. Thomey

Le *Chrissie C. Thomey* était un ancien navire marchand faisant le commerce du sucre et du rhum entre Terre-Neuve et les Indes occidentales au moment de son achat pour des travaux hydrographiques dans l'Arctique. Avec sa coque en bois et ses 200 pieds de longueur, il n'avait à bord aucun moteur auxiliaire et naviguait à la voile seulement. Il était gréé de trois mâts à cornes et, quand il naviguait toutes voiles dehors avec focs et huniers, il ressemblait bien plus à une goélette qu'à un navire de levé. L'absence de moteur était cependant son point faible; pris derrière un banc de sable à Rupert River, dans la baie James, il aurait peut-être pu s'en sortir s'il avait pu manoeuvrer à moteur à marée haute. À voile seulement, il était condamné à y rester et fut abondonné pendant la débâcle du printemps, en juin 1913. Il s'agissait du premier navire perdu par le SHC.

Le *Chrissie C. Thomey* pendant sa transformation en bateau de levé. Son capitaine était Thomas Gushie, ancien patron de phoquier de Terre-Neuve.

Avec son gréement de goélette, le Chrissie C. Thomey *pouvait atteindre une vitesse de quinze noeuds.*

Il n'y avait pas de chantier naval dans la baie d'Hudson, mais l'équipage répara la baume sous l'oeil attentif de Black Tom.

L'équipage désignait Gushie du pseudonyme de Black Tom O'Brigus.

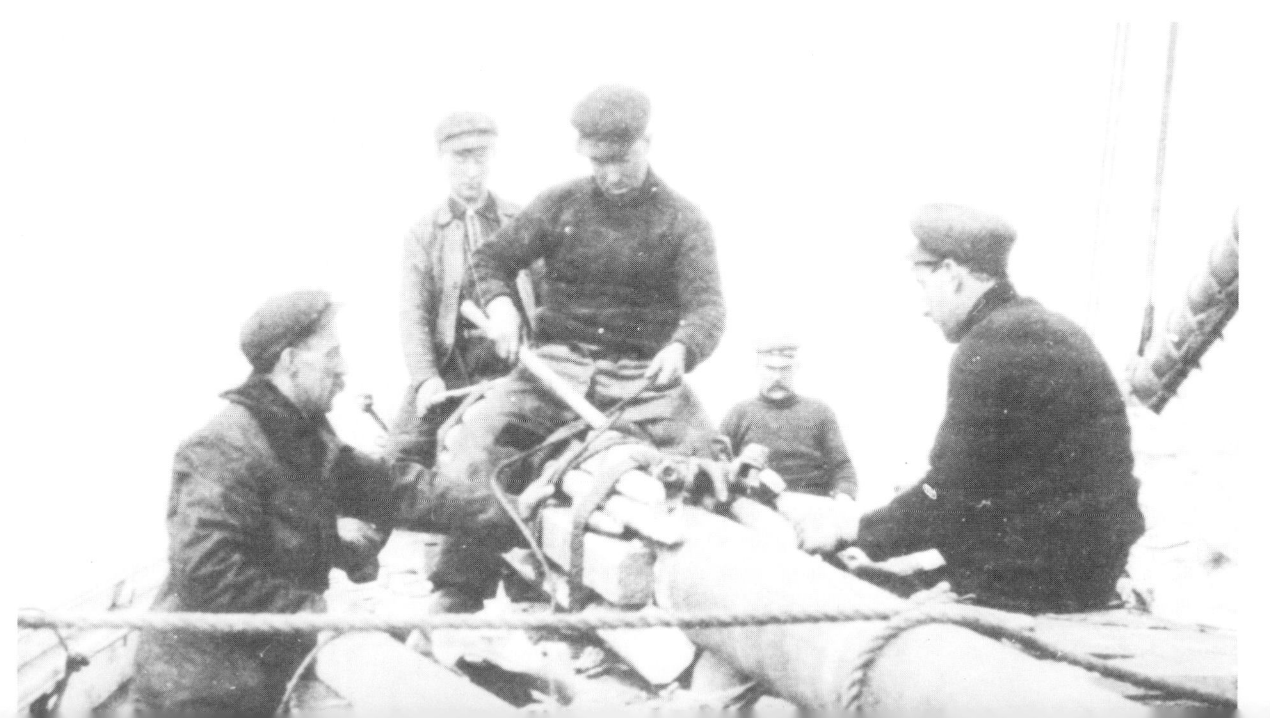

... Les quartiers des hydrographes [à bord du *Wm. J. Stewart*] étaient spacieux et, dans leur genre, confortables. Cependant, l'installation de matériel électrique supplémentaire au cours des années ayant accru la charge imposée aux génératrices, il a fallu réduire la puissance des ampoules dans les cabines, ce qui a entraîné une véritable guerre entre les hydrographes qui installaient des ampoules plus puissantes et le personnel de la salle des machines qui, périodiquement, les remplaçait par des ampoules de 25 ou 40 watts.

R.W. Sandilands,
tiré de *Lighthouse*, journal de
l'Association canadienne des
hydrographes,
novembre 1979

principal où l'on est entouré de teck, d'acajou et de cuivre poli jusqu'aux luxueuses banquettes et fauteuils en cuir de cheval. Le mess des hydrographes ressemble à la salle à manger d'un grand hôtel avec porcelaines, argenterie, toile et cristal portant l'emblème du navire, et des boutons d'appel à chaque place permettant d'appeler un steward en uniforme†.

Avec ces deux navires, le *Cartier* et l'*Acadia*, le SHC put établir fièrement une présence visible et importante sur la côte ouest. L'*Acadia* passa ses deux premières saisons à faire le relevé de la route de la baie d'Hudson dans le Nord canadien. Son épaisse coque d'acier était tout particulièrement conçue pour supporter les rigueurs des glaces de l'Arctique. Il était aussi le premier bateau du SHC équipé de radio sans fil et, étant donné la très grande sensibilité des compas à proximité du nord magnétique, tout le métal dans un rayon de quinze pieds du compas de l'*Acadia* était de bronze non magnétique. Il retourna plusieurs fois à la baie d'Hudson, mais passa la plupart de ses années de levés dans les eaux du golfe du Saint-Laurent, sur la côte de la Nouvelle-Écosse et, après 1949, sur les côtes accidentées de Terre-Neuve et du Labrador.

L'*Acadia* fut en outre l'un des premiers navires gouvernementaux utilisés régulièrement pour le rassemblement de données océanographiques, à compter de 1914. Quand vint le temps, en 1931, de concevoir un navire comparable à l'*Acadia*, en stature et en importance, pour les hydrographes de la côte ouest, on incorpora aux plans certaines installations océanographiques.

Ce nouveau navire, le *Wm. J. Stewart*, fut construit à Collingwood (Ontario) et amené par voie d'eau par l'est puis par le sud et à travers le canal de Panama pour arriver à Victoria en juillet 1932. C'était le plus gros navire jamais construit pour le SHC: il mesurait 228 pieds de long et jaugeait 1 295 tonnes. Son effectif était de soixante-huit hommes, y compris huit hydrographes, huit officiers et un équipage de cinquante-deux membres (incluant, au cours de la Seconde Guerre mondiale, sept femmes cuisinières, femmes de chambre et blanchisseuses). À l'été de 1933, le *Stewart*, équipé du matériel hydrographique le plus moderne, remplaça le *Lillooet*, qu'on mettait hors d'usage, pour poursuivre la gigantesque tâche que constituait la cartographie de la côte canadienne du Pacifique.

†Parmi les ornements les plus recherchés de l'*Acadia*, se trouvaient les magnifiques panneaux de teck sculptés qu'il portait sur sa proue. Pendant que le navire était en rade, un hiver des années 1950, à son port d'attache de Pictou (Nouvelle-Écosse), les sculptures furent retirées et entreposées pour permettre des travaux à bord. Malheureusement, le feu détruisit l'entrepôt et les sculptures, qui ne furent jamais remplacées.

Le Willie J. *a fait la fierté et la joie de la région du Pacifique du SHC à partir de son arrivée en 1932 jusqu'à son départ en 1975. Officiellement connu sous le nom de* William J. Stewart, *il mesurait 228 pieds de long et pouvait transporter huit hydrographes et un équipage de 60 hommes. Baptisé en l'honneur de* William J. Stewart, *le navire est amarré depuis sa mise hors service, à Ucluelet, sur la côte ouest de l'île Vancouver, où il sert d'hôtel flottant.*

(Comme tous les navires gouvernementaux, le *Stewart* était immatriculé à Ottawa et portait le nom de son port d'immatriculation à l'arrière, sous son nom. Bien des visiteurs naïfs, voyant le navire et l'indication de son port d'immatriculation, furent victimes des farceurs qui leur expliquaient avec force détails les problèmes incroyables rencontrés au cours du voyage à partir d'Ottawa, à travers l'Ontario et les provinces de l'Ouest jusqu'à son port d'attache à Victoria.)

Pendant la Seconde Guerre mondiale, le *Wm. J. Stewart* était le seul navire hydrographique à faire des levés sur nos côtes, tous les autres ayant été réquisitionnés par la Marine. Cependant, le 11 juin 1944, ses travaux furent interrompus quand le *Stewart* entra en collision avec le fameux rocher Ripple, dans la passe Seymour. Relevé du fond boueux de la baie Plumper, du nom d'un ancien navire hydrographique, le *Plumper*, le *Wm. J. Stewart* fut remorqué jusqu'à Victoria, réparé, radoubé et remis

L'Acadia

Il s'agissait du navire gouvernemental canadien (plus tard rebaptisé navire de levé canadien) *Acadia*. Quand il entra au service des hydrographes canadiens en 1913, l'*Acadia* représentait la technologie de pointe. C'était le premier navire de levé canadien muni d'appareils de communications radio, le premier à utiliser le compas gyroscopique, le premier à utiliser régulièrement des vedettes à essence (bien que des navires les aient antérieurement mis à l'essai), le premier. . . et la liste se poursuit.

Non seulement remplissait-il sa tâche avec compétence, mais il y avait plus: la génération suivante aurait pu l'appeler "agréable à l'usage". Il était plus que confortable, ses installations étaient *élégamment* confortables. On disait souvent de l'*Acadia* qu'il ressemblait davantage à un hôtel cinq étoiles qu'à un navire de levé. Pendant ses heures de gloire, son élégance avait été marquée par les plaques de teck gravées qu'il portait à l'avant.

Lors de son premier voyage hydrographique, en 1913, l'*Acadia* navigua d'Halifax à la baie d'Hudson. Plusieurs hydrographes se trouvaient à bord, parmi eux un jeune homme nommé Lloyd Prittie. Outre ses fonctions hydrographiques, M. Prittie se chargea de constituer un dossier photographique du levé. La photographie était pour lui un passe-temps et son objectif était personnel, non pas officiel.

M. Prittie était un amateur de talent et pendant le voyage, il exposa plus d'une centaine de négatifs. À sa mort, sa veuve donna ces photographies au Musée maritime de l'Atlantique à Halifax, où l'*Acadia*, bien que mis hors service, rappelle encore cette période lointaine du Service hydrographique du Canada. Les photographies de ces quelques pages sont tirées de la collection de Lloyd C. Prittie, qui se trouve au musée.

*L'élégance discrète des quartiers des hydrographes à bord de l'*Acadia *rappelait davantage un club sélect privé que les installations pratiques et austères de la plupart des navires de levé. Panneaux de bois sur le murs, verre gravé décoratif dans les portes, toile blanche sur la table, ustensiles et porcelaine à l'emblème du navire et bouton à chaque place pour appeler le garçon. Inutile de dire que les hydrographes s'habillaient pour dîner; sans porter nécessairement la cravate noire, ils portaient quand même la cravate et le veston. M. Lloyd Prittie, l'hydrographe qui a pris ces photos, est le troisième à partir de la gauche. Sa main gauche se trouve derrière le dos de son voisin, probablement pour cacher le déclencheur de l'appareil photo.*

*Juste avant son départ pour la baie d'Hudson, en 1913, l'*Acadia *est à quai pendant qu'on l'approvisionne. Bien que l'hydrographe-photographe Prittie n'ait pas mentionné le lieu, il s'agit probablement du port d'Halifax, si l'on se fie à la cheminée industrielle en arrière-plan. En avant de l'*Acadia*, on peut voir un bateau à vapeur mû par un moteur, mais gréé de mâts et de cordages afin qu'on puisse monter les voiles en cas d'urgence.*

*Selon le photographe, l'hydrographe qui figure sur cette photographie est "Chambers". Il se tient debout sur le pont de l'une des vedettes à essence de l'*Acadia*, gaffe en main, sur le point d'amener la vedette à côté du navire. Les bateaux qu'on voit à droite, en arrière-plan, et l'absence de cabine sur l'embarcation nous laissent penser que cette photographie a pu être prise avant que l'*Acadia *parte pour le Nord.*

Dans un établissement de l'Arctique, ce kayak inuk a attiré l'attention de Prittie.

Une fois dans l'Arctique, les vedettes de l'Acadia furent munies de cabines protectrices pour abriter les hydrographes et leur matériel. Cependant, le timonier de l'embarcation, terminée en forme de canot, n'était pas recouvert.

*Prisonnier des glaces de l'Arctique au large de Cap Chidley à l'extrémité nord du Labrador, l'*Acadia *attend que les glaces s'ouvrent. Cette periode d'attente donne aux hydrographes le temps d'aller "à terre".*

Nos côtes rocheuses

Bien qu'il soit un peu embarrassant de l'admettre, les hydrographes sont parfois ceux qui ont le plus besoin des cartes qu'ils produisent. Le 11 juin 1944, au cours de levés sur la côte du Pacifique, le *Wm. J. Stewart* frappait le rocher bien connu de Ripple dans la passe Seymour, près de l'extrémité sud du passage intérieur de la Colombie-Britannique vers le nord. Le rocher Ripple avait fait bien d'autres victimes dans le passé; c'était là cependant une bien maigre consolation pour le milieu hydrographique. Heureusement, il n'y eut pas de perte de vie parmi les cinquante-huit hommes et les sept femmes qui composaient l'équipage. Le bateau put s'échouer avec l'aide de son équipage. Plus tard, il fut remis à l'eau et remorqué jusqu'à Victoria pour y être réparé. "La coque résista bien à l'accident, mais la salle des machines était gravement endommagée, le matériel électrique était hors d'usage et il a fallu retirer complètement tous les magnifiques lambris d'érable des cabines et des salles publiques," (Sandilands). Le *Stewart* fut remis en service l'année suivante pour continuer sa carrière hydrographique sur la côte ouest jusqu'à ce qu'il fut mis hors service en 1975. En 1958, disparaissait le rocher Ripple, suite à la plus grande explosion non nucléaire jamais alors provoquée.

en service à l'été de 1945. Il allait par la suite le demeurer jusqu'en 1975.

Les années de 1932 jusqu'au début de la Seconde Guerre mondiale ont été la période de gloire des navires du SHC. À la fin de la guerre, tous les bateaux, et en particulier les splendides navires *Acadia* et *Stewart*, montraient des signes de leur âge ou de leurs mésaventures. Mais à la fin de la guerre, le Canada, comme d'autres pays maritimes, avait des surplus de navires de guerre dont la Marine n'avait pas besoin en temps de paix. Or, la période de l'après-guerre fut une période d'expansion des activités du SHC, qui nécessita en même temps un élargissement de sa flottille; il put donc atteindre ces deux objectifs en achetant des navires de guerre en excédent.

Le *Parry* (ancien *Talapus*) était un patrouilleur côtier de 87 pieds de long à coque de bois; il fut transformé en navire hydrographique et utilisé principalement pour les levés des courants et des marées. Le *Marabell* avait été un dragueur de mines utilisé par la Marine américaine (*YMS* — 91), acheté en 1948 par le Dr Ballard, bien connu pour ses aliments pour chiens, et transformé en yacht motorisé; en 1953, il était vendu au SHC et réaménagé pour les travaux hydrographiques. L'*Ehkoli* était un autre patrouilleur, semblable au *Parry*, qui fut réaménagé pour les levés océanographiques. Ces trois navires sont demeurés en service sur la côte ouest jusqu'en 1969, où ils ont été remplacés par des bateaux de construction récente.

Le Parry *(en haut), le* Marabell *(au milieu) et l'*Ehkoli *(en bas) se sont joints à la flottille de la Région du Pacifique dans les années qui ont suivi la Seconde Guerre mondiale. Tous trois avaient servi pendant la guerre, le* Parry *et l'*Ehkoli *comme patrouilleurs et le* Marabell *comme dragueur de mines.*

Le *Cartier* était un autre navire à coque de bois construit comme dragueur de mines côtier pour la Marine soviétique au chantier naval de Collingwood (Ontario). Cependant, avant même qu'il fut lancé, en 1945, la guerre en Europe prit fin, et il ne fut jamais livré à ses propriétaires. En 1947, le SHC l'acheta, et il servit de 1948 à 1962 aux levés de la côte sud du Labrador et du golfe du Saint-Laurent. De 1962 à 1964, il fut utilisé comme bateau de formation hydrographique dans les Grands lacs, puis il reprit ses travaux de levés dans les lacs jusqu'en 1968, date à laquelle il fut mis hors service.

En même temps, sur la côte est, deux dragueurs de mines algériens, appartenants à la MRC, le *Fort Frances* et le *Kapuskasing*, furent démobilisés et réaménagés pour les levés hydrographiques.

Cependant, même avec l'addition de ces anciens bateaux de guerre, le SHC ne fournissait pas à la demande de nouvelles cartes en cette période d'après-guerre. Comme la demande de navires était élevée et que les exigences en temps de guerre avaient orienté la production des chantiers navals vers les bateaux militaires, les bateaux appropriés étaient en nombre limité.

Le SHC résolut son problème quand il décida d'affréter, quand il le pouvait, des navires phoquiers de Terre-Neuve; la saison de la chasse aux phoques se termine vers la fin de l'hiver, de sorte que les navires étaient disponibles au moment de l'année où le SHC en avait besoin. En outre, les phoquiers étaient conçus pour naviguer dans les glaces: une solide charpente sur le devant, qui était fortement inclinée, de sorte qu'ils avaient tendance à monter sur la glace de dérive et à l'écarter de leur chemin. Qui plus est, les officiers et les équipages des phoquiers avaient l'expérience des eaux arctiques et sub-arctiques, où bon nombre des nouveaux levés étaient prévus.

À la fin de la saison de chasse aux phoques, les navires affrétés pour cette année-là étaient conduits au chantier naval le plus proche, à Terre-Neuve ou en Nouvelle-Écosse, et étaient

Comme sur la côte du Pacifique, la région de l'Atlantique a acquis d'anciens bateaux de guerre qu'elle a convertis pour le travail hydrographique. Le Fort Frances *qu'on aperçoit ici et son jumeau, le* Kapuskasing, *ont servi dans la Marine royale canadienne comme dragueurs de mines.*

réaménagés pour la saison hydrographique. Cela supposait l'installation d'une salle de dessin, la transformation des quartiers des marins pour l'usage des hydrographes, ainsi que le nettoyage énergique des oeuvres mortes et de l'intérieur du navire: des relents de chair de phoque imprégnaient tout le navire et souvent subsistaient encore à la fin de la saison de levés.

Le *North Star IV* était un de ces phoquiers affrétés (les autres étaient le *Terra Nova,* le *Theta,* le *Theron* et l'*Algerine*). En août 1960, il était en train de faire des levés dans la baie James, quand une tempête s'éleva. Mike Bolton, qui allait devenir hydrographe régional sur la côte du Pacifique, était l'hydrographe responsable du levé. Il rapporta que:

comme il faisait des levés dans des eaux encore non cartographiées, il avait placé une vedette en avant du navire pour faire les sondages. Mais comme le vent continuait d'augmenter et que la mer se gonflait, il avait dû rappeler la vedette. Le navire continua d'avancer, lentement, et il y eut soudain un incroyable grincement... Le navire était accroché à un rocher non cartographié.

Reg Lewis était un jeune hydrographe à bord pour son premier levé. Quand le *North Star* s'est échoué, il crut que c'était la fin du monde. Il n'a jamais oublié et n'oubliera jamais son premier levé hydrographique.

Bolton, lui, explique qu'ils auraient probablement pu sauver le *North Star* si le capitaine n'avait pas été pris de panique. La marée montait et, quand le vent se fut un peu calmé, Bolton ordonna la mise à l'eau des vedettes pour alléger le navire; avec un peu de patience et de chance, Bolton était convaincu que le *North Star* aurait flotté et aurait pu se libérer. Mais le capitaine n'avait pas suffisamment de patience. Il ordonna à la salle des machines d'avancer à plein régime, puis de reculer à plein régime. Il répéta cette opération si souvent qu'il finit par éventrer la coque.

Tout l'effectif du navire put descendre dans les vedettes, il n'y eut aucune perte de vie, aucune blessure, et tous passèrent la nuit à terre. Le lendemain matin, la mer avait mis le navire en pièces. Bolton suppose que des Inuit avaient recueilli une partie de son bois.

Le haut-fond *North Star*, au large de la rive est de la baie James, commémore l'accident.

Au cours des années d'après-guerre, le SHC demanda également au ministère fédéral des Transports de placer des vedettes de sondage à bord des brise-glaces du ministère dans l'Arctique. On aménagea aussi, à bord des brise-glaces, un bureau de traçage hydrographique. Le *C.D. Howe* a été le premier brise-glaces à être ainsi utilisé (en 1952). Chaque année, jusqu'à trois équipes d'hydrographes étaient affectées et le sont toujours en fait, à bord des navires de la Garde côtière du Canada.

Évidemment, les fonctions premières de la Garde côtière ne sont pas liées à l'hydrographie, de sorte que le succès des projets hydrographiques réalisés par ses navires varie d'une saison à une autre, selon l'état des glaces dans l'Arctique et les autres exigences auxquelles doit satisfaire le navire.

Il est intéressant de noter que l'une des premières observations d'un des éléments

Il n'est pas facile d'apprendre

La saison de travail des navires hydrographiques, tout au moins au Canada, est limitée par le temps à quelque cinq à sept mois. Le reste de l'année, leur utilité comme navires hydrographiques est à peu près "nulle". C'était en tout cas l'opinion de nombre de personnes dans les divers ministères fédéraux dont a fait partie le SHC. Chaque année, le désarmement des navires ramenait la même opinion: "inefficacité". En 1922, malgré les objections de l'Hydrographe en chef d'alors, William J. Stewart, le ministère de la Marine et des Pêcheries décidait d'utiliser l'*Acadia* comme brise-glaces pendant l'hiver, dans les ports de la côte sud-ouest de la Nouvelle-Écosse. L'*Acadia* avait été construit de façon à pouvoir embarquer sur les blocs de glace et les écraser de son poids, mais il n'était pas conçu pour briser la glace de surface. Le 16 mars 1923, l'*Acadia*, occupé à cette tâche, endommagea gravement son gouvernail. On remit alors à plus tard les travaux dans les glaces, et l'expérience ne fut jamais répétée.

Le Baffin dans la baie de la Trinité (Terre-Neuve)

Le principal bateau de levé du SHC sur la côte est, le *Baffin*, fait plusieurs levés le long de la côte de Terre-Neuve. Ici, hydrographes et équipage sont au travail dans la baie de la Trinité.

Herbrand

4

1

Quand le capitaine perd la tête

Tandis qu'il faisait des levés sur la rive nord du lac Supérieur, le 23 juin 1908, le *Bayfield* s'échoua sur le haut-fond McGarvey, près de la ville de Schreiber. Le capitaine, qui était sur le pont au moment de l'incident, était apparemment plus occupé à surveiller les sondes qu'à regarder où allait le navire. Le *Bayfield* fut donc remorqué, avec une partie de son équipage à bord, à Collingwood, dans la baie Georgienne, pour y être réparé. Au cours de cet arrêt forcé, plusieurs membres de l'équipe hydrographique passèrent une nuit en ville, probablement à boire, comme en ont l'habitude les marins. Sur le chemin du retour, l'un des hommes "libéra" un mannequin de couture sans tête, utilisé en démonstration à l'extérieur d'une boutique. Ayant réussi à l'introduire à bord du *Bayfield*, il le monta à la tête du mât sur la drisse du pavillon. Le jour suivant, le capitaine découvrit la plaisanterie et l'interpréta comme un reproche personnel pour avoir perdu la tête en pleine crise. Il fulmina, tempêta, menaça des pires punitions le coupable. Le plaisantin ne fut jamais découvert. Le capitaine perdit son commandement l'année suivante.

les plus étranges du fond marin de l'ouest de l'Arctique a été faite par un hydrographe se trouvant à bord du *Sir John A. Macdonald*.

La présence de pétrole sous la mer de Beaufort a été confirmée en 1969. Le Canada et les États-Unis, envisageant l'exploitation future du pétrole et du gaz naturel, ont décidé de faire un essai pour savoir si un gros pétrolier, suffisamment grand pour transporter une quantité convenable d'hydrocarbures, pourrait arriver à naviguer dans l'Arctique, à partir de l'Atlantique, en traversant le passage du nord-ouest jusqu'à la baie Prudhoe, en Alaska. Le *Manhattan* a été désigné pour cet essai, accompagné du brise-glaces *Sir John A. Macdonald*.

Pendant presque tout le voyage, le *Macdonald* navigua devant, écartant la glace pour le passage du *Manhattan* et utilisant son sondeur à écho continuellement pour vérifier la profondeur. Quand les deux navires eurent passé le détroit du Prince-de-Galles pour se diriger vers la mer de Beaufort, le *Manhattan* passa devant pour la première fois.

Ken Williams était hydrographe responsable du *Macdonald* (il est maintenant directeur régional de l'hydrographie à Québec) et se trouvait dans ses quartiers à rédiger des notes quand il remarqua, avec horreur, que son sondeur à écho indiquait une diminution rapide de la profondeur. Saisissant le téléphone, il appela le pont et cria presque à l'amiral Tony Storrs, commissaire de la Garde côtière, de descendre en toute hâte.

Quand Storrs se présenta, Williams lui montra le sondeur à écho en lui demandant si lui, Williams, ne rêvait pas. Storrs planta le doigt sur la feuille, désignant le pic alarmant tracé par le stylet. Il le planta d'ailleurs tellement énergiquement qu'il déchira le papier, endommagea le stylet et abima totalement le sondeur.

C'est ainsi qu'a été découvert le premier élément de relief sous-marin en forme de pingo† dans l'ouest de l'Arctique, qui d'ailleurs a été nommé "Admiral's Finger" (le doigt de l'amiral). Williams a remplacé le stylet et réparé l'appareil, mais affirme

†Avant cette découverte, les pingos étaient un élément de relief bien connu qui parsemait la toundra des Territoires du Nord-ouest. Il s'agit de collines abruptes, s'élevant jusqu'à 35 ou 40 mètres au-dessus des prairies environnantes et atteignant souvent 300 mètres de diamètre à leur base. Ils ont été décrits comme des collines de fourmis géantes et se composent d'un coeur de glace couvert de poussière, de schiste et de roche. Les pingos sous-marins, tels l'Admiral's Finger et les centaines d'autres qu'on a découverts depuis 1969, semblent à peu près de la même taille et auraient également un coeur de glace. Des centaines ont été observés et transposés sur les cartes, mais, de ce nombre, un pour cent seulement présentent un danger pour la navigation: ceux-là sont parfois recouverts de vingt mètres d'eau ou moins, et constituent une zone de danger pour la coque d'un super-pétrolier.

aujourd'hui que "si l'amiral n'avait pas été son supérieur, il l'aurait sûrement bousculé"†.

L'accent qui avait été mis sur l'exploration de l'Arctique après la Seconde Guerre mondiale a été maintenu et se maintient toujours de façon encore plus pressante.

Outre l'affrètement de navires et l'affectation d'hommes et de matériel à bord des brise-glaces du ministère des Transports, le SHC prit livraison, en 1956, de son plus gros navire hydrographique, le *Baffin*. Ce bateau de 285 pieds et d'un déplacement de 3 700 tonnes a été construit spécifiquement pour répondre aux besoins de la cartographie dans l'Arctique. Mais l'ère du grand luxe pour l'hydrographie en mer, comme le représentait l'*Acadia*, était révolue et le *Baffin*, bien que confortable, n'est pas le Ritz. L'hydrographe responsable a toujours son propre appartement — bureau spacieux, chambre à coucher et salle de bain — mais les lambris de bois et les installations spéciales sont disparues.

Comme l'*Acadia*, à son époque, avait servi à l'essai de nouvelles techniques, tels le compas gyroscopique et le sondeur à écho, le *Baffin* a été un des premiers bateaux hydrographiques à utiliser les nouveaux systèmes électroniques d'établissement de position. La salle de traçage hydrographique était l'une des plus perfectionnées du genre et, depuis, elle a été équipée d'une gamme de terminaux informatiques et autres techniques connexes.

Malheureusement, le premier essai par le *Baffin* des nouvelles aides électroniques à la navigation, dans ce cas le Decca, s'est soldé par un échec. L'incident est décrit en détail dans le prochain chapitre. Le *Baffin* et le Decca ont survécu au fiasco du rocher Black, mais non sans qu'on se pose mille questions et nourrisse des doutes sérieux quant à l'efficacité des nouveaux appareils électroniques.

Dans les années qui ont suivi l'échec du premier essai, les appareils électroniques se sont révélés très efficaces, ce qui a dissipé tous les doutes. Le *Baffin* s'est d'ailleurs montré un navire de levé *par excellence*, mais on reconnaît généralement qu'il est

†L'histoire ne se termine pas ici. Après avoir réparé le sondeur, Williams communique avec le *Manhattan* par radio: "Je leur ai demandé s'il avait remarqué le bas-fond dont le sondeur avait indiqué la présence," se remémore Williams. La réponse a été: "Attendez un moment, je vais vérifier". De toute évidence, personne ne montait la garde. Un moment a passé et une réponse a jailli: "Jésus-Christ," sur un ton d'invocation ou de profanation, "oui, en effet"; et cela accompagné d'une requête que le *Macdonald* passe en tête; ce qui fut fait et ce dernier n'a pas renoncé à son rôle avant que les navires aient quitté l'Arctique.

Péril en mer

La mer est une maîtresse sans merci et les hydrographes, comme tous ceux qui naviguent, doivent se tenir constamment sur leurs gardes. Le nombre très limité d'accidents fatals survenus dans le cours de l'histoire du Service atteste les normes élevées de sécurité appliquées au SHC. Une mort est survenue en septembre 1960, quand un doris a chaviré pendant une forte tempête en tentant d'atteindre l'île Kunghit sur la côte ouest des îles Reine-Charlotte.

L'hydrographe Ralph Wills, le patron d'embarcation Olav Watne et le marin Robert Lee ont alors été jetés à la mer. Wills a réussi à s'agripper à une bille flottante et à tenir jusqu'à ce qu'il soit rescapé par une embarcation de levé. Lee s'agrippa à un rocher en mer, mais il en fut par la suite rejeté pour aller s'échouer sur la rive où il passa la nuit en compagnie de deux hommes d'un autre doris qui avait chaviré en tentant de l'atteindre. Watne disparut et son corps ne fut jamais retrouvé; on supposa qu'il avait été assommé quand le doris avait chaviré. Le capitaine Howie Matheson fit l'éloge du jeune immigrant norvégien en disant de lui qu'il était un véritable Viking, un navigateur né.

Abandon du Chrissie C. Thomey

Pendant l'été de 1912, le navire hydrographique *Chrissie C. Thomey* quittait Halifax pour un trajet de 2800 milles jusqu'à la baie James. Il s'agissait d'un navire de commerce en bois, de 100 pieds, à profil effilé. Muni d'une quille profonde, il avait plus l'apparence d'un yacht que d'un navire scientifique et, de fait, son comportement ne décevait pas, car avec une bonne brise, son gréement de goélette pouvait le mener à 15 noeuds. Il détenait le record de traversée de Saint John's (Terre-Neuve) aux Antilles. Cependant, il n'était muni d'aucun autre moyen de propulsion. Amené à un poste de mouillage pour l'hiver, à l'embouchure de la rivière Rupert, dans la baie James, il avait évité de justesse, par quelques pouces, une barre de sable à l'entrée. En effet, n'eût été la plus haute marée de l'année, ajoutée à un vent vif qui accumulait l'eau encore plus haut, il n'aurait jamais pu passer. Résultat: il ne put jamais quitter son mouillage. La combinaison de marée et de vent qui lui avait permis d'entrer ne s'est jamais reproduite. Avec un moteur auxiliaire ou remorqué par un bateau à moteur, il aurait pu traverser le chenal étroit; mais louvoyer à voile aurait été peine perdue.

probablement le dernier représentant d'une lignée qui s'éteint. Avec l'apparition, depuis le milieu des années 1960, de la nécessité d'avoir des navires océanographiques disposant de différents types d'installations et de matériel, sans compter les restrictions budgétaires fédérales, les gros navires à vocation hydrographique sont maintenant le vestige d'un passé révolu et moins complexe que les temps modernes. Les nouveaux bateaux, comme le *Parizeau* et le *Vector* sur la côte ouest, ainsi que l'*Hudson* et le *Dawson* sur la côte est et dans l'Arctique, sont des bateaux polyvalents pouvant transporter à leur bord une équipe de levé hydrographique ou une équipe d'océanographes.

Au début des années 1960, deux nouveaux petits navires sont venus agrandir la flottille hydrographique. Le *Richardson*, bateau de 60 pieds à coque d'acier conçu pour travailler et passer l'hiver dans l'Arctique, a été affecté au bureau de la Colombie-Britannique, à Victoria (maintenant situé à Patricia Bay). Pendant plusieurs années, son capitaine et hydrographe responsable a été le capitaine T.D.W. McCulloch. Malgré sa coque renforcée, le *Richardson* a failli être écrasé par les glaces en 1967, au large de la pointe Barrow, en Alaska.

Le deuxième navire était le *Maxwell*, transportant deux vedettes de sondage de 26 pieds; il devint la véritable "locomotive" de la région de l'Atlantique, se lançant en action quand survenait le besoin pressant d'un levé.

L'avenir du bateau purement hydrographique semble s'orienter dans la direction de la vedette moderne, descendante d'une longue lignée de bateaux relativement petits, mais rapides et solides, que les hydrographes utilisent depuis le début du siècle.

La vedette hydrographique d'aujourd'hui s'apparente directement, bien qu'elle en soit fort différente, aux yoles utilisées par James Cook quand il a commencé à organiser l'établissement des cartes en une véritable science, celle de l'hydrographie.

Les yoles de Cook étaient tout simplement les embarcations du navire utilisées à plusieurs fins: par exemple, pour amener l'équipe à terre quand le bateau était ancré au large. Elles portaient une emplanture dans laquelle on pouvait insérer un mât, ce qui permettait de naviguer à voiles, mais elles étaient principalement mues au moyen de rames, habituellement quatre ou six, soit deux ou trois de chaque côté. Les yoles étaient évidemment en bois.

Utilisées pour les levés, on les amenait près du rivage ou de la zone de hauts-fonds à cartographier. Puis on ramait le long des lignes de sonde tandis que l'hydrographe, se tenant debout dans le cockpit avec sa feuille d'opération, son sextant, son calepin, ses lunettes d'approche et son livre de bord, manoeuvrait le bateau, prenait les posi-

Le Baffin *(en haut), le* Richardson *(en bas à gauche) et le* Dawson *ont été ajoutés à la flottille du SHC dans les années 1950 et 1960. Le* Baffin, *entré en service en 1956, a été, jusqu'à sa transformation en 1982, le navire hydrographique le plus complet utilisé au Canada; il sert maintenant comme navire hydrographique et océanographique combiné. Le* Richardson *a son port d'attache sur la côte ouest et a été spécifiquement conçu pour passer l'hiver dans les glaces de l'ouest de l'Arctique.*

Quelle que soit la façon dont on procède au levé d'un fleuve, il faut sonder en lignes parallèles, croisant et recroisant les mesures. Le bateau à vapeur *La Canadienne* peut, dans les meilleures conditions et avec un temps favorable, atteindre huit noeuds. Or, la marée a souvent une force de quatre noeuds, de sorte qu'on comprend aisément que *La Canadienne* ne puisse maintenir sa route directement à angle droit (...) du fleuve ... en passant à une autre ligne après en avoir terminé une, le bateau peut à peine aller de l'avant.

William J. Stewart,
Hydrographe en chef,
dans son rapport annuel de 1907

tions des sondages, surveillait la ligne du sondeur et notait les résultats. Il est évident que l'invention de la vedette à essence signifiait non seulement une économie de main-d'oeuvre, mais aussi, à long terme, une efficacité accrue de l'hydrographe.

Les premières vedettes à essence ont été utilisées par le SHC surtout pour remorquer les yoles de sondage. Mais en 1910, la goélette hydrographique *Chrissie C. Thomey* portait deux vedettes à essence. L'une de ces vedettes, le *Nelson*, qui mesurait 30 pieds, était surnommée le "pou de mer" car, comme le disait l'ancien Hydrographe fédéral R.J. Fraser, "on ne savait jamais où elle allait se trouver pour faire des travaux hydrographiques... Ce n'était sans doute pas un surnom très élégant ou très délicat, mais il était éminemment descriptif". À peu près au même moment, sur la côte ouest, une vedette appelée *Budge* a été surnommée (pour des raisons évidentes) le "*Never Budge*", par son équipage.

L'utilisation des vedettes à essence n'a pas été officiellement approuvée par l'administration centrale du SHC, à Ottawa, avant 1913, peut-être parce qu'elles avaient la réputation d'être peu fiables. En outre, William J. Stewart les trouvait extravagantes, non seulement parce qu'elles étaient plus coûteuses à louer et à acheter que les vieilles yoles et qu'il fallait en plus acheter de l'essence, mais aussi parce que l'utilisation d'un moteur à essence exigeait la présence d'un mécanicien compétent en cas de panne. Cette année-là, cependant, Henri Parizeau ayant perdu presque tout l'équipage de *La Canadienne*, qui était parti pour Fort William en quête d'emplois plus rémunérateurs, et se rendant compte qu'il ne restait pas suffisamment d'hommes pour faire ses levés à la yole, envoya un télégramme à Stewart à Ottawa, demandant l'autorisation de louer des vedettes à essence. La permission lui fut, bien sûr, accordée, mais à contrecoeur, comme le rapporte Parizeau.

Par la suite, les vedettes à essence, la plupart d'une trentaine de pieds, ont remplacé graduellement les yoles de sondage sur les grands navires hydrographiques. D'ailleurs, pendant la Seconde Guerre mondiale, presque tout le travail de levé a été accompli uniquement au moyen de vedettes puisque les navires avaient été détachés au service de la Marine.

En 1941, l'hydrographe H.L. Leadman, travaillant avec la vedette *Henry Hudson*, rapportait que:

> Pendant l'été, il avait remarqué qu'il y avait beaucoup de journées ensoleillées où les vedettes de 27 pieds avaient dû être mises à l'abri, de sorte que la journée était une perte totale pour ce qui était des levés. Elles ne pouvaient faire face à la brise

fraîche d'été. Il indiqua qu'il serait souhaitable, en remplaçant ces vedettes à mesure qu'elles seraient mises hors d'usage, d'utiliser une embarcation beaucoup plus grande, par exemple de 40 à 45 pieds de long, d'un tirant de moins de quatre pieds, facile à manoeuvrer et de construction relativement légère. D'après l'expérience du Cap Breton, il proposait deux moteurs d'environ 40 cv chacun.

La Canadienne, *un vapeur hydrographique, de 1906 à 1916.*

Il est intéressant de noter qu'une vedette, très semblable à la description qu'en avait faite Leadman, fit son apparition l'année suivante. Il s'agissait de l'*Anderson*, qui allait constituer la norme pendant de nombreuses années.

Ces dernières années, la vedette hydrographique canadienne a évolué rapidement dans bien des directions. Les yoles d'origine étaient évidemment des bateaux non pontés; l'hydrographe devait avoir une bonne vision pour faire le point au sextant. Avec l'apparition du matériel électronique d'établissement de position et, parallèlement, la nécessité de garder les machines au sec, on commença à installer des cabines sur les vedettes. Les moteurs à essence ont été graduellement, mais inévitablement, remplacés par le diesel, plus sûr et plus fiable. Le bois a d'abord été remplacé par la fibre de verre et, plus tard, par l'aluminium. En fait, même le caoutchouc ou le caoutchouc synthétique est utilisé pour les vedettes de sondage gonflables qui sont transportées sur le pont des navires et mues par des moteurs hors-bord à puissance relativement restreinte. Les moteurs hors-bord peuvent être remplacés par un moteur de secours, de sorte que le bateau peut continuer les sondages pendant qu'on répare le moteur; d'autre part, quand un moteur à essence ou un diesel tombe en panne, c'est toute la vedette qui devient inutilisable.

La forme de la coque des vedettes de sondage a aussi été modifiée avec les années. Les premières vedettes étaient pointues aux deux extrémités, de sorte qu'elles étaient parfois ironiquement qualifiées de canots, mais aujourd'hui, elles ont un tableau à l'arrière, large ou étroit selon le constructeur de la vedette. On remarquerait aussi une modification de la forme de la coque si on en prenait une coupe transversale. En modifiant les lignes, le concepteur peut dessiner une coque ''planante'' ou une coque rapide.

Dans le premier cas, le bateau, à grande vitesse, court sur la surface de l'eau un peu comme un hydroglisseur. Ainsi, l'hydrographe peut accumuler rapidement les données de sondage, mais l'excursion peut aussi être exténuante sur une mer agitée. D'un autre côté, avec une coque à déplacement, la vedette s'enfonce davantage dans

*L'*Anderson *représentait en 1942 un important progrès dans la conception des embarcations de sondage du SHC. Les embarcations étaient auparavant plus petites avec un faible tirant d'eau et étaient souvent forcées de chercher un abri pendant des coups de vent même modérés. L'*Anderson *et ses descendants de nombreuses générations mesuraient environ 40 pieds de long, tiraient plus de 4 pieds d'eau et étaient mus par deux moteurs.*

l'eau et elle consomme plus d'essence, mais l'excursion est beaucoup moins agitée. Son désavantage est cependant l'humidité; en haute mer, la coque à déplacement fend les vagues au lieu de glisser par-dessus.

Pour répondre aux exigences de l'hydrographie en haute mer, qui se fait pendant des jours ou des semaines, le concept de la vedette a été étendu à des bateaux d'une taille suffisante pour loger un effectif réduit mais, avec l'aide de la technologie, très efficace. Par exemple, l'*Advent* de la Région du Centre, construit en 1973, mesure 23.5 mètres de long, jauge 56 tonnes, atteint une vitesse de croisière de dix-neuf noeuds (par opposition notamment à dix pour l'*Acadia*) et porte un équipage de quatre membres seulement qui peuvent satisfaire aux besoins des trois hydrographes (par opposition au *Wm. J. Stewart* qui transportait un équipage de 52 hommes pour huit hydrographes et à l'*Acadia*, dont l'effectif était de 60 hommes pour dix hydrographes). Posté au Centre canadien des eaux intérieures à Burlington (Ontario), l'*Advent* est représentatif, avec les navires polyvalents utilisés par les hydrographes et les océanographes, du genre de bateau auquel auront recours les membres du Service hydrographique du Canada à l'avenir. Même le *Baffin*, le dernier des grands navires du SHC, vient d'être entièrement réaménagé (en 1982) afin de mieux répondre aux besoins de divers scientifiques.

Mais ce ne sont pas seulement les navires du Service hydrographique qui ont connu des changements. Les bateaux comme le *Cartier*, l'*Acadia*, le *Wm. J. Stewart* et le *Baffin* exigeaient un certain type de capitaine et d'équipage. Souvent, il fallait assurer la continuité du service. Habituellement, il fallait un certain nombre d'années avant que le capitaine connût suffisamment bien son navire pour le manoeuvrer dans des eaux non cartographiées, souvent dans des étendues restreintes et dans des situations délicates comme la mise à la mer et le rembarquement des vedettes. Les nouveaux bateaux, petites merveilles de précision, n'ont pas le genre de caractéristiques (un euphémisme pour les caprices, les faiblesses et les véritables défauts) des anciens navires, et exigent beaucoup moins de leur capitaine et de leur équipage en termes de clémence et de loyauté, de sorte que les hommes qui naviguaient à bord des grands navires hydrographiques appartiennent, comme leurs navires, à des temps révolus.

Elle est maintenant très loin l'époque où les homme se joignaient au Service comme marins et, au cours des années, se frayaient un chemin, littéralement aussi bien qu'au figuré, du gaillard jusqu'au pont. Ce n'était pas une situation fréquente, mais il est arrivé que des marins s'engagent comme hommes de pont à bord d'un navire du SHC et deviennent, après une série de promotions, capitaines du même navire.

Le capitaine Frank S. Green est un bon exemple de cette situation, il a passé son premier jour de service au SHC à nettoyer les doubles fonds du *Wm. J. Stewart*, après l'arrivée du navire à Victoria, au moment où il venait d'être mis en service, en 1932. Pendant toute sa carrière de marin, il a travaillé à bord de divers navires hydrographiques de la flottille de la côte ouest, comme patron du *Parry* et du *Marabell*, pour devenir plus tard capitaine de son premier bateau d'attache, ne revenant à terre pout de bon que lors de sa nomination, peu avant la mise hors service du *Stewart*, au poste de capitaine d'armement (pont).

Le capitaine J.W.C. "Jack" Taylor, aujourd'hui à la retraite, demeure à Pictou (Nouvelle-Écosse). Il a été capitaine de l'*Acadia* de 1958 à 1969. Le capitaine Taylor n'a rien d'un sentimental, mais sa voix — instrument développé par des années d'ordres lancés du pont dans le porte-voix de la salle des machines ou aux marins se trouvant en-dessous sur le pont avant — s'imprègne de nostalgie quand il se rappelle la loyauté des hommes qui furent à son service. Il rapporte que:

> Ils revenaient au printemps, saluaient l'officier de quart à la passerelle d'embarquement et se rendaient immédiatement sous le pont dans leurs quartiers. Chaque homme, avec son sac de marin et une valise, allait tout droit à la couchette qu'il avait occupée la saison précédente, défaisait ses affaires et commençait une conversation avec son voisin, comme s'ils ne s'étaient jamais quittés. Ils travaillaient tous ensemble, partageaient les mêmes fonctions, mais il y avait plus encore. Ils formaient une famille.

> Beaucoup plus de bêtises ont pu être écrites sur le sujet du remplacement des navires par d'autres moyens supposément plus économiques que sur tout autre problème organisationnel des sciences de la mer. Le plaidoyer est surtout venu des industries aérospatiales et de la haute technologie, qui ont trouvé une solution, mais sont en quête de problèmes à résoudre. En fait, il serait difficile de trouver un océanographe ou un arpenteur qui ne croit pas que les navires de recherche continueront d'être encore plusieurs décennies leur principal outil de travail.
>
> Rapport
> "The Status of Research and Survey[2]
> Fleet at Bedford Institute of Oceanography"
> Septembre 1982

Les hommes

Il est presque tragique de constater combien les législateurs tiennent peu compte des hydrographes. Ces hommes, travailleurs et talentueux qui, se dévouant, avec des budgets tout à fait insatisfaisants, à une tâche immensément plus grande que celle d'Hercule, sont pourtant les seuls à aider à prévenir les tragédies sur l'océan.

James Dawson
"Ancient Charts and Modern Mariners"
Marine Geodesy, volume 4, numéro 2, 1980

CENT ANS EST UN ÂGE VÉNÉRABLE POUR TOUT HOMME ET POUR LA plupart des institutions humaines. Le Service hydrographique du Canada qui, en 1983, célèbre le centième anniversaire de sa fondation, n'est pas le plus ancien organisme gouvernemental qui cartographie les côtes d'un pays; le Bureau hydrographique français a été le premier, en 1720, et le Département hydrographique britannique a commencé en 1795. L'ancêtre américain de l'actuel National Ocean Survey a suivi, cinq ans plus tard, en 1800.

Bien qu'il ne remporte pas la palme de l'ancienneté, le SHC, au cours de son siècle d'existence et d'expansion, a cependant acquis une renommée sans pareille. Quand on sait que l'âge est habituellement synonyme d'expérience, et l'expérience de sagesse, et la sagesse, à son tour, d'une sorte de tempérament placide et accommodant, il est bien difficile de s'expliquer le dynamisme hésitant qui anime ses membres à tous les niveaux. Le paradoxe d'un "dynamisme hésitant" ne s'explique que par deux choses: la première, les pressions imposées au SHC de l'extérieur, condition qui a favorisé l'apparition d'une certaine incertitude chez les hydrographes quant à leur existence et quant à leur rôle dans la structure gouvernementale.

Pour bien comprendre la deuxième, il faut mieux connaître certains des hommes et, plus tard, des femmes du Service qui, par leur travail et leur attitude, ont conféré à l'hydrographie canadienne son caractère sérieux et direct.

La première influence qu'a subie le SHC a été et continue d'être l'incertitude, dans les plus hautes sphères du gouvernement, quant à la place à donner à l'hydrographie canadienne. Depuis 1883, il y a cent ans, quand Boulton fut affecté à la cartographie des eaux de la baie Georgienne, le SHC est passé de ministère à ministère quatorze fois, c'est-à-dire que la charge de l'administration du SHC a changé en moyenne tous les sept ans.

Les exemples de ce genre de jeu gouvernemental sont nombreux, mais un seul suffira. En juin 1936, le gouvernement formait un nouveau ministère des Transports, on proposa alors d'y transférer le SHC, qui faisait partie du ministère de la Marine depuis 1930. L'Hydrographe fédéral, le capitaine Frederick Anderson, s'opposa vigoureusement à ce changement dans une lettre au sous-ministre.

''Le SHC, écrivait le capitaine Anderson, n'est pas un organisme de levés, c'est un service de la marine... Il est de mon devoir de signaler... que la mesure proposée selon laquelle un service nautique distinctif serait déraciné... et planté... là où les activités sont totalement différentes ne serait pas dans l'intérêt du public qu'il sert.'' Sa requête passa inaperçue.

Mise à part cette tendance du gouvernement à déplacer le SHC d'un ministère à l'autre, l'hydrographie a un caractère tout à fait particulier. Les hydrographes ont parfois été comparés à des médecins qui font de la médecine préventive. En effet, ceux-ci et les autres scientifiques qui travaillent dans ce domaine cherchent à prévenir les épidémies, à empêcher les maladies d'apparaître. Leur plus grand succès est l'absence de maladie: *pas* de peste, *pas* d'épidémie, *pas* de panique publique. De même, la tâche de l'hydrographe est de prévenir les désastres maritimes et, comme pour la médecine préventive, le plus grand succès de l'hydrographie est l'absence de naufrages, de pertes de vies en mer, de déversements de pétrole le long des côtes.

Les hydrographes canadiens ont eu un succès étonnant. Notre pays est doté du plus long littoral du monde. Nous avons eu de la chance de n'avoir pas eu plus de naufrages. Toutefois, ce genre de succès, marqué par l'absence plutôt que la surabondance de publicité engendre l'anonymat. À son tour, l'anonymat favorise la négligence, et la possibilité pour certains services essentiels, mais mal connus, de ne pas recevoir suffisamment de fonds. La mise au point du vaccin Salk pour la poliomyélite infantile pourrait avoir été retardée de plusieurs années si une épidémie des années 1950 n'avait pas poussé le gouvernement des États-Unis à dépenser des sommes importantes pour trouver un moyen de prévention. Si l'*Asia* n'avait pas sombré en 1882 dans la baie

Georgienne, l'établissement d'un levé hydrographique gouvernemental aurait probablement été retardé†.

Ainsi, ces tendances officielles, soit à oublier l'hydrographie canadienne quand elle fonctionne efficacement, soit à réagir trop vivement quand on constate, à tort ou à raison, son inefficacité, ont amené les hommes et les femmes du SHC à être quelque peu hésitants. Ils ont tendance à avoir une certaine retenue, à hésiter à vanter leurs réalisations.

La deuxième influence qui existe toujours au SHC a été la qualité des personnes qui composent ses rangs. Depuis le jour où, en 1884, Boulton a recruté le jeune William James Stewart, ingénieur et médaillé d'or, frais émoulu du Royal Military College de Kingston, le SHC a attiré des individus à l'esprit rigoureux, habituellement aussi forts physiquement que dans leur détermination et tout à fait sûrs d'avoir la capacité de fournir des cartes détaillées, précises et d'une qualité insurpassée.

Dans le présent chapitre, nous nous attarderons donc à certains des membres du SHC, ceux qui s'aventurent hors des quatre bureaux régionaux du Service pour tracer les côtes des trois océans du pays et de ses innombrables voies d'eau intérieures, et en sonder les profondeurs.

Henri Delpé Parizeau était rarement modeste au sujet de ses réalisations dans le cadre de son travail et, de fait, il avait peu de raisons de l'être. Il était hydrographe et, comme la plupart de ses pairs, un réaliste convaincu. Il n'y avait pas de place dans sa vie professionnelle pour la fausse modestie. Il était d'ailleurs devenu tellement péremptoire et truculent qu'il semble que sa nomination au poste d'hydro-

†C'est par une ironie du sort que, même si l'*Asia* n'a pas sombré faute de cartes appropriées, son sort ait mené à l'établissement du SHC. À l'époque, certains — et notamment les propriétaires du navire et ses assureurs — ont laissé entendre que l'*Asia* avait fait naufrage sur un haut-fond non cartographié au large de Parry Sound dans la baie Georgienne. Cependant, l'enquête qui eut lieu par la suite établit que le navire avait sombré pour trois raisons, aucune n'étant liée à la présence d'un haut-fond non cartographié. Ces raisons étaient les suivantes: le navire n'était pas conçu pour les eaux dans lesquelles il naviguait; il était trop lourd dans sa partie supérieure et surchargé; il avait été surpris dans une tempête inopinée qui avait presque la puissance d'un ouragan.

Comment gaver un navire avarié

En 1911, le navire hydrographique *Chrissie C. Thomey* fut gravement endommagé par les glaces flottantes au cours d'une expédition hydrographique dans le détroit d'Hudson. Heureusement, le navire se tint à flot grâce à une technique appelée "gavage". Une vieille voile fut accrochée à l'avant du navire, à l'endroit où la coque avait été déchirée. Plusieurs tonnes de cendres (provenant de la cale du bateau à vapeur *Minto* qui l'escortait) furent ensuite jetées dans la voile. L'eau qui s'engouffrait dans la coque du *Thomey*, emportant avec elle les cendres dans la brèche, permit ainsi de sceller la déchirure. Bien qu'il eut plus de cinq pieds d'eau dans la cale, la pièce rapportée tint bon, permettant au navire de rallier par ses propres moyens une anse abritée, pour y être échoué et réparé.

graphe régional en Colombie-Britannique ait résulté, en partie tout au moins, du désir de William J. Stewart, alors chef du Service, d'envoyer aussi loin que possible cet adjoint très talentueux, mais pourtant difficile.

Parizeau a soulevé beaucoup de controverses et de dissensions, mais il était un employeur aimable bien qu'exigeant. R.B. Young, l'hydrographe qui allait plus tard devenir le chef de la Région du Pacifique, se remémore son expérience de travail sous ses ordres:

> "Je suis entré au Service en 1929, à la fin de mes études en génie. J'avais un peu d'expérience de l'arpentage, mais aucune des levés en mer. M. Parizeau était un instructeur prévenant et minutieux. Une fois qu'on savait ce qu'il y avait à faire, il attendait de nous un travail de première qualité; il était très exigeant, mais si son personnel était malmené ou critiqué, il le défendait jusqu'au bout.
>
> Je pense qu'on peut dire que c'était un excellent employeur, mais je peux comprendre qu'il puisse avoir été un employé difficile."

Parizeau aurait certainement été amusé de lire la citation au début de ce chapitre, comparant les hydrographes à Hercule, héros légendaire de la Grèce antique. Néanmoins, Parizeau a accompli des tâches herculéennes au service de l'hydrographie canadienne; les législateurs n'ont pas tenu compte de ses travaux; et il a défendu avec intelligence, même si c'était parfois d'une voix assez stridente, la sécurité sur les océans.

Henri Parizeau était un Montréalais petit, rondelet, mais élégant, huitième fils d'un magnat du bois de construction à Québec. Certains de ses frères aînés étant bien établis dans les affaires de la famille, Henri choisit la carrière d'ingénieur et obtint son diplôme à McGill. Pendant quelques années, il travailla dans l'industrie privée, mais en 1901 il entra au service du gouvernement fédéral. En 1906, il était nommé adjoint principal pour le levé de la côte du Pacifique, qui venait d'être établi.

Parizeau commença d'abord le levé de la côte autour de l'embouchure de la rivière Skeena, tandis qu'on aménageait à Prince-Rupert le terminal ouest du chemin de fer Grand Tronc. Mais en 1910, il est rappelé au bureau principal du service d'hydrographie à Ottawa.

À l'époque, le Dominion songeait à construire une voie ferrée allant de Winnipeg jusqu'aux rives de la baie d'Hudson, constituant une route de transport des céréales des Prairies qu'on aurait pu alors envoyer vers les ports de l'Atlantique et de l'Europe.

Ce projet exigeait pour les navires des ports en eau profonde sur les rives nord du Manitoba. Les instructions du ministère de la Marine et des Pêcheries (dont relevait le Service hydrographique à l'époque, en 1909) étaient que l'Hydrographe en chef devait préparer un rapport sur les mesures à prendre pour faire un levé des voies d'accès de Port Nelson ou de Fort Churchill. Stewart, le chef, affectait Parizeau au levé de Port Nelson et Charles Savary, à celui de Fort Churchill.

Parizeau faisait donc voile vers le nord en 1911 à bord du *Chrissie C. Thomey*, goélette à trois mâts réaménagée qui venait d'être acquise. Le capitaine était Thomas Gushue, de Brigus (Terre-Neuve), que son équipage appelait Black Tom O'Brigus, plus à cause de la couleur de ses cheveux et de sa barbe qu'à cause de son tempérament. En deux saisons de levés, Parizeau, avec l'aide de deux adjoints seulement, terminait le levé des voies d'accès du port. Port Nelson n'était pas l'endroit idéal pour un port en eau salée, concluait-il. Dans son rapport annuel de 1912, Stewart répétait les avertissements de Parizeau: Port Nelson est difficile d'accès et difficile à localiser. On pourrait remédier à ces problèmes en utilisant des navires légers et des bouées au gaz, et en créant une ville, mais il restait que l'endroit ne serait jamais aussi facilement accessible que Churchill.

Un aspirateur de sable, utilisé pour draguer les accès à Port Nelson dans la baie d'Hudson s'écrase dans un quai et est complètement démoli pendant une tempête en 1914. La prédiction d'Henri Parizeau voulant que Port Nelson ne soit pas un bon choix comme port est alors confirmée. Par la suite, Fort Churchill fut choisi comme terminal d'expédition des céréales des Prairies.

Pour des raisons que lui seul connaît†, le gouvernement choisit de ne pas faire cas des conseils de Parizeau. Les travaux ont donc été mis en marche à Port Nelson, le désastre allait avoir lieu l'année suivante.

L'année 1913 était la première saison de l'*Acadia* qui, comme on l'a mentionné dans le chapitre précédent, était le nouvel enfant chéri du Service. Le 12 octobre, tandis qu'il se tenait au large de Port Nelson, l'*Acadia* était pris dans un coup de vent de 60 milles à l'heure qui balaya du pont sa nouvelle vedette à essence de 34 pieds, la jetant à la mer. Quant à l'*Acadia*, il fut traîné, avec ses deux ancres à l'eau, sur un mille et demi avant que les pattes d'ancre puissent prendre prise solidement; au

†Il est impossible et tout à fait inutile dans un ouvrage de cette nature d'aller chercher les raisons pour lesquelles le gouvernement a choisi de ne pas tenir compte des conseils de Parizeau. Peut-être le gouvernement a-t-il retenu le fait que Nelson se trouve environ à cent cinquante milles au sud de Churchill, et donc d'autant plus près de Winnipeg; le coût d'aménagement de la voie ferrée était ainsi beaucoup moindre. Autre facteur: à l'époque des levés de Parizeau, le Service hydrographique est passé du ministère de la Marine et des Pêcheries au nouveau ministère des Services navals; ce qui semble, avec le recul de près de trois quarts de siècle, une omission volontaire pourrait n'avoir été qu'une bévue bureaucratique.

Peut-être avait-il parlé trop tôt...

La cartographie de la baie d'Hudson entreprise par Parizeau et Savary et poursuivie par bien d'autres après 1928 a été efficace. Meehan écrit d'ailleurs: "il s'était produit quelques gros accidents de la navigation sur la route de la baie d'Hudson, mais ce n'était pas par manque de bonnes cartes". Le capitaine W. Mouat, de Newcastle (Angleterre), qui en 1932, traversait Churchill à bord du céréalier le *Pennyworth*, écrivait à ce propos: "Ce navire étant équipé d'un compas gyroscopique et d'un échomètre, nous n'avons pas eu de difficulté à maintenir notre cours...La navigation dans ces eaux est beaucoup plus facile que dans celle du Saint-Laurent".

Il dut avoir un pressentiment, car l'année suivante le *Pennyworth*, toujours dirigé par le capitaine Mouat, échoua sur un récif dans le Saint-Laurent, en aval de Québec.

cours de son premier voyage vers le nord, la grande fierté du Service avait failli être détruite.

Une semaine après, le vapeur d'approvisionnement *Alette* sombrait dans les glaces épaisses, encore une fois au large de Port Nelson: l'*Acadia* put recueillir les vingt-huit membres d'équipage. Or, pendant le retour, avec un nombre supplémentaire d'hommes à bord, les provisions vinrent à manquer; à l'arrivée du navire à Halifax, les hydrographes, l'équipage et les survivants du naufrage étaient tous amaigris par le manque de nourriture.

Deux autres navires firent naufrage et une drague d'un million de dollars, un aspirateur de sable en fait, heurta le quai à Port Nelson avant que la Première Guerre mondiale interrompît tous les travaux d'aménagement du port dans la baie d'Hudson. Ce n'est qu'en 1928 que le gouvernement du Dominion reprit les travaux d'aménagement d'un port dans le nord, et la décision porta alors sur Fort Churchill, comme l'avaient recommandé quatorze ans plus tôt Parizeau et Stewart.

À une autre époque et à un autre endroit, S.R. "Steve" Titus fait son apparition sur la scène de l'hydrographie canadienne. Titus était un géant au SHC, dans les deux sens du mot: d'après ceux qui travaillaient pour lui et avec lui, il était connu comme le père du SHC moderne, l'homme qui dirigeait le service ou "l'autocrate d'Ottawa". En outre, il était, au sens propre du mot, un géant. Un de ses collègues avoue ne pas connaître sa taille réelle, mais il révèle que l'homme devait mesurer au moins six pieds et cinq ou six pouces, et sa voiture, disait-il, une grande Cadillac, mesurait au moins 25 brasses de long et donnait continuellement de la bande à bâbord.

On n'a jamais vu Titus boutonner une chemise au cou ou aux poignets; les deux extrémités du tissu n'arrivaient tout simplement pas à se joindre. Ses mains étaient des appendices massifs, et plus d'un jeune hydrographe se demandait comment Titus avait jamais pu tenir un sextant sans le réduire en miettes.

En 1948, Steve Titus était nommé hydrographe responsable de l'*Acadia*. Quand il mit le pied dans sa cabine pour la première fois, il jeta un coup d'oeil dans la salle de bain et se mit à rire: le bain qui avait servi à tous les hydrographes qui l'avaient précédé pendant trente-cinq ans semblait à peine plus grand, pour lui, qu'une cuve pour un bain de pieds. Il ordonna aussitôt qu'il soit remplacé.

Le bain géant qu'on installa servit à Titus pendant deux ans et son successeur comme hydrographe en chef de l'*Acadia*, Colin Martin, un homme de taille beaucoup plus proche de la moyenne, était probablement très heureux de l'espace supplémentaire qu'il lui offrait. Le successeur de Martin, cependant, était Hiro Furuya qui mesurait un pied de moins que Titus et pesait environ cent cinquante livres. Le bain de Titus fut alors désigné dans le Service comme la "piscine de Furuya".

On ne pouvait jamais oublier la puissance de la présence physique de Titus et ceci l'a probablement aidé dans le rôle qu'il a choisi de jouer quand il fut promu au poste de superviseur des levés sur le terrain à l'administration centrale. "C'était un véritable dictateur, rappelle un de ses collègues, bienveillant, mais un dictateur tout de même. Il avait une vision particulière de ce que devait être le SHC et, c'est très simple, tout le monde devait *travailler* pour atteindre cet objectif".

Malgré ses méthodes autocratiques, Titus était un employeur bienveillant. Pendant toute sa carrière, il est demeuré célibataire, habitant à Ottawa avec sa mère, pendant ses dernières années de service. Titus s'est marié après avoir pris sa retraite.

Il avait l'habitude d'inviter les jeunes du Service à passer des soirées chez lui. C'est ce que rapporte Ross Douglas qui a travaillé pour Titus avant que celui-ci prenne sa retraite. La soirée se passait à parler d'hydrographie ou à regarder la télévision. Le goûter préféré de Steve, pendant ces soirées, était un ananas entier. Il s'asseyait dans son large fauteuil et débarrassait avec soin le fruit de son écorce. Puis il le coupait en tranches qu'il gobait entières.

... pour l'équipage, le travail hydrographique est extrêmement monotone, ce qui le classe parmi les tâches les plus laborieuses. Au contraire de la plupart des hommes qui travaillent en mer à d'autres spécialités (...), ils ne retournent pas dans leur foyer du début jusqu'à la fin de la saison... Donner la profondeur de l'eau, une erreur en ce sens pouvant entraîner la perte d'un navire et de vies humaines, est une tâche lourde de responsabilités et ne peut être confiée qu'à des hommes intelligents et dignes de confiance... Pour amener des gens de qualité à s'intéresser à ce travail et s'y tenir, il faut leur donner de bons salaires et tout le confort matériel possible dans les circonstances.

J.G. Boulton,
Chef d'état-major,
Marine Royale, chargé du Levé
de la baie Georgienne, dans son
rapport annuel de 1884

La sonnerie du réveil retentit et tira lentement Chris Rozon d'un sommeil profond. Il était 6 h 45. Chris étendit un bras hors de la chaleur de la couverture et d'un geste énergique réduisit le réveille-matin au silence. Son bras semblait fatigué, chaque muscle étant endolori, comme à peu près tous les autres muscles de son corps. Les épaules raides et courbaturées, les hanches et cuisses endolories et couvertes d'ecchymoses de toutes les couleurs: du jaune et brun de celles qui avaient été causées par des collisions avec le plat-bord de la vedette la semaine précédente jusqu'au violet de celles qui dataient de la veille.

Pendant douze heures, la veille, de 8 h à 20 h, Chris se trouvait à bord de la vedette *Finch* du *Baffin*, tirant des lignes de sondage dans le détroit de Fury et Hecla, dans

Une pause bien méritée.

l'Arctique. La mer n'était pas particulièrement agitée, les vagues ne dépassant pas deux à quatre pieds, mais à une vitesse de neuf noeuds, la coque du *Finch* tapait dans les vagues avec la force d'un marteau-pilon. Chris, le patron de l'embarcation et le marin se faisaient secouer, comme le maïs soufflé qui éclate dans la poêle.

Douze heures de travail, la plupart du temps difficile et dur physiquement, et Chris Rozon commençait une autre journée de la même routine. À son propre étonnement, elle avait même hâte de reprendre le collier.

Christine Rozon est une hydrographe du SHC. Il serait absurde de la qualifier "d'ordinaire" sous quelque rapport; pourtant, elle est représentante des jeunes qui entrent aujourd'hui au service du SHC pour faire carrière dans la bonne tradition de Cook, Vancouver et Boulton.

Aujourd'hui comme par le passé, la plupart des hydrographes du SHC qui travaillent sur le terrain ont commencé leur carrière à titre d'ingénieur diplômé ou d'hydrographe. Chris Rozon est une exception: elle est diplômée de 1978 de l'Universivé Mount Allison, à Sackville (Nouveau-Brunswick), en biologie marine. En 1979, elle a travaillé comme chercheuse à l'Institut océanographique de Bedford (IOB); l'Institut faisait des levés hydrographiques et des enquêtes statistiques sur les effets possibles d'une installation marémotrice dans la baie de Passamaquoddy. Le travail de Chris était d'étudier un petit organisme marin qui vit dans les eaux entourant le lieu de l'aménagement et de déterminer les effets qu'aurait la centrale sur son cycle biologique.

Chris raconte qu'elle avait été embauchée à contrat (employée non permanente) et qu'elle avait passé l'été à l'Institut penchée sur son microscope à étudier ces petites bêtes, passant tous ses moments libres, pauses-cafés, pauses-repas, avec les hydrographes. Elle avait toujours été attirée par le plein air: ski, randonnées et autres activités du genre. Les descriptions faites par les hydrographes de leur travail, à l'extérieur, semblaient beaucoup plus intéressantes et satisfaisantes que son travail de laboratoire. L'année suivante, elle posait sa candidature à un poste d'hydrographe et était acceptée.

L'entrée d'Alex Raymond au SHC a été plus ordinaire. Diplômé d'un institut technique en hydrographie, il est entré au Service en 1971. Depuis lors, il a travaillé à bord de tous les navires de la Région du Pacifique, à des levés allant des anses de la côte de la Colombie-Britannique jusqu'à l'ouest de l'Arctique. Il a acquis au cours des années une expérience considérable et une grande compétence, ainsi qu'une femme, Cathy, et un fils, Ross.

Jusqu'à ce que la rigor mortis nous sépare

L'hydrographie exige toujours un travail d'équipe. Bien que chaque membre soit important, le pivot, du point de vue de l'hydrographe, est le patron de l'embarcation. C'est lui qui est chargé de manoeuvrer l'embarcation bien droit; s'il dévie d'une ligne de sonde, il faut recommencer. Naturellement, il s'établit des liens étroits entre le patron d'embarcation et l'hydrographe; chacun a son partenaire favori et chaque paire tente d'établir le record du navire en termes de précision. Dans cette atmosphère de concurrence, peu d'incompétents peuvent survivre. Un d'entre eux pourtant l'a fait, pendant un certain temps, et c'est malheureusement l'hydrographe R.W. Sandilands qui l'a rencontré à bord d'une embarcation de sondage juste avant la journée de travail. Il lui fut présenté sous le nom de Rigger (en anglais désigne celui qui s'occupe du gréement), en tout cas c'est ainsi qu'il le comprit. Au bout de quelques jours, il fut frappé de la façon dont l'homme portait mal son nom. Il était une véritable menace en mer, ne pouvait manoeuvrer son bateau correctement et Sandilands doutait beaucoup qu'il puisse s'occuper du gréement, épisser un cordage ou accomplir *toute autre* tâche de marin. Plus tard, il apprit qu'il avait bien compris son nom ou plutôt son surnom, mais c'était l'orthographe qui différait: on aurait dû plutôt l'écrire Rigor. Ses compagnons l'avient d'ailleurs surnommé Rigor Mortis à cause de son incapacité totale de fonctionner.

*Missions de sauvetage de l'*Acadia

Tout au cours de son travail, l'hydrographe se préoccupe de la sécurité: sécurité des navires, des équipages, des passagers, des cargaisons. Parfois, cependant, son travail le place dans une position où il contribue plus directement à sauver des vies que ses techniques habituelles de production de cartes précises. Vers la fin de l'été 1961, l'*Acadia* a servi deux fois à rescaper des habitants de Terre-Neuve prisonniers dans des collectivités portuaires menacées par des feux de forêt. Hiro Furuya, l'hydrographe responsable d'alors et plus tard chef de la formation et des normes à l'administration centrale, raconte qu'il a reçu le 7 août un message radio du sous-ministre du ministère du Bien-être de Terre-Neuve lui demandant de garder le navire en réserve à Port Musgrave près de l'extrémité nord-est de l'île, au cas où il faudrait évacuer des résidents. Le lendemain, 298 personnes, hommes, femmes, enfants et huit personnes sur civières, furent amenées à bord dans des petites embarcations alors qu'on évacuait Seldom-Come-By. Encore une fois, le 10 août, Furuya et le patron du navire, le capitaine Jack Taylor, prirent à bord 204 autres personnes de deux petites collectivités.

Maintenant, au beau milieu de sa carrière, Alex Raymond entend fermement obtenir un poste d'hydrographe responsable d'un grand navire de levé. Il sait très bien que cette ambition a aussi ses désavantages; la moitié de l'année est passée en mer, tout le fardeau du foyer retombant sur les épaules de Cathy. Sans compter qu'Alex serait absent pour bien des occasions comme les premiers pas de son fils, ses premiers mots, son premier jour à l'école, ces moments dont sont témoins la plupart des parents et qu'ils chérissent.

Comme on l'a déjà raconté, la création du SHC remonte à l'établissement, en 1883, du Levé de la baie Georgienne. N'ayant aucun homme expérimenté, le gouvernement du Dominion accepta l'offre de la Marine royale de lui prêter le commandant Boulton. Celui-ci était à la fois marin et hydrographe et une partie de sa mission dans le cadre de l'établissement du Service canadien était de recruter des Canadiens pour le levé. À l'époque, les marins expérimentés et formés ne couraient pas les rues au Canada; il y avait quantité de pêcheurs hauturiers expérimentés sur les côtes de l'Atlantique et du Pacifique, mais il s'agissait, en général, de marins qui naviguaient par instinct, par intuition et par expérience. Boulton savait qu'il avait besoin d'hommes déjà formés ou qui pouvaient l'être dans les domaines des mathématiques, de l'astronomie, et qui possédaient même quelque talent de dessinateurs. Il opta pour les arpenteurs qualifiés sans aucune compétence comme marins; sa première recrue au Service, William. J. Stewart, répondait exactement à ses exigences.

L'embauche de Stewart pour le levé de Boulton consacrait ce qui allait devenir la règle au SHC: le levé et l'hydrographe sont de première importance.

En effet, cette règle a été suivie de façon tellement rigoureuse presque jusqu'en 1960 que l'hydrographe responsable à bord de n'importe quel navire de levé du SHC avait le commandement du navire, même quand le navire était en route. L'hydrographe avait la charge *entière*: il commandait les provisions et faisait office de commissaire pour tout l'effectif du navire. L'hydrographe était maître après Dieu: sa parole faisait loi.

Bien que le titre ne leur ait jamais été donné officiellement, certains hydrographes responsables se faisaient appeler commandant à bord de leur navire. Le capitaine Jack

Taylor, dernier patron de l'*Acadia* avant que celui-ci fût mis hors de service, se rappelle un de ses premiers voyages à bord de l'*Acadia*. Il fut abordé sur le pont par l'officier de radio, le premier jour de la saison de levé. L'officier demanda au capitaine s'il savait où se trouvait le "commandant". Bien que le rôle de capitaine fut nouveau pour lui, Taylor comptait à son actif de nombreuses années comme lieutenant et comme marin; il connaissait la hiérarchie de la mer et savait que l'utilisation du mot "commandant" désignait, dans l'esprit de l'officier de radio, un officier supérieur au capitaine. Taylor corrigea fermement la terminologie de l'officier et l'orienta vers l'hydrographe responsable; il n'entendit jamais plus le mot utilisé à bord de son navire.

La contrariété du capitaine Taylor doit avoir été monnaie courante dans les débuts de l'hydrographie canadienne. Même aujourd'hui la relation entre le capitaine du navire et l'hydrographe est très délicate et demande que chacun fasse preuve de compréhension. Les raisons de conflit entre le capitaine et l'hydrographe sont nombreuses, mais on peut les résumer ainsi: l'intérêt principal du capitaine est d'assurer la sécurité de son navire et des hommes qui sont à son bord; en général, cela signifie que le capitaine tient à ce qu'il y ait le plus d'eau possible sous sa quille. D'un autre côté, l'hydrographe tient plutôt à amener le navire, ou l'embarcation, aussi près que possible d'un récif, d'un haut-fond ou d'un rocher, de façon à obtenir des données exactes sur la profondeur de l'eau au-dessus de ces obstacles.

*Le capitaine J.W.C. Taylor, maintenant à la retraite, vit à Pictou, en Nouvelle-Écosse. Pendant plusieurs années, il quitta le port de cet endroit comme patron de l'*Acadia *avant que celui-ci soit mis hors service.*

Le capitaine du navire peut être aussi intéressé que l'hydrographe à obtenir des données de sondage exactes; l'hydrographe, de son côté, n'est certes pas moins intéressé que le capitaine à la sécurité du navire. Pourtant, les exigences de leur travail respectif peuvent les opposer l'un à l'autre†.

Naturellement, une telle situation a causé divers conflits de personnalité. Cependant, le bon sens et le respect de l'autre ont fini par prévaloir. De fait, on ne relève que quelques cas mineurs d'échouages — danger que court tout navire hydrographique — ou de collisions causées par une telle situation. Le seul cas important connu s'est produit en 1957 à bord du nouveau *Baffin*.

†Les services hydrographiques de presque tous les pays maritimes — avec une ou deux exceptions à part le Canada — exigent que les hydrographes chargés des navires de levé soient aussi les capitaines; c'est-à-dire que la personne responsable du navire de levé soit à la fois hydrographe responsable et capitaine. Au SHC, il y a au milieu des années 1980 plusieurs hydrographes, peut-être une douzaine ou plus, qui ont aussi leur brevet de capitaine, mais par tradition, au Canada, les fonctions sont séparées.

La dernière yole à voile à servir dans un levé, en 1931.

Le *Baffin* faisait un voyage d'essai, avant d'entreprendre sa première excursion dans l'Arctique; malheureusement ce voyage s'est mal terminé. Le navire faisait un levé au large du cap La Have, à l'ouest d'Halifax, sur la côte sud de la Nouvelle-Écosse. Comme on l'a déjà dit, le *Baffin* faisait l'essai du nouveau système d'établissement de position électronique Decca à mesure de deux distances. Pendant les deux saisons précédentes, le tracé graphique, à bord du *Fort Frances* et du *Kapuskasing*, s'était fait à côté du pont. Sur le *Baffin*, le tracé se faisait dans le bureau de dessin sur le pont inférieur. Si incroyable que cela paraisse, il n'y avait pas de sondeur à écho sur le pont du navire, il se trouvait dans le bureau de dessin seulement.

À 16 h 30, le 4 juillet 1957, le *Baffin* approchait de l'extrémité intérieure d'une ligne de sondage dans un épais brouillard, en dépit duquel il avait maintenu sa vitesse normale de sondage. Comme c'était l'habitude jusqu'alors, l'hydrographe principal en service donnait les ordres directement au timonier. Peu après 16 h, le second identifia sur le radar le rocher Black, qui se trouvait alors à un peu moins de deux milles. Il en informa les hydrographes quand le navire se trouvait à un mille et demi et deux fois encore par la suite.

Les hydrographes préférèrent se fier à la lecture du Decca. Ce qu'ils ne savaient pas et qui se révéla seulement plus tard après une analyse détaillée des notes de la journée, c'est que pendant un orage, ce matin-là, le système Decca avait glissé et que la position du Decca était déviée de plus d'un mille. Un changement de route de dernière minute amena le *Baffin* droit sur le rocher Black.

Il fallut cinq jours pour renflouer le *Baffin*, qui passa tellement de temps en cale sèche qu'il ne partit pas pour le nord cette saison-là.

Une enquête judiciaire, en vertu de la Loi sur la marine marchande du Canada, eut lieu en février 1958. D'après la plus importante partie de la décision, le tribunal jugeait qu'au cours des années s'était développé un système partageant la responsabilité entre le capitaine et les hydrographes en ce qui a trait à la navigation des navires hydrographiques... Selon le tribunal, la responsabilité première de la direction et de la position du *Baffin* pendant les levés revenait aux hydrographes d'abord par l'usage et ensuite parce qu'ils étaient propriétaires du navire. Le capitaine garde toujours cependant une responsabilité supplémentaire ultime, bien qu'il semble y avoir eu confusion à cet égard au cours des années.

Le rapport concluait:

"... Le tribunal doute qu'on puisse blâmer quelqu'un en particulier pour ce malheureux événement. Le *Baffin* était un nouveau navire et peut être considéré comme ayant été victime de l'histoire puisqu'il s'est développé au cours des années un système qui, de toute évidence, ne peut être appliqué à bord de ce navire. Il y a eu manque de compréhension quant aux responsabilités et trop de confiance accordée au matériel. Les systèmes du passé ne s'appliquent plus et il est malheureux qu'on ne s'en soit pas rendu compte plus tôt. Le navire naviguait trop vite compte tenu des conditions météorologiques... Personne n'a semblé s'aviser des dangers et de la difficulté possible. Dans les circonstances, on note une certaine inconscience qu'il est difficile de comprendre... Le tribunal, compte tenu des réserves déjà mentionnées, ne peut accuser quiconque à bord du *Baffin*... d'un manque ou d'un tort volontaire qui aurait causé ou contribué à causer l'échouage.

La vie au Service hydrographique du Canada n'allait jamais plus être tout à fait la même. Dorénavant, le patron du navire hydrographique allait sans aucun doute être responsable de la sécurité du navire en tout temps. Depuis lors, les hydrographes canadiens ne sont plus, à bord des navires qui les transportent au cours des levés qu'ils dirigent, que des passagers privilégiés, mais aux pouvoirs limités.

Certains des anciens du Service n'ont pas oublié cette "rétrogradation". Il est cependant tout à leur honneur qu'ils réussissent à mettre de côté leur nostalgie du "bon vieux temps", quand ils assumaient virtuellement le commandement du navire, pour faire passer avant tout les exigences du levé.

Accorder le plein commandement du navire au capitaine n'a cependant pas empêché d'autres accidents de se produire. Au cours de l'été de 1973, George Yeaton, maintenant chef de la géodésie marine au bureau central d'Ottawa, était hydrographe responsable à bord du navire affrété *Minna* qui faisait des levés au large de la côte nord du Labrador.

Yeaton raconte qu'il s'agissait d'un levé pluridisciplinaire, incorporant des aspects de l'hydrographie, de la séismologie, de la gravimétrie et du champ magnétique pour produire ce qu'on appelle les cartes des ressources naturelles. Ils étaient en mer depuis quatre ou cinq semaines, les provisions diminuaient et tout l'équipage, hydrographes comme marins, avait besoin de repos et de divertissement. Le navire accosta donc à Godthaab (Groenland) pour acheter des provisions et permettre à tout le monde de se délier les jambes à terre.

Exercice de sauvetage.

Les prévisions faites et le personnel reposé, le *Minna* partit pour l'île Resolution où Yeaton avait déposé une équipe de techniciens pour construire une tour Decca. Yeaton devait ramasser l'équipe et reprendre le levé.

Le bateau s'engagea dans une petite baie qui n'avait probablement jamais été cartographiée, mais on savait que l'eau était profonde. Malgré tout, Yeaton ne voulait pas s'aventurer trop près du rivage. Il monta sur le pont pour dire au capitaine qu'il valait peut-être mieux mettre l'ancre et envoyer une embarcation à terre chercher l'équipe, car il ventait très fort.

Le *Minna* était un gros navire de quelque soixante-cinq ou soixante-dix mètres, mais il n'avait pas deux hélices comme le *Baffin*, qui était à peu près de la même taille. Il était donc moins manoeuvrable, tout particulièrement par mauvais temps. Le capitaine répondit qu'il allait plutôt l'amener au bord. Comme on l'a déjà dit, il ventait beaucoup et le navire déviait. À l'approche du rivage, il frappa une aiguille sur l'avant et s'échoua.

Comme la plupart des bateaux conçus pour les eaux profondes, le *Minna* avait une double coque et la roche ne perça que la coque extérieure, mais pénétra profondément dans l'espace entre les deux coques, retenant fermement le navire. Avec le vent et les vagues, celui-ci commença à se balancer de l'avant à l'arrière et Yeaton commença à craindre de perdre tout son équipement. Le lendemain matin, avec l'aide de tout l'équipage, il retira le plus d'équipement électronique possible.

Yeaton communiqua par radio avec son bureau à l'IOB, à Dartmouth, pour demander des instructions; on l'informa alors qu'un brise-glaces du MDT était dans le secteur. Bedford allait demander de l'aide et Yeaton pouvait s'attendre à avoir une réponse sous peu. Quelques jours plus tard, le *N.B. McLean* entrait dans la baie et tentait de dégager le *Minna*, mais il ne réussit pas à le faire bouger.

Yeaton apprit alors qu'une flottille de la Marine royale canadienne faisait des manoeuvres dans le secteur. Une fois encore Bedford s'occupa des arrangements, et cinq ou six destroyers ainsi qu'un grand navire d'approvisionnement et de réparation, le *Provider*, arrivèrent dans la baie. La Marine organisa le retrait du matériel scientifique qui était sur la plage; en une demi-journée, ils réussirent avec des hélicoptères et des embarcations gonflables à évacuer du matériel d'une valeur approximative d'un million de dollars.

Finalement, Yeaton fut transporté par avion avec ses hydrographes et ses techniciens jusqu'à Frobisher Bay où Ken Williams, hydrographe responsable du *Baffin*, put

Les ours de l'Arctique

Les levés dans l'Arctique posent aux hydrographes des problèmes qu'ils ne rencontrent généralement pas ailleurs. L'un d'entre eux, et non le moindre, est celui que pose la faune. La plupart des animaux rencontrés sont curieux, mais timides. Les ours font exception. Au cours d'un levé dans l'ouest de l'Arctique, un ours polaire devint tout simplement fasciné par un radioémetteur installé par l'équipe de levé. Il se promenait autour du matériel, le reniflant et, à l'occasion, lui donnant un coup avec sa patte gigantesque. Son attention persistante risquait de ruiner le travail de l'équipe et de détruire le matériel, mais les hommes ne trouvaient aucun moyen de l'éloigner. Enfin, on réussit à éloigner l'ours en parsemant généreusement la base de l'émetteur avec des boules à mites.

À une autre occasion, l'hydrographe Barry Macdonald se plaignait qu'au cours de sa longue expérience de levé sur le fleuve Mackenzie, il n'avait jamais vu un ours. Son compagnon, Phil Corkum, lui enjoignit de se rendre jusqu'à la cabine de toilette extérieure où, disait-il, il y en avait précisément un à ce moment-là. Une blague, bien sûr, songea Macdonald, mais il s'y rendit quand même pour découvrir un gros ours brun, tout décoré de papier hygiénique qui occupait effectivement la cabine.

venir les prendre pour les ramener à Dartmouth. Le *Minna* fut abandonné et finit par couler. Avant de retirer son équipement de sondage de l'épave, Yeaton avait cependant fait un dernier sondage; l'avant du navire était élevé, fermement retenu par l'aiguille qui avait percé la coque. Quelque dix pieds plus loin seulement vers l'arrière, Yeaton ne put trouver le fond avec sa ligne de sonde. Il se servit donc du sondeur à écho qui enregistra vingt-cinq brasses, soit cent cinquante pieds.

Fred Smithers était un jeune dessinateur diplômé lorsqu'il entra au service du SHC en 1941, au bureau régional du Pacifique, à Victoria. Formé pour travailler sur la table à dessin, Smithers se retrouva en mer quelques semaines après son entrée au Service. C'était la guerre et de nombreux hydrographes qualifiés s'étaient enrôlés, de sorte qu'il n'y en avait à peu près pas pour le travail civil. M. [Henri] Parizeau, [hydrographe régional de l'époque], s'assurait les services de tout le personnel de bureau qui pouvait lancer une ligne de sonde et tenir un sextant. Smithers lui-même, quand il en eut l'âge, voulut s'enrôler, mais M. Parizeau l'en empêcha.

Pendant toute la guerre, Smithers fit des levés de certaines parties de la côte de la Colombie-Britannique, à bord du bateau-logement *Pender*; le travail consistait principalement à faire des levés d'endroits précis pour des stations stratégiques de l'Aviation royale canadienne, à partir desquelles s'envolaient les "bateaux volants". Smithers passait six mois sur l'eau et six mois à terre à dessiner les cartes.

On en était encore avant l'ère moderne alors que la même personne faisait les sondages et établissait les positions puis les transposait plus tard sur l'original. L'original était alors envoyé à Ottawa pour y être gravé. Absolument *tout* était fait à la main. Chaque donnée inscrite sur la minute de rédaction était convertie à l'échelle de la carte à la main, sans calculatrice et sans ordinateur. Les rivages, les hauts-fonds, toutes les caractéristiques étaient tracées à la main. Puis, quand la carte était dessinée, il fallait faire les inscriptions à la main. Au début, Smithers se rappelle avoir passé des heures presque tous les soirs avec un manuel de calligraphie à pratiquer la reproduction des divers caractères, la précision de l'empattement, à s'assurer que les lettres étaient bien alignées. Un travail minutieux, mais qu'il trouvait amusant.

Avec la fin de la guerre et le retour des hydrographes, Smithers retourna à terre et devint ce qu'il pensait être le jour de son embauche, c'est-à-dire cartographe plutôt qu'hydrographe sur le terrain.

Par tradition, dans la Marine royale, l'hydrographe responsable d'un levé signait les cartes qu'il produisait. Habituellement, il s'agissait d'une légende avec le titre de la carte, qui se lisait à peu près comme suit: ''Établie d'après les levés réalisés en 1875-1877 par le capitaine Jean Tremblay, M.R., et ses adjoints un tel et un tel.'' Cette tradition a été conservée par le Service canadien, au moment de sa fondation. Elle était tout à fait appropriée quand l'hydrographe sur le terrain était le même qui traçait la carte, système encore en vigueur quand Fred Smithers commença sa carrière. Mais la demande croissante de cartes et la complexité accrue de leur préparation amenèrent la séparation de l'hydrographie et de la cartographie; avec cette séparation, grand nombre de ceux qui contribuaient à la confection des cartes travaillaient maintenant dans l'ombre: le nom des hydrographes était encore mentionné sur les cartes, mais celui des cartographes n'y figurait pas.

Les cartographes considéraient avoir droit à une certaine reconnaissance, à ''l'immortalité''. Ils paraphaient donc chacune des cartes qu'ils produisaient. Habituellement, c'était le long d'un rivage où ils utilisaient plusieurs lignes sinueuses pour indiquer des roches à marée basse. Smithers est à peu près certain que M. Parizeau était au courant, mais il ne les avait jamais pris sur le fait ou, tout au moins, ne leur avait jamais ordonné de mettre fin à cette pratique.

Aujourd'hui, on n'indique plus dans le titre de la carte le nom des hydrographes; aucune carte établie sur des levés contemporains n'indique le nom de qui que ce soit, hydrographe ou cartographe. De fait, malgré l'ingéniosité de Fred Smither pour dissimuler ses initiales, la chose est maintenant impossible avec l'utilisation de calques de superposition autocollants préimprimés qui indiquent les détails hydrographiques et topographiques.

Les hydrographes qui ont assez d'ancienneté au Service pour se rappeler ''le bon vieux temps'' regrettent que leur nom ne soit plus inscrit sur les cartes qu'ils ont aidé à produire. Ils considèrent ces cartes comme leurs ''publications professionnelles'', au même titre que les articles publiés par les chercheurs scientifiques à la fin de leurs travaux de laboratoire ou sur le terrain.

Au cours des cent années d'existence du Service hydrographique du Canada, des milliers d'hommes et de femmes se sont succédés dans ses rangs, certains pendant peu de temps, car le taux de roulement du personnel sur le terrain a toujours été très

Une histoire qui n'illumine rien

Au début du vingtième siècle, les hydrographes canadiens utilisaient fréquemment les phares comme point principal de leurs réseaux de triangulation. Très souvent, les hydrographes étaient les seuls visiteurs des gardiens de phare pendant la saison de navigation. Une année, les hydrographes du *Bayfield* découvrirent que le feu près de l'île Saint-Ignace, sur la rive nord du lac Supérieur, ne fonctionnait pas. Descendant à terre, ils découvrirent que le gardien et sa femme, ayant consommé de l'alcool de bois dilué, étaient morts intoxiqués. William Baker, second mécanicien du navire, bien connu comme "ingénieux et sympathique, mais quelque peu irréfléchi", insista pour que le feu fut maintenu pendant le reste de la saison au moyen d'une mèche allumée introduite dans la bouche de la femme, dont le corps fut glissé sous la lanterne. Il prétendit par la suite que le feu avait brûlé jusqu'à la fin de la saison de navigation.

élevé; en effet, les absences loin du foyer et de la famille pendant cinq ou six mois chaque année sont des contraintes qui, pour beaucoup, n'en valent pas la peine.

D'autre part, d'autres sont demeurés au Service pendant des années, beaucoup d'entre eux pendant toute leur carrière. De toute évidence, une telle diversité des états de service et une telle variété de personnalités rendent difficile toute généralisation à propos du personnel du SHC autant par le passé que dans le présent. On peut cependant trouver des caractéristiques générales qui s'appliquent à tous.

Comme on l'a déjà mentionné, les hydrographes ont tendance à être des individualistes. En effet, on peut dire que toute personne qui n'a pas un sens poussé de sa propre valeur serait perdue dans ce genre de profession. Les hydrographes sur le terrain font habituellement partie d'une équipe, mais presque toujours d'une petite équipe. Ils accomplissent le travail sur le terrain en équipe généralement de trois ou quatre personnes tout au plus. Mais même au sein de ces groupes, chaque membre est souvent laissé à lui-même pour l'accomplissement d'une tâche précise. Il faut donc avoir une bonne dose de confiance en soi pour bien faire son travail dans un tel isolement.

En outre, chaque hydrographe a un sens soit inné, soit acquis de l'exactitude. Dans les milieux hydrographiques du Canada, il n'est pas rare d'entendre parler de minutie excessive, mais pas nécessairement dans le sens péjoratif. Les hydrographes savent ou apprennent (et s'ils ne l'apprennent pas, ils cessent d'être hydrographes) que l'essence même de leur travail est la précision. À l'exception des contrôleurs de la circulation aérienne, il est difficile de trouver un autre travail dont dépend la vie de nombreuses personnes, sans compter la livraison à bon port de cargaisons valant des millions de dollars et le passage en toute sécurité de navires valant des milliards de dollars. Les hydrographes sont donc minutieux à l'extrême et sont fiers de l'être.

C'est le partage du travail, bien sûr, qui unit étroitement les hommes et les femmes du SHC. Mais il y a plus. L'éleveur de vaches laitières Holstein de Lawrencetown (Nouvelle-Écosse) peut avoir beaucoup en commun avec l'éleveur de vaches Jersey de Woodstock (Ontario), mais une fois qu'ils ont discuté des détails de l'Office de commercialisation du lait et des complexités des additifs vitaminés à la ration alimentaire, ils ont plus ou moins épuisé les sujets communs. Ce n'est pas le cas chez les hydrographes. Étant donné la géographie du Canada, ils peuvent être séparés par des centaines de milliers de milles, mais il y a d'*autres* facteurs que le travail lui-même qui les unissent.

Le premier facteur, c'est la formation. Dans l'année qui suit son embauche, l'hydrographe du SHC doit suivre et réussir un cours d'hydrographie I. Il s'agit d'un cours de cinq mois, dont la moitié se donne en classe à l'administration centrale, à Ottawa, et l'autre moitié sur le terrain. Puis, après quatre ans, l'hydrographe, s'il désire avoir de l'avancement à un niveau supérieur, doit suivre un cours avancé, celui-ci d'hydrographie II. Quelle que soit la région à laquelle l'hydrographe est finalement assigné, il constatera que ses collègues ont reçu la même formation, et pourront évoquer ensemble les habitudes des mêmes instructeurs.

À un niveau plus avancé, il y a aussi le programme de formation universitaire du SHC. Un hydrographe qui, après cinq années au Service, témoigne d'aptitudes pour la gestion est invité à faire une demande d'inscription à l'université, aux frais du Service. L'hydrographe peut détenir déjà un diplôme universitaire, cela n'a pas d'importance. S'il démontre des aptitudes de gestionnaire, s'il est assez mobile, s'il veut accroître ses connaissances dans un secteur jugé utile au Service, celui-ci le renverra aux études. Pendant les vacances, l'hydrographe travaille au SHC, soit dans le bureau, soit à faire des levés.

Ross Douglas, maintenant directeur régional de l'hydrographie au Centre canadien des eaux intérieures à Burlington, se rappelle un appel téléphonique que lui avait fait, en 1975, G.N. Ewing, alors Hydrographe fédéral. Douglas était hydrographe depuis 1960, mais Ewing lui offrit une dernière chance de retourner aux études. Le sujet avait peu d'importance, il aurait pu choisir la psychologie ou les sciences infirmières, mais c'était sa dernière chance.

Douglas est en effet retourné aux études; il a obtenu un diplôme de l'Université Dalhousie en géologie, science qui l'avait fasciné depuis ses premières années dans l'Arctique en tant qu'hydrographe, dans le cadre de l'Étude du plateau continental polaire.

Autre expérience commune à tous les hydrographes: le conseil d'évaluation devant lequel ils doivent se présenter tous les trois ans. L'Hydrographe fédéral et ses quatre directeurs régionaux jugent le rendement de chaque hydrographe, évaluent ses projets d'avenir et le conseillent sur son plan de carrière. Certains hydrographes considèrent cette évaluation comme un défi, d'autres la comparent à l'Inquisition; tous cependant doivent y passer, et cette expérience les unit comme s'ils devaient traverser main dans la main un feu ardent.

Enfin, il y a la Conférence annuelle de l'hydrographie canadienne. La vingtième a eu lieu en avril de cette année de centenaire. Une conférence hydrographique ne se compare à aucune autre. Celle de 1983, dont le thème était "De la ligne de sonde au laser" était une intense session de trois jours de présentations et d'expositions. Comme l'indique le grand thème des travaux, on y a passé en revue l'hydrographie

Quelle bonne idée de fréquenter la taverne locale!

Au printemps de 1960, quatre étudiants qui terminaient leur cours à l'école d'arpentage de Calgary se réunirent dans une taverne de la 16e avenue pour célébrer la fin des examens. Aucun n'avait encore trouvé d'emploi permanent et la conversation tourna donc autour des perspectives. À un moment donné, un des quatre tira de sa poche une affiche annonçant un concours pour des postes d'hydrographes au SHC. Aucun n'avait la moindre idée de ce qu'était l'hydrographie, et ils étaient d'ailleurs déconcertés par le mot "hauts-fonds".

Ils envoyèrent néanmoins leur demande. D'Arcy Charles se rendit dans l'Ouest pour leur faire passer une entrevue et embaucha les quatre finissants. Trois sont encore au SHC. Il s'agit de Neil Anderson, qui devint plus tard directeur de la planification et du développement à Ottawa, Ross Douglas, chef régional de l'hydrographie au CCEI à Burlington et Earl Brown, hydrographe régional adjoint au CCEI.

du passé jusqu'à l'avenir. La journée terminée, les hydrographes se réunissent et, comme le dit un des participants, on échange autant d'informations autour d'une bière que dans la salle de conférence.

Bien que leur travail et leurs expériences les unissent étroitement, les hydrographes canadiens forment en général aux yeux du public une sorte de chapelle, avec les signes et rites ésotériques que seuls comprennent les initiés. C'est habituellement quand un désastre maritime se produit que l'attention se porte sur leur travail. Les hydrographes ont donc pris le contre-pied du slogan familier dans le monde du spectacle "toute publicité est bonne": ils inclinent à penser que l'absence de publicité est encore ce qu'il y a de mieux.

L'hydrographe canadien était en 1883, tout comme son successeur en 1983, un individu constamment en quête d'exactitude dans le cadre d'une profession méconnue. Néanmoins, il est possible de noter des différences entre ceux qui pratiquaient cet art il y a cent ans et ceux qui le pratiquent aujourd'hui. Comme pour tous les aspects de l'hydrographie, la technologie a changé ceux qui la pratiquent.

Depuis les premiers jours de Boulton et Stewart jusqu'aux années 1950 et 1960, les hydrographes canadiens étaient des hommes robustes, formés au travail en plein air, avec tout ce que cela suppose. Ce n'est que par un accident de la géographie et de la météorologie canadienne qu'ils ont été forcés à passer six mois par année à l'intérieur. Évidemment, cela leur permettait de transposer les données recueillies sur le terrain sur des cartes qui pouvaient être utilisées par les marins. C'est cependant la saison de travail sur le terrain, soit à bord de bateaux ou au sein d'équipes à terre, qui justifiait leur existence.

Aujourd'hui, la saison de travail sur le terrain n'est pas moins importante; elle reste et restera toujours le premier pas essentiel vers la création d'une carte. Mais les hommes et les femmes qui font les levés sur le terrain ont changé à d'autres égards.

Ce changement se préparait depuis quelque temps déjà, mais il s'est surtout matérialisé avec l'arrivée du Dr W.E. van Steenburgh au poste de sous-ministre du ministère des Mines et des Levés techniques dont relevait le SHC au début des années 1960.

Van Steenburgh a apporté au Ministère un esprit et une méthode scientifiques. C'est grâce à la vision de van Steenburgh que fut établie l'Étude du plateau continental polaire en 1958. Il rapprocha l'hydrographie et les diverses sciences de la mer comme la géologie marine et la géophysique. Depuis quelques années, l'Hydrographe fédéral F.C. Goulding Smith tentait d'obtenir qu'un nouveau navire de levé soit posté dans la Région de l'Atlantique. C'est au cours de la dernière année de Smith à ce poste, en 1957, et de la première année de son successeur, Norman Gray, que le *Baffin* fut enfin lancé. Van Steenburgh soutint l'initiative de ces hommes et c'est sous son influence et sa direction que le plus récent et le plus grand des navires de la flottille du ministère des Pêches et des Océans, le *Hudson*, a été construit comme bateau hydrographique et océanographique.

Van Steenburgh n'a pas travaillé seul. En 1960, il nommait le Dr William Cameron premier océanographe du Ministère, et ensemble ils sont largement responsables de la mise sur pied de l'Institut océanographique de Bedford qui s'ouvrait en 1962, pour devenir le premier institut multi-disciplinaire où devaient collaborer océanographes, hydrographes et géo-scientifiques de la mer. Ross Douglas explique la fusion des sciences de cette façon: il n'y a jamais eu de gouffre entre l'hydrographie et les autres sciences comme on l'avait pensé autrefois. Les hydrographes cherchent à découvrir quelques formes caractérisant le fond de l'océan, tandis que le géologue marin s'intéresse à la façon dont ces formes sont apparues. Les données recueillies par l'un sont importantes pour l'autre.

L'intégration de l'hydrographie et des sciences de la mer a été illustrée par la nomination, en 1967, du Dr A.E. Collin, un ancien océanographe, comme Hydrographe fédéral. La conviction de Cameron dans ce principe est plus tard reconnue par cette note de service qu'il adressa en 1970 au Dr B.D. Loncarevic, directeur intérimaire du Laboratoire océanographique de l'Atlantique à l'IOB. Cette note, au sujet de l'intégration des spécialistes, se lit en partie comme suit:

> "Votre proposition voulant que M. Ewing prenne en charge le projet d'hydrographie et de géophysique qui doit être mené cet été dans le détroit de Viscount Melville à partir d'un brise-glaces du ministère des Transports est louable...cela représente le point culminant d'une longue...croissance vers...une véritable intégration de plusieurs disciplines...particulièrement de l'évolution de spécialistes possédant une large expérience et une compétence dans des domaines connexes.
>
> Lorsque j'ai d'abord invoqué ce principe,... plusieurs de mes collègues ont eu de sérieuses appréhensions quant à la possibilité de l'appliquer... Ce succès que nous avons obtenu... est dans une large mesure dû à vos efforts."

Cameron poursuit en disant:

> "Vous recommandez que M. Melanson assume la fonction de chef scientifique sur le trajet de Valparaiso à Tahiti de l'expédition Hudson '70. Cela démontre clairement que cette politique... est praticable... cette nomination est à l'avantage de M. Melanson qui a gagné de manière impressionnante la confiance de ses collègues scientifiques."

Si Bosco Loncarevic a sans aucun doute apprécié le compliment, ce principe de coopération entre sciences n'était pour lui rien de nouveau; avec l'hydrographe Harvey Blandford il avait mené le premier sondage en 1964, où plusieurs disciplines s'y étaient jointes et tous les deux étaient conscients des avantages qu'on pouvait en retirer.

La façon de voir de van Steenburgh a suscité un nouvel enthousiasme chez un groupe de personnes, relativement restreint mais passionné, de l'administration centrale, à Ottawa, groupe qui s'était penché sur la mise au point de nouvelles méthodes et de nouveaux instruments. Vers 1963, Adam Kerr, maintenant directeur régional de l'hydrographie à l'IOB, mais alors récemment posté à terre après une mission comme patron et hydrographe responsable du *Cartier*, fut envoyé en mission d'étude aux États-Unis et en Europe. Il en revint tout à fait enthousiasmé par les mérites de l'hydrographie automatisée.

Le Groupe de recherche et de développement d'origine s'élargit, comprenant, à un moment ou à un autre, Neil Anderson, Mike Bolton, Ross Douglas, Mike Eaton, Hiro Furuya et Reg Gilbert, en plus de Kerr. Il favorisa d'ailleurs la formation d'autres groupes de développement dans les Régions de l'Atlantique, du Centre et du Pacifique (la Région du Québec n'avait pas encore été créée).

C'est de ces groupes de recherche et de développement que viennent la plupart des gestionnaires actuels du SCH. C'est aussi de ces groupes que sont venus toutes les techniques innovatrices et les instruments décrits dans les chapitres précédents. L'une de ces innovations, et non la moindre, est le BIONAV.

Ce système de navigation est basé sur un ordinateur aux capacités prodigieuses qui assimile les données de plusieurs systèmes de positionnement comme le Loran-C et les méthodes d'établissement de positions par satellite. Il combine ces données avec les données obtenues au moyen du compas gyroscopique du navire, les données de la salle des machines et assimile le tout pour obtenir une position d'une exactitude étonnante.

BOLD
BRAVE
BRISK

BOLD

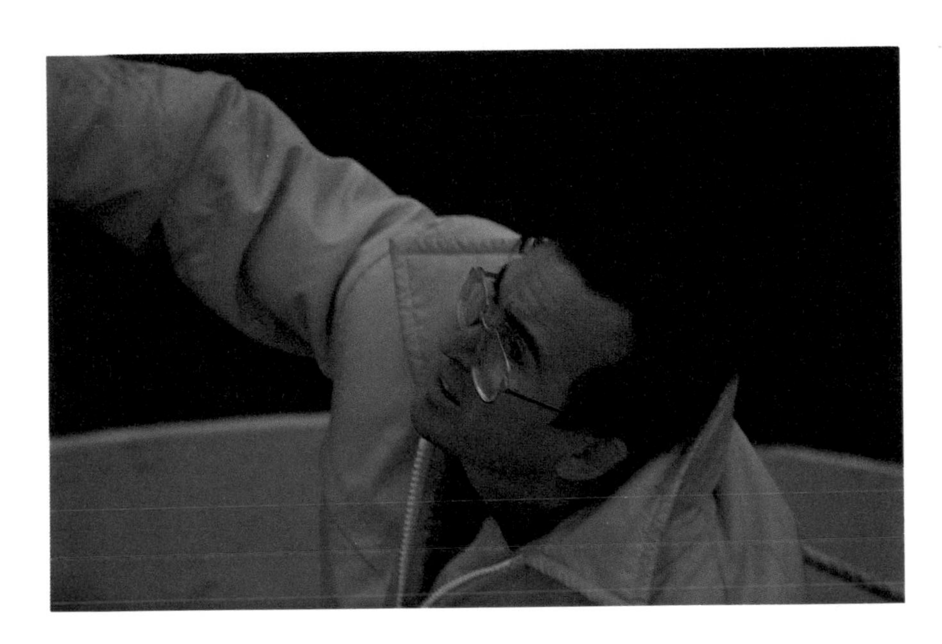

SKIPPER 802
BOTTOM TRACKER

MEMBER

Canada
BOLD

L’avenir

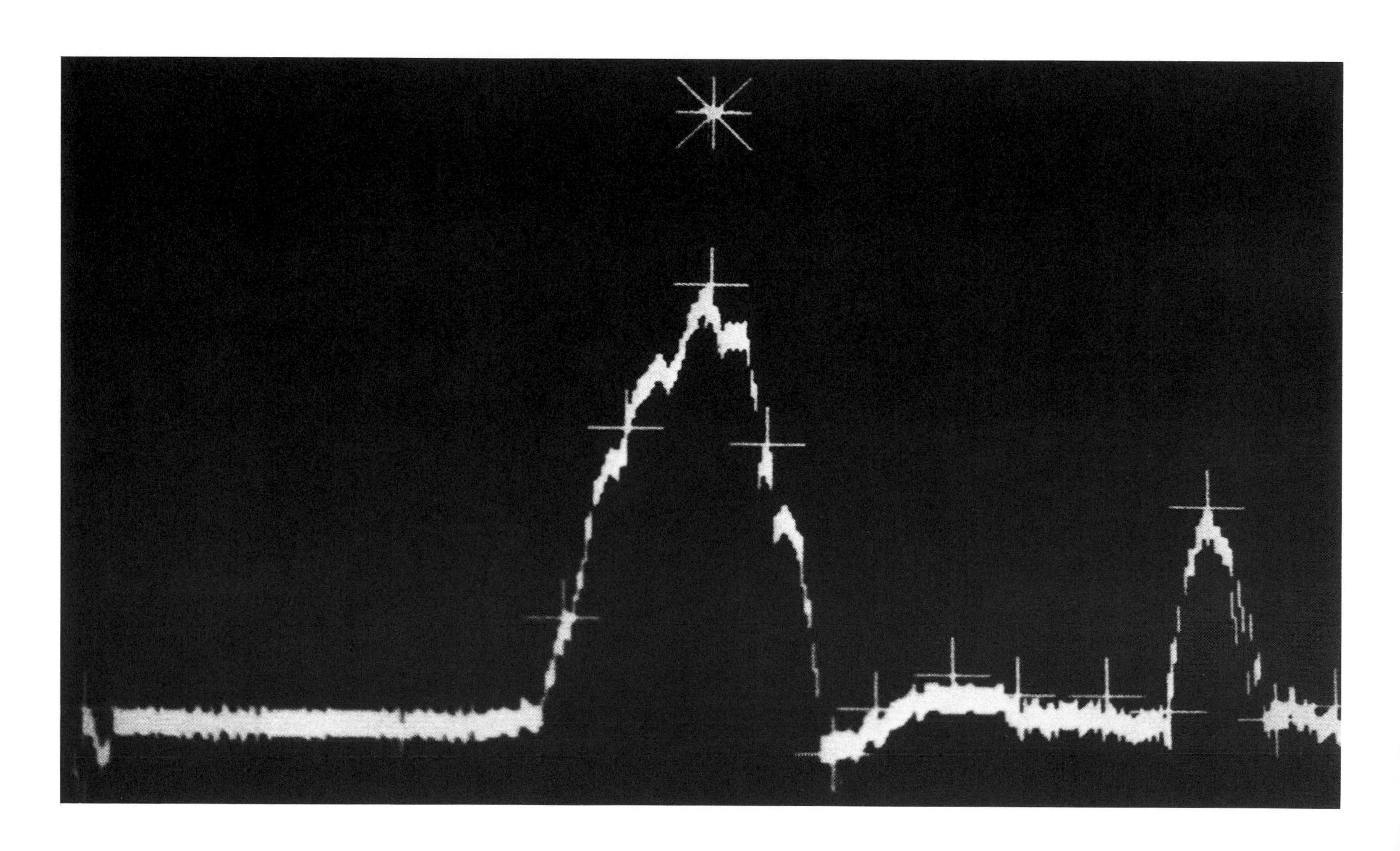

Ondule, océan bleu, profond et sombre, ondule!
Dix mille flottilles te sillonnent en vain;
L'homme jalonne la terre de ruines, son règne
cesse au rivage

Lord Byron (1788-1824)
Childe Harold's Pilgrimage

ÉCRITS IL Y A MAINTENANT PLUS DE CENT CINQUANTE ANS, CES MOTS DE Byron pleins d'ironie, eu égard à sa mort par noyade, la pollution d'aujourd'hui et la façon dont l'homme "ruine" les mers du monde, portent quand même ce message traditionnel et toujours vivant: celui du respect empreint de crainte qu'inspire aux hommes l'immense puissance, apparemment illimitée et invincible de la mer. Dans le présent volume, nous avons tenté de décrire cent ans d'histoire pendant lesquels les hydrographes canadiens ont essayé de connaître, de cartographier et, finalement, d'asservir les océans, les lacs et les rivières de notre pays. Nous avons pu constater que ces hommes ont eu comme prédécesseurs les premiers marins de l'Orient, du Moyen-Orient et de l'Europe. Nous avons appris comment les méthodes et les instruments des hydrographes, les cartes, les navires et les hommes eux-mêmes ont changé, parfois radicalement, au cours des cent dernières années.

À travers toute cette histoire et ces changements, une chose au moins est demeurée constante: le travail de l'hydrographe est, en grande partie, directement lié aux exigences commerciales de l'autorité, quelle qu'elle soit, qui assume les frais de ce travail toujours coûteux et long.

Au début, la cartographie de la côte est du Canada ainsi que du golfe et du fleuve Saint-Laurent a été faite pour assurer le passage en toute sécurité des biens et des gens pendant les premières années de la colonisation. Puis il a fallu cartographier des routes sûres pour le transport des fourrures de l'intérieur. La cartographie, par Cook, des eaux du Saint-Laurent, a aidé les Britanniques à conquérir Québec. La découverte par Cook et la cartographie par Vancouver de la côte ouest dans les années qui ont suivi, ont préparé la voie pour les industries de la fourrure, de la coupe du bois et de la pêche en Colombie-Britannique. Les levés des Grands lacs et de la baie Georgienne

Les océans ne séparent pas les continents.
Ils servent plutôt de liens entre les nations.

Igor Mikhaltsev
Directeur adjoint
Institut océanographique russe

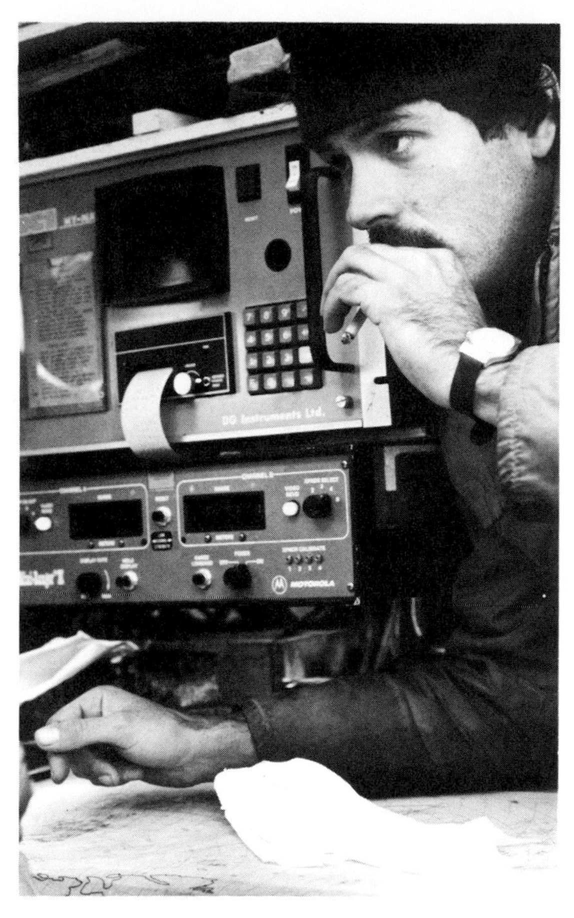

Collecte et stockage des données à bord d'une vedette de levés.

réalisés par Boulton, étaient essentiels au développement du transport maritime sur les lacs. Si l'on a cartographié très tôt l'Arctique canadien, c'est que la Grande-Bretagne cherchait un trajet plus court pour le commerce à travers le fameux passage du nord-ouest. Les levés de l'Ungava dans le nord résultaient directement des demandes de l'industrie de l'extraction du fer. Aujourd'hui, l'exploration et la cartographie de la mer de Beaufort sont devenues des priorités du Service hydrographique du Canada à cause de la nécessité, pour notre pays, d'atteindre l'autosuffisance en pétrole et en gaz naturel. D'autre part, l'accroissement des demandes, depuis la fin de la Seconde Guerre mondiale, de cartes destinées tout particulièrement aux plaisanciers, résulte directement des exigences commerciales du secteur touristique et récréatif sans cesse croissant.

L'hydrographe est toujours finalement asservi aux exigences du commerce et lié par les besoins de l'avenir. En temps de guerre seulement, les demandes du commerce sont mises de côté et le cartographe ne s'occupe plus que des besoins pressants de l'heure. En général, cependant, le travail effectué aujourd'hui doit satisfaire aux exigences de quelqu'un d'autre demain, dans deux ans, dans cinq ans, dans dix ans, dans cinquante ans. Et comme le rythme des changements économiques et technologiques est devenu de plus en plus rapide au cours de la dernière moitié du siècle, les décisions concernant le travail à faire aujourd'hui pour répondre aux besoins de demain deviennent presque un jeu de hasard. Les hydrographes doivent-ils trouver des chenaux dans lesquels pourront naviguer des navires avec un tirant d'eau de trente mètres, des pétroliers inimaginables tirant jusqu'à cent mètres ou de gigantesques transporteurs de sous-marins d'un million de tonnes?

Ainsi, nos hydrographes devinent comme ils peuvent les besoins à venir en se fondant sur la situation actuelle des travaux terminés et les demandes de levés. Celles-ci proviennent de sources telles que les industries minières et pétrolières, les ports de plaisance et les autorités de régions touristiques, les sociétés de transport maritime, les contribuables et les ministères, en particulier ceux de la Défense et des Transports.

En 1982, seulement 45 pour cent des voies d'eau du Canada ont fait l'objet de levés dans une mesure qui réponde aux exigences actuelles. Dans l'Arctique, seulement 15 pour cent des eaux ont été cartographiées. Et, ce qui est encore plus surprenant, 25 pour cent de toutes nos eaux n'ont jamais fait l'objet de levés ou alors seulement à un niveau minimum de "reconnaissance". La principale raison pour laquelle moins de la moitié des voies maritimes du Canada ont fait l'objet de levés appropriés est la même que la raison pour laquelle le SHC ne peut répondre qu'au tiers des demandes légitimes de levé qu'il reçoit, c'est-à-dire le manque de fonds face à la tâche gigantesque que représente la cartographie des eaux du pays qui a le plus long littoral du monde.

Presque tous les travaux que le SHC doit accomplir dans un avenir rapproché sont limités par des contraintes budgétaires. Au-delà des besoins des hydrographes sur le terrain, les programmes cartographiques visant à transformer les cartes selon une nouvelle présentation bilingue (à l'heure actuelle, seulement 25 pour cent ont été traduites) et à les convertir au système métrique (environ 20 pour cent ont été converties), et à établir un fichier central complet de données pour la consolidation de la cartographie servie par les ordinateurs, demandent tout un investissement de temps et d'argent dont on ne dispose pas toujours.

Le "snorkel" du Dolphin.

Mais les cartographes n'ont jamais eu suffisamment d'argent ou de main-d'oeuvre. De Christophe Colomb à Bayfield et jusqu'à maintenant, la quête de commanditaires et de fonds suffisants a été et demeure une importante partie du travail de tout explorateur comme de tout chef d'un service hydrographique.

Compte tenu de ce passé et encouragé par les exemples des cinquante dernières années au cours desquelles l'avancement de l'hydrographie a résulté, en grande partie, de la mise au point d'outils nouveaux et efficaces, le Service hydrographique d'aujourd'hui a placé en priorité, dans la planification de son avenir, la recherche et le développement de la technologie hydrographique.

Par exemple, les pingos, ces montagnes de glace sous-marines découvertes en 1969 dans la mer de Beaufort, présentent un grand danger pour les pétroliers à fort tirant d'eau qui devraient commencer à transporter le pétrole vers le début des années 1990. Comme les pingos semblent dispersés un peu partout dans cette mer, il faut faire des levés de toute sa superficie. Pour arriver à couvrir une si grande étendue d'eau et découvrir même les aiguilles relativement petites qui s'y trouvent, tout cela pendant la saison de travail relativement courte dans l'Arctique, le SHC a mis en priorité dans son programme de recherche la technique appelée "balayage électronique". Une des méthodes qu'on étudie présentement consiste à mouiller jusqu'à quatre caravanes, deux de chaque côté du navire, à des distances d'environ 75 à 150 mètres. Chaque flotteur porte son propre transducteur, qui émet et reçoit l'information du fond et la transmet

... une grande proportion des cartes de l'hémisphère occidental sont établies sur des levés de reconnaisance effectués par la Grande-Bretagne, la France, l'Espagne et les États-Unis, d'il y a cinquante à cent ans... Les États-Unis, le Canada, le Brésil et l'Argentine ont beaucoup fait au cours des quarante dernières années pour combler cette lacune, mais (...) il faudra encore au moins un autre siècle avant que l'on juge suffisants les levés des Amériques, du point de vue hydrographique.

G. Medina,
Cartographe principal,
Hydrographic Office, Washington (D.C.),
1941

Un hydrographe étudie soigneusement une bande de levés enregistrés.

à l'enregistreur de données du navire. Ainsi, une ligne de sonde du navire produit des données pour une bande de 300 mètres de fond permettant d'économiser du temps et du combustible.

Pour les levés de plus grande envergure, l'IOB a une embarcation de dix mètres transportant un bout-dehors extensible qui peut s'étendre jusqu'à quinze mètres de chaque côté du bateau. Très léger et ressemblant beaucoup en apparence à une antenne de télévision résidentielle montée à l'horizontale, il porte de multiples transducteurs SONAR qui peuvent balayer jusqu'à cent pieds en largeur.

Les récents perfectionnements du SONAR à balayage latéral se sont révélés très utiles pour la mise au point du balayage électronique. Le SONAR à balayage latéral, d'abord utilisé en Angleterre dans les années 1950, consiste en un submersible remorqué qui envoie des impulsions électroniques, non seulement vers le bas, mais aussi de chaque côté sur une bande bien définie et sur une grande superficie du fond marin. Le fond marin retourne les échos à divers degrés d'intensité selon l'angle d'incidence entre le point d'émission et le fond marin, donnant ainsi une image presque photographique du secteur sous-marin dont on fait le levé.

Dans le centre de l'Arctique, les hydrographes de Burlington utilisent un submersible attaché, qu'ils descendent dans un trou creusé dans la glace. Une fois descendu par l'ouverture, le submersible se rend sous la glace à une profondeur prédéterminée. Les lectures constantes du SONAR sont transmises le long du câble d'attache aux instruments enregistreurs sur la glace. Le câble peut mesurer jusqu'à deux kilomètres (bien que le CCEI en utilise actuellement un qui mesure la moitié de cette longueur). Quand le submersible atteint le bout de son attache, il tourne d'un côté, exécute un petit arc de cercle puis revient au trou central où il se retourne pour aller sonder un autre rayon.

En répétant ce processus, le submersible peut couvrir une zone circulaire du fond marin d'un diamètre de quatre kilomètres dans une fraction du temps qu'il faudrait aux hydrographes pour sonder le fond au moyen des techniques plus conventionnelles utilisées à travers la glace. Étant donné les températures très froides de l'Arctique, un des plus grands problèmes que pose le submersible attaché est celui de garder l'ouverture dégagée.

Tout nouveau qu'il est, le submersible attaché est déjà presque désuet. Au moment où il célèbre son centième anniversaire, le SHC est en train de mettre au point un submersible automatisé à contrôle à distance, l'ARSC, qui sera tout à fait autonome.

L'ARCS, tel qu'on le connaît, est un submersible en forme de torpille que l'on descendra à travers une ouverture dans la glace afin de sonder une région s'étendant sur huit kilomètres carrés. Il sera propulsé à l'aide d'un moteur électrique alimenté par une série de piles, dirigé et contrôlé par un système de télémétrie acoustique qui échantillonnera aussi les données. Au tout début, l'ARCS sera utilisé uniquement pour le sondage, mais il pourrait être adapté plus tard pour remplir d'autres fonctions. Le système s'apparente à un modèle conçu à l'Université de Washington, et entreprendra ses premiers essais en mer dans l'Arctique en 1984.

Le plus récent de ces nouveaux systèmes est le SEABED II conçu au Centre de géoscience de l'Atlantique à l'Institut océanographique de Bedford, avec des entrées de fonds fournis par le SHC. Ce système emploie une technologie menée à bien dans le SEABED I pour les profils en eaux peu profondes. Cette nouvelle version combinera cette technologie et le balayage latéral d'un SONAR afin de recueillir le détail du fond. Les transducteurs sont placés dans un "poisson" qui croise près du fond de la mer. Deux modèles ont été conçus, le premier pour des profondeurs de 500 mètres, le second, de 2000 mètres. Le SHC s'est surtout intéressé au modèle utilisé en eaux peu profondes, l'autre modèle est testé en 1983.

Ce dispositif enverra aussi des ondes de pression dans le fond marin lui-même. Les "échos" qui lui seront retournés donneront une indication de la composition du fond marin, connaissance d'une valeur inestimable pour la recherche de ressources naturelles sous-marines.

Un autre secteur de recherche et de développement auquel on accorde aussi la priorité est celui de la télédétection aérienne. Un des projets particulièrement excitants est l'utilisation de rayons laser pour établir la hauteur d'un avion au-dessus de l'eau et mesurer la profondeur des eaux côtières jusqu'à vingt mètres. Le sondage des eaux à proximité du rivage a toujours été une des tâches les plus longues de l'hydrographe sur le terrain à cause de la quantité d'informations détaillées qui doit être recueillie pour la compilation des cartes à grande échelle. Voici ce qu'en dit l'Hydrographe fédéral Stephen B. MacPhee:

> Bientôt la tâche de l'hydrographe consistera à vérifier les points bathymétriques et de l'estran produits par le nouveau système de laser... Ce nouveau système est capable de produire, en quelques jours de vol seulement, suffisamment de données pour tenir nos équipes sur le terrain occupées pendant plusieurs saisons.

L'ARCS effectue des levés sous les glaces.

C'est à partir d'une base terrestre comme celle-ci que l'ARCS peut être mis en service et utilisé.

D'autres expériences de télédétection ont permis de produire et d'interpréter les photographies aériennes en couleurs pour établir les laisses de haute mer et de basse mer, ainsi que la bathymétrie des hauts-fonds et des rivages à des profondeurs allant jusqu'à sept mètres.

Parmi les projets futurs en voie d'élaboration, citons la mise au point précise de systèmes d'établissement de positions à grande distance, des programmes servant à recueillir des données exhaustives sur les marées dans le Grand Nord, la création du nouveau plan de présentation de cartes pour mieux répondre aux besoins prévus des usagers des cartes du SHC et la poursuite des efforts pour fournir à tous les bureaux régionaux le matériel et le personnel suffisants pour permettre l'application générale de la cartographie servie par l'ordinateur.

À long terme, probablement à *très* long terme, le produit final de toutes ces activités de recherche et de développement pourrait bien être ce qu'on a appelé la "carte électronique". Avec toutes les données recueillies et compilées sous forme numérique et mises en mémoire dans l'ordinateur du navire, avec l'information obtenue du matériel d'établissement de positions sur longue distance (récepteur à bord pour le réseau Loran-C déjà établi et le Système global d'établissement de positions par satellite qui fonctionnera bientôt), ainsi qu'avec les données fournies, de façon continue, par un système radar installé à bord et par le compas gyroscopique du navire, toutes emmagasinées dans le même ordinateur, un terminal vidéo sur le pont affichera non seulement l'information numérique de la carte, mais aussi la position et la route du navire, ainsi que la position de tous les obstacles ou dangers dans le voisinage.

La carte électronique pourrait être particulièrement utile dans les voies maritimes de l'Arctique avec les conditions changeantes des glaces et l'absence d'aides à la navigation, ainsi que pour la navigation portuaire là où les pilotes ont besoin d'une aide qui leur permette de repérer les objets en mouvement et d'afficher des cartes à grande échelle précises.

La confiance manifestée par l'industrie à l'égard de la venue prochaine de la carte électronique et de sa capacité de révolutionner cet art ancien qu'est la navigation est telle que, dans une publication de 1982 intitulée *The Electronic Chart*, préparée par le département d'arpentage de l'Université du Nouveau-Brunswick, on peut lire:

"La capacité de la carte électronique de fonctionner en interface avec le sondeur de profondeur et la radio VHF pourrait mener finalement à l'utilisation de pilotes automatiques qui détermineraient la position par rapport aux isobathes et piloteraient automatiquement le navire au moyen d'un lien radio VHF."

*Le traitement des données d'un levé se fait à bord de l'*Hudson.

Il est peu probable que les pilotes automatiques de navire soient universellement utilisés au cours de ce siècle, mais le même rapport affirme que la carte électronique ne devrait pas tarder. D'ici 1990, la technologie électronique sera à ce point avancée qu'un affichage électronique, de la qualité de la carte de papier, sera possible pour bien des applications.

Les fonds destinés à la recherche et au développement de ces systèmes, à l'acquisition et la formation du personnel, aux navires et, de plus en plus, à l'adjudication au secteur privé de contrats pour des travaux de levés, ces fonds ont toujours été, demeurent et continueront d'être limités. C'est là le sort de l'hydrographe du passé, du présent et, fort probablement, de l'avenir.

On peut faire beaucoup de conjectures sur la façon dont les hydrographes de l'avenir différeront des cartographes d'aujourd'hui. Dans le passé, nous avons vu qu'on embauchait des marins pour leur enseigner le métier d'hydrographe et vice versa. Avec les années, les rôles d'hydrographe et de cartographe sont devenus de plus en plus distincts. Cette situation pourra changer avec la régionalisation de la cartographie et la participation, de nouveau, du personnel sur le terrain au processus de cartographie. L'importance du rassemblement et de la compilation de l'information hydrographique sous forme numérique a mis et continuera de mettre l'accent sur la nécessité qu'il y a pour les hydrographes canadiens d'avoir des connaissances en informatique. La tendance vers l'utilisation de navires polyvalents, remplissant des fonctions hydrographiques et océanographiques, pourrait signifier que les futurs hydrographes devront avoir beaucoup de connaissances en océanographie, domaine de recherche pure.

Toutes ces tendances nous amènent à croire que le travail de l'hydrographe sera de moins en moins exigeant physiquement, comme il l'a été par le passé, ce qui favorisera une participation accrue des femmes au sein du Service hydrographique. Une telle situation aurait sans aucun doute provoqué bien des rires dans la cabine du capitaine du *Discovery*. Elle aurait été la risée dans le carré des officiers de l'*Acadia* et elle aurait été tournée en ridicule même sur les ponts du *Baffin* au cours de ses premiers voyages. Mais, il y a cent ans, qui aurait pu imaginer l'invention du sondeur à écho, des systèmes électroniques d'établissement de positions ou même l'importance des voies maritimes de l'Arctique pour les pétroliers dans la mer de Beaufort?

Aujourd'hui, l'hydrographe a toujours une dette envers le passé et demeure un serviteur de l'avenir. Dans cette situation, les hommes et les femmes du Service hydrographique ne peuvent que continuer à faire de leur mieux. Une chose demeure constante par-dessus tout: la recherche constante de l'excellence, la quête incessante de la perfection. L'avenir, véritable tyran, attend avant de porter son jugement.

On ne peut payer sa dette envers le passé
qu'en plaçant l'avenir en dette envers nous-mêmes

Lord Tweedsmuir
Gouverneur général du Canada, 1935-1940

Les Hydrographes fédéraux du Canada

Capitaine John George Boulton, MR
Chef
Levé de la baie Georgienne
1883-1893

William James Stewart
Chef arpenteur hydrographe
Levé hydrographique du Canada
1893-1925

Capitaine Frederick Anderson
Hydrographe fédéral
Service hydrographique du Canada
1925-1936

Frederic H. Peters
Hydrographe fédéral
1936-1947

Robert James Fraser
Hydrographe fédéral
1947-1952

F.C. Goulding Smith
Hydrographe fédéral
1952-1957

Norman G. Gray
Hydrographe fédéral
1957-1967

Arthur E. Collin
Hydrographe fédéral
1967-1972

Gerald N. Ewing
Hydrographe fédéral
1972-1978

Stephen B. MacPhee
Hydrographe fédéral, Directeur général
1979-

Bibliographie

Akrigg, G.P.V. et Akrigg, H.B. *British Columbia/1847-1871: Gold and Colonists.* Vancouver: Discovery Press, 1977.

Appleton, Thomas. *Usque Ad Mare.* Ottawa: Ministère des Transports, 1968.

Asimov, Isaac. *The Shaping of North America.* London: Dennis Dobson, 1974.

Blewitt, Mary. *Surveys of the Sea.* London: McGibbon and Kee, 1957.

Boulton, J.G. "Hydrographic Surveying". Tiré de *Proceedings of the Annual Meeting of the Association of Dominion Land Surveyors.* Ottawa: 1890.

______. Document sans titre. Tiré de "Transactions, 1908-9". Québec: Société historique et littéraire de Québec, 1909.

Bowditch, Nathaniel. *Bowditch for Yachtsmen.* New York: David Mckay Company Inc., 1976.

Brown, L.A. *The Story of Maps.* New York: Bonanza Books, 1949.

Burrows, E.H. *Captain Owen of the African Survey.* Rotterdam: A.A. Balkema, 1979.

Service hydrographique du Canada. *Rapport des activités.* Ottawa, 1973, 1974, 1975, 1976, 1977, 1978, 1979, 1980.

Casey, M.J. "The Asia Tragedy". *Lighthouse,* n° 12, novembre 1975.

Dawson, L.S. *Memoirs of Hydrography.* 2 vol. en 1. London: Cornmarket Press, 1969.

Day, Archibald. "Hydrographic Surveys: the purpose and choice of scale". *International Hydrographic Review,* mai 1955.

______. *The Admiralty Hydrographic Service.* London: Her Majesty's Stationery Office, 1967.

Delanglez, Jean. "Franquelin, Mapmaker". *An Historical Review,* vol. 25, n° 1 (nouvelle série vol. 14). Chicago: Loyola University, 1943.

______. *Life and Voyages of Louis Jolliet 1645-1700.* Chicago: Institute of Jesuit History, 1948.

Dunlap, G.D. et Shufeldt, H.H. *Dutton's Navigation and Piloting.* 12e éd. Annapolis, Maryland: Naval Institute Press, 1972.

Dyde, B.S. "From Hand-lead to Hydrosearch". Tiré de *Proceedings of the 17th Annual Canadian Hydrographic Conference,* avril 1978.

Edgell, I. *Sea Surveys: Britain's Contribution to Hydrography.* London: The British Council/ Longmans Green & Co., 1948.

Edmonds, Alan. *Voyage to the Edge of the World.* Toronto: McClelland and Stewart, 1973.

Fagerholm, P.O. "The Parallel Sounding Technique". *International Hydrographic Review,* juillet 1964.

Friendly, Alfred. *Beaufort of the Admiralty: The Life of Sir Francis Beaufort 1774-1857.* London: Hutchinson, 1977.

Goldsworthy, E.C. "Accurate Control by Electronic Means" *Ship-building and Shipping Record,* 14 septembre 1967.

Hale, John R. *Age of Exploration.* Great Ages of Man. New York: Time-Life Books, 1966.

Hamilton, Angus C., et Nickerson, Bradford G. "The Electronic Chart". Rapport, atelier à l'Université du Nouveau-Brunswick, juin 1982.

Hough, Richard. *The Murder of Captain James Cook.* London: Macmillan, 1979.

Organisation hydrographique internationale. *Dictionnaire hydrographique.* 3e éd. Monaco: 1974.

Jolicoeur, T. et Fraser, J. Keith. "Geographical Features in Canada Named for Surveyors". *Gazetteer of Canada,* Supplément n° 2. Ottawa: Department of Mines and Technical Surveys, Geographical Branch, 1966.

Kemp, Peter, ed. *The Oxford Companion to Ships and the Sea.* London: Granada, 1979.

MacPhee, S.B. *Underwater Acoustics and Sonar et Echo Sounding Instrumentation.* Ottawa: Service hydrographique du Canada, Rapport technique 1, 1979.

______. "National Hydrographic Surveying and Charting Program — Status and Techniques". Tiré de *Proceedings, Third Colloquium of the Canadian Petroleum Association,* Banff, octobre 1981.

McKenzie, Ruth. "Admiral Bayfield: Pioneer Nautical Surveyor". Ottawa: Environnement Canada, Service des pêches et de la mer, publications diverses 32, 1976.

Meehan, O.M. *The Canadian Hydrographic Service: A Chronology of Its Early History Between the Years 1883 and 1947.* Manuscrit inédit.

Miertsching, Johann. *Frozen Ships.* Traduction et introduction par L.H. Neatby. Toronto: Macmillan, 1967.

Mixter, George W. *Primer of Navigation.* Toronto: D. Van Nostrand (Canada), 1967.

Nicholson, N.L. et Sebert, L.M. *The Maps of Canada.* Folkestone (Kent), Angleterre: Wm. Dawson & Sons, 1981.

Ollard, Richard. *Pepys.* New York: Holt, Rinehart & Winston, 1974.

O'Shea, J., Champ, C.G., Logan, R.F., MacPhee, S.B. "The Development of Chart Scheming in the Canadian Hydrographic Service". Aucune donnée de publication fournie.

Peskett, Ken A. "Computer-Assisted Cartographic Station as a Tool for the Cartographer in the Production of Nautical Charts". Tiré de *Proceedings of the 19th Annual Canadian Hydrographic Conference,* mai 1980.

Peters, F.H. et Smith, F.C. Goulding. "Charting Perils of the Sea". *Canadian Geographical Journal,* février 1946.

Porter, Robert P. "Acoustic Probing of Ocean

Dynamics''. *Oceanus*, vol. 20, n° 2, printemps 1977.
Pritchard, J.S. Early French Hydrographic Surveys in the St. Lawrence River, *International Hydrographic Review*, Monaco LVI (1), janvier 1979.
Pullen, Hugh F. *The Sea Road to Halifax*. Halifax: Musée maritime de l'Atlantique, 1980.
Ritchie, George Stephen. *Challenger: The Life of a Survey Ship*. London: Hollis & Carter, 1957.
______ . ''Great Britain's Contribution to Hydrography During the Nineteenth Century''. *Journal of the Institute of Navigation*, vol. 20, n° 1, janvier 1967.
______ . *The Admiralty Chart: British Naval Hydrography in the Nineteenth Century*. London: Hollis and Carter, 1969.
Roy, Antoine. *Rapport de l'archiviste de la Province de Québec pour 1943-1944*. Québec: Secrétariat de la Province. 1944.
Russell-Cargill, W.G.A., éd. *Recent Developments in Side Scan Sonar*. Cape Town, University of Cape Town, 1982.
Sandilands, Robert W. ''The History of Hydrographic Surveying in British Columbia''. *The Canadian Cartographer*, vol. 7, n° 2, décembre 1970.
______ . ''Charting the Beaufort Sea''. *Lighthouse*, n° 24, novembre 1981.
______ . ''Captain James Cook, RN, Hydrographer''. *The Canadian Surveyor*, décembre 1978.
______ . ''Charlie, Golf, Foxtrot and Quebec''. *Lighthouse*, No 20, novembre 1979.
Schwartz, Seymour I. and Ralph E. Ehrenberg. *The Mapping of America*. Harry N. Abrams, Incorporated, New York, 1980.
Thomson, Don W. *Men and Meridians*; Volume 1, Department of Mines and Technical Surveys, 1975.
______ . Hydrographic Surveying in the Great Lakes during the Nineteenth Century. *The Canadian Surveyor*, juin 1982.
Schwartz, Seymour I. et Ehrenberg, Ralph E. *The Mapping of America*. New York: Harry N. Abrams Incorporated, 1980.
Wilford, John Noble. *The Mapmakers*. New York: Alfred A. Knopf, 1981.

Remerciements

Il est presque obligatoire pour des auteurs d'ouvrages comme celui-ci de remercier les nombreuses personnes dont les noms ne figurent pas dans les pages de l'oeuvre, mais qui ont quand même contribué largement à sa préparation. Une liste complète de ceux qui ont accepté avec bienveillance et enthousiasme de contribuer au présent ouvrage dépasserait les limites de cette page; c'est pourquoi nous tenons à remercier sincèrement ceux dont les noms ne sont pas mentionnés.

Ancien hydrographe, Monsieur O.M. Meehan, d'Ottawa a été, pendant de nombreuses années, l'historien non officiel du Service hydrographique du Canada. Son manuscrit sur les débuts du Service nous a été d'une valeur inestimable notamment pour les chapitres 1, 2 et 3.

L'hydrographie au Canada (1883-1983) a été entrepris au milieu des années 1970 par M. Gerald N. Ewing, Hydrographe fédéral de l'époque. Depuis lors, M. Ewing, est devenu sous-ministre adjoint des Sciences et levés océaniques au ministère fédéral des Pêches et des Océans. Il a cependant continué de s'intéresser au projet et nous le remercions de l'appui continu qu'il nous a donné.

Le directeur général et Hydrographe fédéral actuel, M. Stephen B. MacPhee, a poursuivi l'entreprise avec vigueur. Nous le remercions pour le temps et l'énergie qu'il a bien voulu nous consacrer ainsi que pour les précieux conseils qu'il nous a donnés. M. MacPhee et ses quatre directeurs régionaux ont lu le texte et proposé des améliorations. Nous leur devons donc beaucoup. À l'Administration centrale du Service à Ottawa, M. Cyril Champ était le chercheur infatigable de faits exacts pour corriger les imprécisions et nous tenons à le remercier grandement pour son aide. Également, la version française de cet ouvrage a été relue et commentée par le directeur régional de la Région du Québec des Sciences et levés océaniques, M. Jean Piuze, ainsi que par M. Paul Bellemare, agent de planification et de coordination de cette même région.

Mme Joanna Drewry de la Direction générale des communications, au MPO, a été l'agent de projet chargé de la publication. Nous la remercions sincèrement, ainsi que ses collègues MM. Ian Hamilton et George Sanderson, pour leur intérêt soutenu et leur organisation.

Mme Michèle Deslauriers a entrepris et mené à bien la traduction de la version anglaise de cet ouvrage, *L'hydrographie au Canada (1883-1983)*; M. Lucien Parizeau en a fait la révision. Mme Danielle Plouffe a, pour sa part, préparé la version manuscrite en français, et aussi Jean Chabot et l'Unité des communications de langues officielles du Ministère qui en ont suivi les étapes de la production. À tous, nous tenons à exprimer des remerciements.

Les personnes qui suivent ont aussi contribué à l'ouvrage de diverses façons qu'il serait trop long d'énumérer. À chacun, nous disons merci: le lieutenant commandant Andrew David, MR, Taunton (Angleterre); le juge David A. Anderson et Roland G. Andrews, Toronto; le Révérend Père Pouliot S.J. et M. Patrick Hally, Québec; MM. David Avey, Bob Brooks, Bert Smith et Niels Jannasch, Halifax; Bob Young et Fred Smithers, Victoria.

Nous remercions le professeur Robin S. Harris, de Toronto, qui nous a autorisés à citer des extraits de la correspondance de Bayfield et Harris.

De nombreuses personnes ont lu le manuscrit à divers stades de sa préparation et proposé des améliorations et des corrections. Toute erreur dans les faits ou l'interprétation demeure la seule responsabilité des auteurs.

S.F.
R.W.S.
Octobre 1983

Les crédits photographiques

Les Archives provinciales de la Colombie-Britannique : p. 35
Société canadienne des Postes : p. 31
Michael Foster : p. 1, 41-56, 70, 101-112, 133, 144-159, 178-191, 224-240, 245 et 247.
Musée maritime de la Nouvelle-Écosse : p. 170-173
Musée maritime national de Greenwich (Angleterre) : p. 16
Mme H.D. Parizeau, p. 85
Archives publiques Canada : p. 5(PA28539), 6(PA28540), 8(C113062), 11(NMC165661), 13(NMC1000-1688), 15(PA112-1702), 21(NMC16854) et 59(PA120552)

Qu'il nous soit permis de remercier gracieusement le Service hydrographique du Canada de nous avoir fourni les cartes marines, les photographies et les autres illustrations non mentionnées ici qui nous ont servi à la préparation de cet ouvrage.

Le texte de ce livre
L'Hydrographie au Canada (1883-1983),
de Stanley Fillmore et R.W. Sandilands,
a été traduit en français par Michèle Deslauriers,
révisé par Lucien Parizeau,
et composé en caractères Garamond
par Nancy Poirier Typesetting Ltd., à Ottawa,
Alpha Graphics, à Toronto,
et Jay Tee Graphics Ltd., à Toronto.
Ce livre a été conçu graphiquement
par Peter Maher,
de Maher & Murtagh Inc., de Toronto,
imprimé sur papier Sterling Matte
et relié par l'Imprimerie Gagné Ltée, de Louiseville.